『十三五』国家重点出版物出版规划项目

中国中药资源大典

黄璐琦 / 总主编
张水寒　刘　浩 / 湖南卷主编
周融融　刘　浩　张代贵 / 主　编

北京科学技术出版社

图书在版编目（CIP）数据

中国中药资源大典. 湖南卷. 12 / 周融融，刘浩，张代贵主编. -- 北京 ：北京科学技术出版社，2024. 6.

ISBN 978-7-5714-3959-0

Ⅰ. R281.4

中国国家版本馆CIP数据核字第202459DT55号

责任编辑：侍　伟　李兆弟　尤竞爽　王治华　吕　慧　庞璐璐　刘　雪

责任校对：贾　荣

图文制作：樊润琴

责任印制：李　茗

出 版 人：曾庆宇

出版发行：北京科学技术出版社

社　　址：北京西直门南大街16号

邮政编码：100035

电　　话：0086-10-66135495（总编室）　0086-10-66113227（发行部）

网　　址：www.bkydw.cn

印　　刷：北京博海升彩色印刷有限公司

开　　本：889 mm × 1 194 mm　1/16

字　　数：1 109千字

印　　张：50

版　　次：2024年6月第1版

印　　次：2024年6月第1次印刷

审 图 号：GS京（2023）1758号

ISBN 978-7-5714-3959-0

定　　价：490.00元

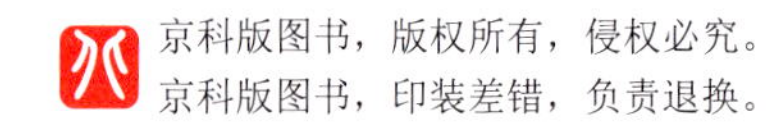

《中国中药资源大典·湖南卷》

编写委员会

总 主 编 黄璐琦

顾　　问 邵湘宁 郭子华 肖文明 蔡光先 谭达全 秦裕辉 葛金文

主　　编 张水寒 刘 浩

技术牵头单位 湖南省中医药研究院

普查队依托单位（按拼音排序）

安化县中医医院　安仁县中医医院
安乡县中医医院　保靖县中医院
茶陵县中医医院　长沙市中医医院
长沙县中医医院　常德市第二中医医院
常德市第一中医医院　常宁市中医医院
郴州市中医医院　辰溪县中医医院
城步苗族自治县中医医院　慈利县中医医院
道县中医医院　东安县中医医院
洞口县中医医院　凤凰县民族中医院
古丈县中医医院　桂东县中医医院
桂阳县中医医院　汉寿县中医医院
赫山区中医医院　衡东县中医医院
衡南县中医医院　衡山县中医医院
衡阳市中医医院　衡阳市中医正骨医院
衡阳县中医医院　洪江市第一中医医院
湖南省直中医医院　湖南医药学院
湖湘中医肿瘤医院　华容县中医医院
花垣县民族中医院　会同县中医医院

嘉禾县中医医院

江永县中医院

靖州苗族侗族自治县中医医院

耒阳市中医医院

澧县中医医院

涟源市中医医院

临武县中医医院

零陵区中医医院

龙山县中医院

娄底市中医医院

渌口区淦田镇中心卫生院

汨罗市中医医院

宁乡市中医医院

平江县中医医院

祁阳市中医医院

桑植县民族中医院

邵阳市中西医结合医院

邵阳县中医医院

石门县中医医院

双牌县中医医院

桃江县中医医院

通道侗族自治县民族中医医院

武冈市中医医院

湘潭县中医医院

湘阴县中医医院

新晃侗族自治县中医医院

新邵县中医医院

江华瑶族自治县民族中医医院

津市市中医医院

蓝山县中医医院

冷水江市中医医院

醴陵市中医院

临澧县中医医院

临湘市中医医院

浏阳市中医医院

隆回县中医医院

泸溪县民族中医院

麻阳苗族自治县中医医院

南县中医医院

宁远县中医医院

祁东县中医医院

汝城县中医医院

邵东市中医医院

邵阳市中医医院

韶山市人民医院

双峰县中医医院

绥宁县中医医院

桃源县中医医院

望城区人民医院

湘潭市中医医院

湘乡市中医医院

新化县中医医院

新宁县中医医院

新田县中医医院

溆浦县中医医院
炎陵县中医医院
宜章县中医医院
益阳市中医医院
永顺县中医院
永兴县中医医院
永州市中医医院
攸县中医院
沅江市中医医院
沅陵县中医医院
岳阳市中医医院
岳阳县中医医院
云溪区中医医院
张家界市中医医院
芷江侗族自治县中医医院
资兴市中医医院

主编简介

>> 张水寒

二级研究员，博士研究生导师。享受国务院政府特殊津贴专家、享受湖南省政府特殊津贴专家、湖南省卫生健康高层次人才医学学科领军人才，入选国家“百千万人才工程”，并被授予“有突出贡献中青年专家”荣誉称号。主要从事中药资源、中药制剂及中药质量标准方面的研究。

近10年来，主持和参与“重大新药创制”、国家自然科学基金、“十二五”国家科技支撑计划等20余项课题。获得新药证书12项、药物临床批件22项、国家发明专利13项。发表学术论文200余篇，其中以第一作者和通讯作者发表SCI论文30余篇，编写专著7部。获得国家科学技术进步奖二等奖1项、省部级奖励5项。

2011年以来，担任湖南省第四次全国中药资源普查技术总负责人、湖南省中药资源动态监测省级中心主任，主持建立“技术分层、突出量化、严把质控”的中药资源普查组织管理与技术保障模式；开展重点品种研究示范，大力推动普查成果转化、应用。

主编简介

>> 刘　浩

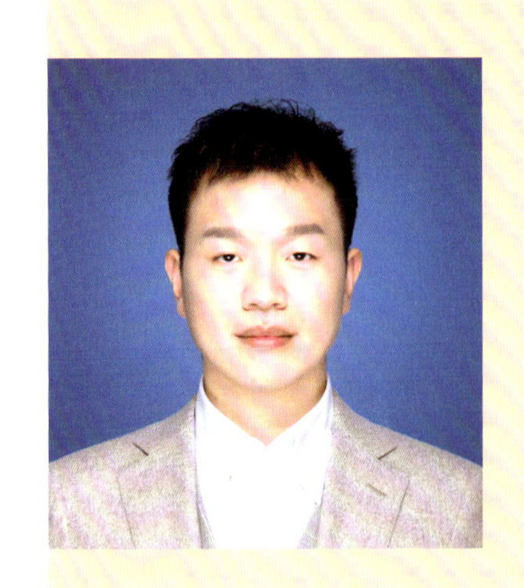

副研究员。湖南省中医药研究院中药资源研究所中药资源与鉴定研究室主任。主要从事中药资源、中药鉴定与本草学研究。

历任湖南省中药资源普查工作领导小组办公室成员、专家委员会委员、专家委员会办公室副主任，负责湖南省第四次全国中药资源普查组织管理与技术保障工作的具体实施，采集、鉴定普查标本近10万号，参与建成湖南省中药资源数据库、药用植物标本馆，熟悉湖南省中药资源基本情况及道地药材传承与发展的情况，编制省级、县级中药材产业发展规划10余份。2014年起任湖南省中药资源动态监测省级中心秘书，参与建成“一个中心，三个监测站，百个监测点”的湖南省中药资源动态监测与技术服务体系。

《中国中药资源大典·湖南卷12》

编写委员会

主　　编　周融融　刘　浩　张代贵

副 主 编　陈功锡　石晏丞　向　娟　姚姝凤　张梦华

编　　委　（按姓氏笔画排序）

马思静（湖南省中医药研究院附属医院）
王志成（吉首大学）
方晓洋（湖南省中医药研究院）
石晏丞（吉首大学）
成　飞（湖南省中医药研究院）
成　江（吉首大学）
向　娟（吉首大学）
向晓媚（吉首大学）
刘　浩（湖南省中医药研究院）
李世慧（湖南省中医药研究院）
吴一振（湘西州民族中医院/吉首大学附属中医医院）
沈冰冰（湖南省中医药研究院）
张　丹（湖南省中医药研究院）
张代青（吉首大学）
张代贵（吉首大学）
张梦华（吉首大学）
陈功锡（吉首大学）
罗远强（湘西州民族中医院/吉首大学附属中医医院）
周融融（湖南省中医药研究院附属医院）
郑钦方（湖南医药学院）

赵　京（吉首大学）

胡梦妮（吉首大学）

姚姝凤（吉首大学）

贺雨晴（吉首大学）

谢　谊（湖南省中医药研究院）

《中国中药资源大典·湖南卷 12》

编辑委员会

中药资源是中医药事业和产业发展的重要物质基础。随着中医药事业和产业蓬勃发展，社会各界对中药资源的需求量逐渐增加。为摸清中药资源家底，科学制定中药资源保护和产业发展政策措施，国家中医药管理局组织实施了第四次全国中药资源普查，对促进中药资源可持续利用、助力健康中国行动的实施和区域社会经济发展做出了重要贡献。

湖南地处云贵高原向江南丘陵、南岭山脉向江汉平原过渡的地带，属大陆性亚热带季风湿润气候区，独特的地理环境孕育了丰富的中药资源。锦绣潇湘，物华天宝，人杰地灵。湖南省作为首批6个中药资源普查试点省区之一，由湖南省中医药研究院作为技术牵头单位，组织全省技术人员队伍，出色地完成了湖南第四次中药资源普查工作任务。

张水寒和刘浩两位“伙计”基于湖南中药资源普查获得的第一手调查资料，系统整理分析、总结普查成果，牵头主编了《中国中药资源大典·湖南卷》。该书既有湖南自然社会概况、中药资源种类等总体情况介绍，又有湖南特色中药资源的历史源流与生产现状阐述，还对4 196种中药资源的基本情况进行详细介绍。该书可作为认识和了解湖南中药资源的工具书，具有重要的学术价值和应用价值。希望该书的出版，能助力湖南中药产业高质量发展，为中药资源的可持续发展、优化中药产业布局、促进学术交流和科学研究起到积极推动作用。

付梓之际，欣然为序。

中国工程院院士
中国中医科学院院长
第四次全国中药资源普查技术指导专家组组长

黄璐琦

2024年4月

前言

湖南地处云贵高原向江南丘陵过渡、南岭山脉向江汉平原过渡的中亚热带，位于东经108° 47′～114° 15′、北纬24° 38′～30° 08′。东以幕阜、武功诸山系与江西交界，西以云贵高原东缘连贵州，西北以武陵山脉毗邻重庆，南枕南岭与广东、广西相邻，北以滨湖平原与湖北接壤，形成了东、南、西三面环山，中部丘岗起伏，北部湖盆平原展开的马蹄形地形。湖南有半高山、低山、丘陵、岗地和平原等多种地貌类型，其中山地面积占全省总面积的51.22％。湖南位于长江以南的东亚季风区，加之离海洋较远，形成了气候温暖、四季分明、热量充足、雨水集中、春温多变、夏秋多旱、严寒期短、暑热期长、雨热同期的亚热带季风湿润气候。湖南为华东、华中、华南、滇黔桂4个植物区系的过渡地带，其境内植物具有较明显的东西、南北过渡性。地带性植被为常绿阔叶林，地带性土壤为红壤。湖南亚热带季风的大气候与复杂地势地貌的小环境，共同孕育了丰富的中药资源。

湖南历史文化悠久，是华夏文明的重要发祥地之一。道县玉蟾岩遗址出土了世界上现存最早的人工栽培稻标本，距今1.2万年。澧县城头山古文化遗址被称为“中国最早的城市”，距今约6 000年。宋代罗泌《路史》载炎帝“崩，葬长沙茶乡之尾……唐世尝奉祀焉”。《古今图书集成·衡州府古迹考》载：“炎帝神农氏陵，在酃之康乐乡。”“康乐乡”即今株洲市炎陵县鹿原镇。长沙马王堆汉墓出土的16部医书涉及方剂学、脉学、经络学等多门学科，代表了我国先秦时期的医药成就，其中《五十二病方》是我国现存最早的方书。

湖南中药资源的研究与应用历史悠久。马王堆汉墓出土的药材有桂皮、花椒、干姜、藁本、佩兰、辛夷、牡蛎、朱砂等，出土医书中的中药名共406个。《新唐书·地理志》载："岳州巴陵郡贡鳖甲，潭州长沙郡贡木瓜，永州零陵郡贡零陵香、石蜜、石燕，道州江华郡贡零陵香、犀角，辰州泸溪郡贡光明砂、犀角、水银、黄连、黄牙……锦州卢阳郡贡光明丹砂、犀角、水银。"唐代柳宗元《捕蛇者说》云："永州之野产异蛇，黑质而白章。"此即常用中药蕲蛇。宋代苏颂等编撰的《本草图经》，实际上是继《新修本草》后本草史上第二次全国药物普查的成果，集中反映了宋代实际的药物出产与使用情况，该书收载了当时湖南境内8州的28幅药图，包括辰州丹砂、道州石钟乳、道州滑石、道州石南、永州石燕、衡州菖蒲、衡州玄参、衡州栝楼、衡州地榆、衡州百部、衡州马鞭草、衡州五加皮、衡州乌药、澧州莎草、邵州苦参、邵州天麻、邵州乌头、鼎州茅根、鼎州连翘、鼎州地芙蓉、鼎州水麻、岳州假苏、岳州薄荷等。清代吴其濬所著《植物名实图考》收载的湖南药用植物达267种。明清之际，湖南各府县广泛修著地方志，并在"物产"中记载本地所产药材，如清道光《宝庆府志》（1849）与光绪《邵阳县志》（1876）均记载："百合，邵阳出者特大而肥美。"清末《邵阳县乡土志》（1907）载："玉竹参一名葳蕤，又名女萎，近谷皮洞多产此。"并载邵阳常见中药材尚有黄精、香附子、金樱子、栀子、金银花、桑白皮、厚朴、丹皮、天花粉、天南星、何首乌、前胡、桔梗、牛膝、五倍子、络石藤、吴茱萸、木通、车前草、香薷、木鳖子等。

中华人民共和国成立以来，党和政府高度重视中医药的传承与发展。湖南先后开展了4次全省范围的中药资源调查工作，掌握了全省中药资源的种类、分布、产量与民间药用情况的本底资料。20世纪50年代末，湖南开展了"群众性的中医采风运动"，全省献方达数十万个，湖南中医药研究所（1957年创办，1962年更名为湖南省中医药研究所，1984年更名为湖南省中医药研究院）组织专家对献方进行了研究，为各地挖掘使用中药资源奠定了坚实的基础。20世纪60—70年代，湖南开始兴起中草药群众运动。为了更好地开展中草药群众运动，湖南省中医药研究所对基层医疗工作者、赤脚医生、老药农、老草医与地方卫生局、药品检验所、医药公司提供的大量标本和资料进行了整理与鉴定，系统地梳理了这一时期湖南中药资源的种类和应用情况。1962年，湖南省中医药研究所出版了《湖南药物志（第一辑）》，该书收载药用植物417种。1972年，《湖南药物志（第二辑）》出版，收载药用植物406种。1979年，《湖南药物志（第三辑）》出版，收载药用植物341种。20世纪80年代，湖南第三次中药资源普查正式开始，此次普查共采集植物、动物、矿物标本298 785份，拍摄照片13 457张，调查到全省中药资源种类2 384种，其中植物药2 077种，动物药256种，矿物药51种；全国重点调查的363种药材中，湖南产241种；测算全省植物药蕴藏量107.8万t，动物药蕴藏量1 306 t，矿物药蕴藏量1 147万t；共收集单验方25 355个，经各地（州、市）筛选汇编的有8 000多个，经名老中医严格审查选用的有2 400余个，这2 400余个单验方编成了《湖南省中草药民间单验方选编》。

2011年，第四次全国中药资源普查试点工作启动。湖南作为首批6个试点省区之一率先启动普查工作，历时11年，先后分6批，进行了全省122个县级行政区域的中药资源普查工作。湖南本次普查共调查代表区域550个，代表区域总面积149 101.03 km^2；调查样地4 598个，样方套22 904个；采集腊叶标本116 443号、药材样品10 204份、种质资源5 913份；调查传统知识1 252份；拍摄照片1 519 340张；计算蕴藏量的种类584种；调查栽培品种160种、市场流通中药材479种；调查数据约210万条。本次普查全面掌握了湖南中药资源种类与分布、重点品种的资源量、中药材市场流通等信息，为湖南中医药事业、产业发展提供了科学依据。

湖南第四次中药资源普查为适应时代发展需求，创新应用了大量现代技术，提高了工作效率，保障了数据的完整性、一致性、准确性和实用性。通过引入空间信息技术与分层抽样方法设置的调查区域与样地更具代表性，从而使资源蕴藏量的估算更加科学。野外调查中应用GPS、数码相机、信息采集软件等获取经度、纬度、海拔等信息化数据，搭建了信息化工作平台。湖南在约210万条数据的基础上建成了湖南省中药资源数据库，实现了全省中药资源数据的长久保存、可视查询、成果转化和共享服务。本书中的基原图片、资源分布等内容充分利用了数据库的查询、统计功能，湖南省最新中药资源区划也利用了普查数据，全省被划分为湘西北武陵山中药资源区、湘西南雪峰山中药资源区、湘南南岭北部中药资源区、湘中湘东丘陵中药资源区、洞庭湖及环湖丘岗中药资源区5个中药资源分区。

编著一套图文并茂、系统全面反映湖南中药资源家底的著作是普查工作的重要组成部分。2021年，湖南第四次中药资源普查进入收尾阶段，我们组织专家对《中国中药资源大典·湖南卷》的编写体例、资源名录、图片整理及分工安排进行了多轮讨论，最后形成了编写工作方案。野外工作得到的一手数据，是我们编著本书的关键素材，书中的图片来源于野外拍摄，分布信息来源于凭证标本的采集地点，资源蕴藏量信息来源于实际调查，因此，本书充分体现了湖南第四次中药资源普查的全方位成果。

第四次全国中药资源普查技术指导专家组组长黄璐琦院士多次带领普查专家组莅临湖南指导普查工作。湖南省委、省政府高度重视中药资源普查工作；湖南省中医药管理局作为普查组织实施单位，构建了符合湖南实际情况的普查组织模式；湖南省中医药研究院作为技术牵头单位，组织成立了专家委员会，指导全省普查工作。在各方的共同努力下，湖南顺利完成了第四次中药资源普查工作。我们向支持普查工作的社会各界表示由衷的感谢，向奋战在普查一线的“伙计们”致以诚挚的敬意！

普查的大量数据是我们编著本书的优势，同时也为整理图片、撰写文稿带来了巨大的挑战，加之编者学术水平有限，书中难免存在资料取舍失当及错漏之处，敬请有关专家、学者批评指正。

编　者

2024年4月

（1）本书共14册，分为上、中、下篇。上篇综述了湖南自然社会概况、中药资源调查历史、第四次中药资源普查情况、中药资源分布；中篇论述了34种湖南道地、大宗中药资源；下篇共收录中药资源4 196种，其中药用菌类资源36种、药用植物资源3 799种、药用动物资源315种、药用矿物资源46种。另外，附录中收录药用资源305种。

（2）分类系统。菌类参考Index Fungorum最新的分类学研究成果。蕨类植物采用秦仁昌分类系统（1978）。裸子植物采用郑万钧分类系统（1978）。被子植物采用恩格勒系统（1964）。

（3）本书下篇主要介绍各中药资源，以中药资源名为条目名，下设药材名、形态特征、生境分布、资源情况、采收加工、药材性状、功能主治、用法用量及附注等，其中采收加工、药材性状、用法用量为非必要项，资料不详者项目从略。各项目编写原则简述如下。

1）条目名。该项记述中药资源物种及其科属的中文名、拉丁学名。其中蕨类植物、裸子植物、被子植物的名称主要参考《中国植物志》，藻类、动物、矿物的名称主要参考《中华本草》。

2）药材名。该项记述中药资源的药材名、药用部位与药材别名。凡《中华人民共和国药典》等法定标准收载者，原则上采用法定药材名；法定标准未收载者，主要参考《中华本草》《全国中草药名鉴》《中国中药资源志要》。药材别名记载湖南各地乡村中医、草医及民间习惯用名。

3）形态特征。该项简要描述中药资源的形态特征，突出鉴别特征。主要参考《中国植物志》，并结合普查实际所获取的信息进行描述。

4）生境分布。该项记述中药资源在湖南的生存环境与分布区域。生存环境主要源于凭证标本的生境，并参考相关志书的描述。分布区域源于凭证标本的采集地，以“地市级行政区划（县级行政区划）”的形式进行描述。在湖南五大中药资源分区中皆有分布且凭证标本超过20号者，记述为“湖南各地均有分布”。

5）资源情况。该项记述中药资源的蕴藏量情况，用丰富、较丰富、一般、较少、稀少来表示；并用“野生”或“栽培”记述药材的主要来源。

6）采收加工。该项记述药材的采收时间与加工方法。

7）药材性状。该项主要记述药材的性状特征、品质评价等内容。

8）功能主治。该项记述药材的性味、毒性、归经、功能和主治。

9）附注。该项记述中药资源最新的分类学地位与接受名的变动情况；记述《中华人民共和国药典》与地方标准收载的物种学名；描述物种的濒危等级、其他医药相关用途，以及本草、地方志书中的资源方面的记载情况等。

（4）附录。以名录形式收载中篇、下篇没有收载的湖南分布的中药资源。

Contents

目录

被子植物

菊科 Asteraceae 蓍属 *Achillea*

蓍 *Achillea alpina* L.

| 药 材 名 | 蓍草（药用部位：全草。别名：飞天蜈蚣、蜈蚣草）。

| 形态特征 | 多年生草本，具短根茎。茎直立，被疏或密的伏柔毛。叶无柄，条状披针形，长 6 ~ 10 cm，宽 7 ~ 15 mm，篦齿状羽状浅裂至深裂（叶轴宽 3 ~ 8 mm），基部裂片抱茎；裂片条形或条状披针形，尖锐。头状花序多数，集成伞房状；总苞宽矩圆形或近球形，直径（4 ~ ）5 ~ 7 mm；总苞片 3 层，覆瓦状排列，宽披针形至长椭圆形，长 2 ~ 4 mm，宽 1.2 ~ 2 mm，托片和内层总苞片相似；边缘舌状花 6 ~ 8，长 4 ~ 4.5 mm，舌片白色，宽椭圆形，长 2 ~ 2.5 mm，先端 3 浅齿，管部翅状，压扁，长 1.5 ~ 2.5 mm，无腺点；管状花白色，长 2.5 ~ 3 mm，冠檐 5 裂，管部压扁。瘦果宽倒披针形，长 2 mm，宽 1.1 mm，扁，有淡色边肋，有时头状花序中心的 1 ~ 2 瘦果腹面

有 1 ～ 2 助棱。花果期 7 ～ 9 月。

| 生境分布 | 生于海拔 600 ～ 1 700 m 的荒坡、湿草地、铁路沿线、河岸砂质、石质地带或沟谷。分布于湖南衡阳（石鼓）、益阳（赫山、南县）、永州（蓝山）、常德（临澧）、郴州（桂东）、怀化（辰溪、溆浦）等。湖南各地均有栽培。

| 资源情况 | 野生资源较少。药材主要来源于栽培。

| 采收加工 | 夏、秋季采收，洗净，鲜用或晒干。

| 药材性状 | 本品茎呈圆柱形，上部有分枝，长 30 ～ 100 cm。表面深灰绿色至浅棕绿色，被白色柔毛，具纵棱，叶互生，无柄，叶片多破碎，完整者展平后呈条状披针形，羽状深裂，长 2 ～ 6 cm，宽 0.5 ～ 1.5 cm，暗绿色，两面均被柔毛，叶基半抱茎。头状花序密集成圆锥伞房状。气微，味微辛。

| 功能主治 | 辛、苦，平。祛风止痛，活血，解毒。用于感冒发热，头风痛，牙痛，风湿痹痛，血瘀经闭，腹部痞块，跌打损伤，毒蛇咬伤，痈肿疮毒。

| 用法用量 | 内服煎汤，10 ～ 15 g；或研末，每次 1 ～ 3 g。外用适量，煎汤洗；或捣敷；或研末调敷。

菊科 Asteraceae 蓍属 *Achillea*

云南蓍 *Achillea wilsoniana* Heimerl ex Hand.-Mazz.

| 药 材 名 | 西南蓍草（药用部位：全草）。

| 形态特征 | 多年生草本，有短的根茎。茎直立，不分枝或有时上部分枝，叶腋常有不育枝。叶无柄，下部叶在花期凋落，中部叶矩圆形，下面的较大，披针形，有少数齿，上面的较短小，近无齿或有单齿；叶轴宽约 1.5 mm，全缘或上部裂片间有单齿。头状花序多数，集成复伞房花序；总苞宽钟形或半球形，直径 4 ~ 6 mm；总苞片 3 层，覆瓦状排列；托片披针形，舟状，长 4.5 mm，具稍带褐色的膜质透明边缘；边缘花 6 ~ 8（~ 16）；舌片白色，偶有淡粉红色边缘，长、宽各约 2.2 mm，先端具深或浅的 3 齿，管部与舌片近等长，翅状压扁，具少数腺点；管状花淡黄色或白色，长约 3 mm，管部压扁

具腺点。瘦果矩圆状楔形，长 2.5 mm，宽约 1.1 mm，具翅。花果期 7 ~ 9 月。

| 生境分布 | 生于海拔 600 ~ 2 000 m 的山坡林缘、荒坡、草丛或山坡阴湿处。分布于湖南郴州（汝城）、永州（江华）、张家界（慈利、桑植）、怀化（沅陵）、湘西州（凤凰、龙山）等。

| 资源情况 | 野生资源稀少。药材来源于野生。

| 采收加工 | 夏、秋季采收，切段，鲜用或晒干。

| 功能主治 | 辛、苦，平。祛风除湿，散瘀止痛，解毒消肿。用于风湿疼痛，胃痛，牙痛，跌打瘀肿，闭经腹痛，痈肿疮毒，蛇虫咬伤。

| 用法用量 | 内服煎汤，1.5 ~ 3 g；或研末；或浸酒。外用适量，捣敷；或研末撒。

菊科 Asteraceae 和尚菜属 *Adenocaulon*

和尚菜 *Adenocaulon himalaicum* Edgew.

| 药 材 名 |

水葫芦根（药用部位：根及根茎）。

| 形态特征 |

多年生草本。根茎匍匐。茎直立，中部以上分枝，稀自基部分枝，有长 2 ~ 4 cm 的节间。根生叶或有时下部的茎叶花期凋落；下部茎叶肾形或圆肾形，长（3 ~）5 ~ 8 cm，宽（4 ~）7 ~ 12 cm，基部心形；基出 3 脉，叶柄长 5 ~ 17 cm，宽 0.3 ~ 1 cm，有狭或较宽的翼，翼全缘或有不规则的钝齿；中部茎叶三角状圆形，长 7 ~ 13 cm，宽 8 ~ 14 cm。头状花序排列成狭或宽大的圆锥状花序，花梗短，被白色绒毛，花后花梗伸长；总苞半球形，宽 2.5 ~ 5 mm；总苞片 5 ~ 7，宽卵形，长 2 ~ 3.5 mm，全缘，果期向外反曲；雌花白色，长 1.5 mm，檐部比管部长，裂片卵状长椭圆形；两性花淡白色，长 2 mm，檐部是管部的 1/2。瘦果棍棒状，长 6 ~ 8 mm，被多数头状具柄的腺毛。花果期 6 ~ 11 月。

| 生境分布 |

生于海拔 2 000 m 以下的水沟边、阴坡、湖旁、河岸、峡谷或密林下阴湿处。分布于湖南张家界（桑植）等。

| 资源情况 | 野生资源稀少。药材来源于野生。

| 采收加工 | 夏、秋季采挖，洗净，鲜用或晒干。

| 功能主治 | 苦、辛，温。宣肺平喘，利水消肿，散瘀止痛。用于咳嗽气喘，水肿，小便不利，产后瘀滞腹痛，跌打损伤。

| 用法用量 | 内服煎汤，10 ~ 15 g。外用适量，鲜品捣敷。

菊科 Asteraceae 下田菊属 *Adenostemma*

下田菊 *Adenostemma lavenia* (L.) O. Kuntze

| 药 材 名 | 下田菊（药用部位：全草）。

| 形态特征 | 一年生草本。茎直立，单生，全株有稀疏的叶。基部的叶花期生存或凋萎；中部茎叶较大，长椭圆状披针形，先端急尖或钝，基部宽或狭楔形，叶柄有狭翼，长 0.5 ~ 4 cm，边缘有圆锯齿，叶两面有稀疏短柔毛或脱毛，通常沿脉有较密的毛；上部和下部叶渐小，有短叶柄。头状花序小，花序分枝粗壮；花序梗长 0.8 ~ 3 cm；总苞半球形，果期变宽，总苞片宽可达 10 mm，总苞片 2 层，近等长，狭长椭圆形；花冠长约 2.5 mm，有 5 齿，被柔毛。瘦果倒披针形，长约 4 mm，宽约 1 mm，先端钝，基部收窄，被腺点，果实成熟时黑褐色。冠毛约 4，长约 1 mm，棒状，基部结合成环状，先端有棕黄色的黏质的腺体分泌物。花果期 8 ~ 10 月。

| 生境分布 | 生于海拔 260 ~ 1 800 m 的山坡灌丛、林下阴湿处、水边、路旁、沼泽地或低湿地。湖南各地均有分布。

| 资源情况 | 野生资源较丰富。药材来源于野生。

| 采收加工 | 夏、秋季采收，鲜用或切段晒干。

| 功能主治 | 苦、寒。清热解毒，祛风除湿。用于感冒发热，黄疸性肝炎，肺热咳嗽，咽喉肿痛，风湿热痹，乳痈，痈肿疮疖，毒蛇咬伤。

| 用法用量 | 内服煎汤，10 ~ 15 g，鲜品加倍；或浸酒。外用适量，捣敷。

| 附　　注 | 本种同属植物尚有 2 个变种亦可作下田菊入药。①宽叶下田菊 *Adenostemma lavenia* (L.) O. Kuntze var. *latifolia* (D. Don) Hand.-Mazz. 分布于湖南、福建、台湾、湖北、湖南、广东、广西、四川、云南、西藏等。②小花下田菊 *A. lavenia* (L.) O. Kuntze var. *parviflorum* (BI.) Hochreut. 分布于湖南、江西及海南等。

菊科 Asteraceae 藿香蓟属 *Ageratum*

藿香蓟 *Ageratum conyzoides* L.

| 药 材 名 | 胜红蓟（药用部位：全草）。

| 形态特征 | 一年生草本。无明显主根。茎粗壮，不分枝或自基部或自中部以上分枝，或下基部平卧而节常生不定根。叶对生；中部茎叶卵形或椭圆形或长圆形，自中部叶向上向下及腋生小枝上的叶渐小或小，卵形或长圆形；全部叶基部钝或宽楔形，有长 1 ~ 3 cm 的叶柄。头状花序 4 ~ 18 在茎顶排列成通常紧密的伞房状花序；花梗长 0.5 ~ 1.5 cm，被尘状短柔毛；总苞钟状或半球形，宽 5 mm；总苞片 2 层，长圆形或披针状长圆形，长 3 ~ 4 mm；花冠长 1.5 ~ 2.5 mm，外面无毛或先端有尘状微柔毛，檐部 5 裂，淡紫色。瘦果黑褐色，5 棱，长 1.2 ~ 1.7 mm，有白色稀疏细柔毛；冠毛膜片 5 或 6，长圆形，全部冠毛膜片长 1.5 ~ 3 mm。花果期全年。

| 生境分布 | 生于海拔 70 ~ 1 200 m 的山坡林下、林缘、丘陵、平原、草丛、路边、山谷、沟边等。湖南各地均有分布。

| 资源情况 | 野生资源丰富。药材来源于野生。

| 采收加工 | 夏、秋季采收，除去根部，鲜用或切段，晒干。

| 功能主治 | 辛、微苦，凉。清热解毒，止血，止痛。用于感冒发热，咽喉肿痛，口舌生疮，咯血，衄血，崩漏，脘腹疼痛，风湿痹痛，跌打损伤，外伤出血，痈肿疮毒，湿疹瘙痒。

| 用法用量 | 内服煎汤，15 ~ 30 g，鲜品加倍；或研末；或鲜品捣汁。外用适量，捣敷；或研末吹喉；或调敷。

菊科 Asteraceae 兔儿风属 *Ainsliaea*

杏香兔儿风 *Ainsliaea fragrans* Champ.

药材名 金边兔耳（药用部位：全草。别名：马细辛、毛里一枝箭、猫耳朵）。

形态特征 多年生草本。根茎短或伸长，具簇生细长须根。茎直立。叶聚生于茎的基部，叶片厚纸质，卵形、狭卵形或卵状长圆形，长 2 ~ 11 cm，宽 1.5 ~ 5 cm；基出脉 5；叶柄长 1.5 ~ 6 cm，稀更长，无翅，密被长柔毛。头状花序通常有小花 3；总苞圆筒形，直径 3 ~ 3.5 mm；总苞片约 5 层，背部有纵纹，无毛；花托狭，不平，直径约 0.5 mm，无毛；花全部两性，白色，开放时具杏仁香气；花冠管纤细，长约 6 mm；花药长约 4.5 mm，先端钝；花柱分枝伸出药筒的外面，长约 0.5 mm，先端钝头。瘦果棒状圆柱形或近纺锤形，栗褐色，略压扁，长约 4 mm，被 8 显著的纵棱，被较密的长柔毛；冠毛多数，淡褐色，羽毛状，长约 7 mm，基部连合。花期 11 ~ 12 月。

生境分布 生于海拔 900 m 以下的山坡灌木林下、沟边草丛等。湖南各地均有分布。

资源情况 野生资源丰富。药材来源于野生。

采收加工 春、夏季采收，拣去杂质，洗净，鲜用或切段，晒干。

药材性状 本品皱缩卷曲。茎短，被褐色长柔毛。叶 4 ~ 7，轮生或稍互生排列于短茎上，完整叶片展平后呈卵形，长 2 ~ 11 cm，宽 1.5 ~ 5 cm，先端较圆钝，基部心形，全缘，上表皮几无毛，叶缘，下表面及叶柄被褐色柔毛；叶柄细，长可达 1.5 ~ 6 cm。气微香，味苦。

功能主治 苦、辛，平。清热补虚，凉血止血，利湿解毒。用于虚劳骨蒸，肺痨咯血，崩漏，湿热黄疸，水肿，痈疽肿毒，瘰疬结核，跌打损伤，毒蛇咬伤。

用法用量 内服煎汤，10 ~ 15 g，包煎；或研末。外用适量，捣敷；或绞汁滴耳。

菊科 Asteraceae 兔儿风属 *Ainsliaea*

光叶兔儿风 *Ainsliaea glabra* Hemsl.

| 药 材 名 | 兔耳风（药用部位：全草）。

| 形态特征 | 多年生草本，根茎粗短。茎直立。叶互生，节间极不等长，叶片纸质，卵状披针形、长圆状披针形或有时近椭圆形，长 10 ~ 20 cm，宽 5 ~ 9.5 cm；叶柄紫红色，长 7 ~ 15 cm，具细纵棱，无翅亦无毛；茎上部的叶小，疏离，节间长 7 ~ 9 cm，叶片卵状披针形或披针形，长 1.5 ~ 4.5 cm，宽 4 ~ 15 mm；叶柄短，长 5 ~ 15 mm；花序上的叶苞片状，通常钝头。头状花序具花 3，小；总苞圆筒形，直径 2 ~ 3 mm；总苞片约 5 层，全部无毛；花托狭，不平，直径约 0.3 mm，无毛；花全为两性；花冠细管状，深藏于冠毛之中；花药内藏，先端钝，基部具丝状尖尾；花柱分枝钝，稍叉开。瘦果纺锤形，具 10 纵棱，干时黄褐色，长约 4 mm；冠毛黄白色，羽毛状，

基部稍连合，花期 7 ～ 9 月。

| 生境分布 | 生于海拔 300 ～ 1 200 m 的山坡林下、溪边岩石。分布于湘西北等。

| 资源情况 | 野生资源稀少。药材来源于野生。

| 采收加工 | 春、夏季采收，切段，晒干。

| 功能主治 | 甘，凉。养阴清肺，祛瘀止血。用于肺痨咯血，跌打损伤。

| 用法用量 | 内服煎汤，10 ～ 15 g。

菊科 Asteraceae 兔儿风属 *Ainsliaea*

纤枝兔儿风 *Ainsliaea gracilis* Franch.

| 药 材 名 | 纤枝兔儿风（药用部位：全草）。

| 形态特征 | 多年生草本。根茎通常短，头状，少有略延伸而呈圆柱状；根纤细，密集，胡须状，长 7 ~ 15 cm。茎单一或双生，极纤弱，被淡褐色、疏密不一的长柔毛。叶聚生于茎的中下部，呈轮生状；叶片薄纸质，先端短尖至渐尖，边缘具胼胝体状细齿，上面亮绿色，无毛，下面紫红色，被疏长柔毛，基出脉 3；叶柄纤细。头状花序具花 3，于茎顶作总状花序式排列；花托狭，无毛，具 3 窝孔，直径 2 ~ 3 mm；花全部两性，花冠管状，檐部 5 深裂，裂片偏于一侧，线状披针形，长约为花冠管的 1/2；花药先端钝圆，基部渐尖的尾部长为花药的 2/5；花柱分枝短，内侧略扁，先端钝圆。瘦果近纺锤形，基部长狭，

具 10 纵棱，无毛或近无毛，长约 5 mm；冠毛淡红色，羽毛状，长约 1 cm，基部联合。花期 9 ～ 11 月。

| 生境分布 | 生于海拔 400 ～ 1 640 m 的山地丛林或涧旁石缝中。分布于湖南邵阳（新宁）、郴州（苏仙、宜章）等。

| 资源情况 | 野生资源稀少。药材来源于野生。

| 采收加工 | 春、夏季采收，切段，晒干。

| 功能主治 | 甘、微辛，凉。养阴清肺，祛瘀止血。用于肺痨咯血，跌打损伤。

| 用法用量 | 内服煎汤，10 ～ 15 g。

菊科 Asteraceae 兔儿风属 *Ainsliaea*

粗齿兔儿风 *Ainsliaea grossedentata* Franch.

药材名

粗齿兔儿风（药用部位：全草）。

形态特征

多年生草本。根茎短粗；根细弱，密集，胡须状。茎直立，单一，不分枝，极纤弱。叶聚生于茎的中部之下离基 7 ~ 16 cm 处，莲座状或两端有 1 ~ 2 叶疏离，叶片纸质，阔卵形、卵形或卵状披针形，基出脉 3，在两面均显著凸起，分枝末端与边缘的胼胝体相连，网脉略明显；叶柄与叶片近等长，被疏长柔毛，上部具极狭的翅，两侧翅宽均为 1 ~ 2 mm。头状花序具花 3，于茎顶排成稀疏的总状花序；总苞圆筒形，总苞片约 6 层，具 5 纵纹，二者先端均圆，背面中肋上部具一尖的小突起；花托头状，无毛；花冠白色，管状，花冠管向下渐狭，檐部 5 深裂，裂片偏于一侧，线状长圆形，长约为花冠管的 1/2；花药长达 6 mm，先端平截，基部的尾渐狭，被细短毛，长约 2 mm；花柱线形，花柱分枝伸出药筒之外，极叉开，先端头状。瘦果近纺锤形，略压扁，先端平截；冠毛淡褐色，羽毛状，基部联合。花期 9 ~ 10 月。

生境分布 生于海拔 1 200 ~ 2 000 m 的疏林或密林下。分布于湖南邵阳（新宁、武冈）、张家界（桑植）等。

资源情况 野生资源稀少。药材来源于野生。

采收加工 春、夏季采收，切段，晒干。

功能主治 甘、微辛，凉。养阴清肺，祛瘀止血。用于肺痨咯血，跌打损伤。

用法用量 内服煎汤，10 ~ 15 g。

菊科 Asteraceae 兔儿风属 *Ainsliaea*

长穗兔儿风 *Ainsliaea henryi* Diels

| 药材名 | 二郎剑（药用部位：全草）。

| 形态特征 | 多年生草本。茎花葶状，常暗紫色。基生叶莲座状，长卵形或长圆形，长 3 ~ 8 cm，基部渐窄成翅柄，边缘具波状圆齿，上面疏被柔毛，下面淡绿色有时带淡紫色，被绢质长柔毛，叶柄长 2 ~ 5 cm，被柔毛，上部具宽翅，下部无翅；茎生叶苞片状，卵形，长 0.8 ~ 2.5 cm，被柔毛。头状花序具 3 花，直径约 3 mm，常 2 ~ 3 集成小聚伞花序，小聚伞花序在茎顶排成穗状花序，花序轴被柔毛；总苞圆筒形，直径约 2 mm，总苞片约 5 层，先端具长尖头，外层卵形，长 1.5 ~ 2 mm，有时紫红色，中层卵状披针形，长 4 ~ 6 mm，最内层线形，长达 1.6 cm，上部常带紫红色；花全两性，闭花受精的花冠圆筒形，

藏于冠毛中。瘦果圆柱形，长约 6 mm，无毛；冠毛污白色或污黄色，均近等长，长 6 ~ 7 mm。花期 7 ~ 9 月。

| 生境分布 | 生于海拔 700 ~ 2 000 m 的坡地或林下沟边。分布于湖南张家界（桑植）、邵阳（新宁）、株洲（炎陵、桂东）等。

| 资源情况 | 野生资源稀少。药材来源于野生。

| 采收加工 | 夏、秋季采收，鲜用或切段，晒干。

| 功能主治 | 苦、酸，凉。散瘀清热，止咳平喘。用于跌打损伤，血瘀肿痛，毒蛇咬伤，肺热咳嗽，哮喘。

| 用法用量 | 内服煎汤，6 ~ 15 g。外用适量，捣敷。

菊科 Asteraceae 兔儿风属 *Ainsliaea*

宽叶兔儿风 *Ainsliaea latifolia* (D. Don) Sch.-Bip.

| 药 材 名 | 刀口药（药用部位：叶）、倒赤伞（药用部位：全草）。

| 形态特征 | 多年生草本。根茎粗壮，直或弧曲状，直径 5 ~ 10 mm，根颈密被污黄色或黄白色绵毛；根簇生，细弱。茎直立，不分枝，高 30 ~ 80 cm，直径 2 ~ 4 mm，薄或密被蛛丝状白色绵毛。叶聚生于茎基部，呈莲座状，叶片薄纸质，卵形或狭卵形，长 3 ~ 11 cm，宽 1 ~ 6.5 cm，先端短尖或钝，边缘有胼胝体状细齿，被长柔毛，脉上尤密；基出脉 3，常有分枝，网脉明显；叶柄与叶片几等长，具翅，被毛。头状花序具花 3，长 10 ~ 15 mm，1 ~ 4 聚集于苞片状的叶腋内复组成间断的穗状花序，花序轴被蛛丝状绵毛；总苞圆筒形，总苞片约 5 层；花全部两性；花冠管状，檐部 5 深裂，裂片偏于一侧。瘦果近纺锤形，长约 5.5 mm，具 8 粗纵棱，密被倒伏的绢质长毛；冠毛

羽毛状，长 8 ~ 10 mm，基部连合。花期 4 ~ 10 月。

| 生境分布 | 生于海拔 1 000 ~ 1 600 m 的山地林下或路边、丘陵岗地。分布于湖南湘西州（保靖）等。

| 资源情况 | 野生资源稀少。药材主要来源于野生。

| 采收加工 | **刀口药、倒赤伞：** 夏、秋季采收，晒干。

| 功能主治 | **刀口药：** 涩、辛，平。止血，生肌。用于刀伤。

倒赤伞： 辛、苦，温。祛风散寒，止咳，止泻。用于风寒咳嗽，泄泻。

| 用法用量 | **刀口药、倒赤伞：** 内服煎汤，15 ~ 30 g。

菊科 Asteraceae 兔儿风属 *Ainsliaea*

灯台兔儿风 *Ainsliaea macroclinidioides* Hayata

药材名

铁灯兔儿风（药用部位：全草）。

形态特征

多年生草本。根茎短，直或曲膝状，直径 4 ~ 6 mm，根颈密被深褐色绒毛；根细弱，簇生。茎直立或下部平卧，不分枝。叶聚生于茎的上部，呈莲座状，下面有数片散生，叶片纸质，阔卵形至卵状披针形，长 4 ~ 10 cm，宽 2.5 ~ 6.5 cm，先端短尖，但中脉延伸具 1 芒状凸尖头，边缘具芒状疏齿；基出脉 3，侧生的 1 对常分枝，中脉中部 1 对明显的侧脉，网状脉明显；叶柄长 3 ~ 8 cm，被长柔毛。头状花序具花 3，单生或 2 ~ 5 聚生，于茎的上部作总状花序式排列；花序无毛，有 1 ~ 2 苞叶；总苞圆筒形，约 6 层，且呈紫红色；花全部两性；花冠管状，檐部 5 深裂，裂片偏于一侧。瘦果近圆柱形，基部稍狭，有纵棱，被短柔毛，长约 4 mm；冠毛污白色，羽毛状，基部连合，长约 9 mm。花期 8 ~ 11 月。

生境分布

生于海拔 300 ~ 1 600 m 的低山、中山、丘陵岗地。分布于湖南邵阳（绥宁、武冈）、张家界（永定）、永州（东安、江永）、怀化（通道、洪江）、湘西州（古丈）、郴州（桂东）、长沙（浏阳）等。

| 资源情况 | 野生资源一般。药材来源于野生。

| 采收加工 | 春、夏季采收，切段，晒干。

| 功能主治 | 微辛，凉。清热解毒。用于鹅口疮。

| 用法用量 | 内服煎汤，15 ~ 30 g。

菊科 Asteraceae 兔儿风属 *Ainsliaea*

华南兔儿风 *Ainsliaea walkeri* Hook. f.

|药 材 名| 狭叶兔儿风（药用部位：全草。别名：蒲公山鼠菊）。

|形态特征| 多年生草本。茎下部无毛，上部自叶丛至花序轴稍被柔毛。叶聚生于茎中下部，窄长圆形或线形，长 3 ~ 7 cm，先端凸尖，中部向下渐窄，边缘背卷，近先端具 1 ~ 3 对刺齿，两面无毛，基部具 1 脉；叶柄长 0.5 ~ 1.3 cm，无毛，基部稍扩大。头状花序具被腺状柔毛的短梗，常有 3 小花，排成窄圆锥花序，基部有钻形小苞叶；总苞圆筒形，直径 2.5 ~ 3 mm；总苞片约 5 层，无毛，先端和边缘带紫红色，外面 1 ~ 2 层卵形，长 1 ~ 2 mm，先端短渐尖，中层卵状披针形，长 3.5 ~ 5 mm，先端渐尖，最内层披针形，长约 1 cm，先端渐尖，边缘干膜质；花全两性，花冠白色，长约 1 cm，花冠管部纤细。

瘦果圆柱形，密被粗毛；冠毛污白色。花期 10 ~ 12 月。

| 生境分布 | 生于海拔 700 m 以下的溪旁石上或密林下湿润处。

| 资源情况 | 野生资源稀少。药材来源于野生。

| 采收加工 | 春、夏季采收，鲜用或切段，晒干。

| 功能主治 | 甘、微辛，凉。养阴清肺，祛瘀止血。用于肺痨咯血，跌打损伤。

| 用法用量 | 内服煎汤，10 ~ 15 g。

菊科 Asteraceae 豚草属 *Ambrosia*

豚草 *Ambrosia artemisiifolia* L.

药材名

豚草（药用部位：全草）。

形态特征

一年生草本，高 20 ~ 150 cm。茎直立，上部有圆锥状分枝，有棱，被疏生密糙毛。下部叶对生，具短叶柄，2 回羽状分裂，裂片狭小，长圆形至倒披针形，全缘，有明显的中脉，上面深绿色，被细短伏毛或近无毛，背面灰绿色，被密短糙毛；上部叶互生，无柄，羽状分裂。雄株头状花序半球形或卵形，直径 4 ~ 5 mm，具短梗，下垂，在枝端密集成总状花序；总苞宽半球形或碟形；总苞片全部结合，无肋，边缘具波状圆齿，稍被糙伏毛。瘦果倒卵形，无毛，藏于坚硬的总苞中。花期 8 ~ 9 月，果期 9 ~ 10 月。

生境分布

生于海拔 60 ~ 700 m 的田野、路旁或河边的湿地等。湖南各地均有分布。

资源情况

野生资源丰富。药材主要来源于野生。

| 功能主治 | 消炎。用于风湿性关节炎。

| 用法用量 | 外用适量，煎汤洗。

| 附　　注 | 本种为恶性外来入侵物种，需加强防范。

菊科 Asteraceae 香青属 *Anaphalis*

旋叶香青 *Anaphalis contorta* (D. Don) Hook. f.

药材名

旋叶香青（药用部位：全草）。

形态特征

茎被白色密绵毛，或被绵毛腋芽。叶线形，长 1.5 ~ 6 cm，基部有抱茎小耳，边缘反卷，上面被蛛丝状毛或无毛，下面被白色密绵毛；根出条有长圆形、披针形或倒披针形叶，被绵毛；根茎有单生或丛生根出条及花茎。头状花序极多数，无梗或有长达 3 mm 的花序梗，在茎枝端密集成复伞房状；总苞钟状，长 5 ~ 6 mm，直径 4 ~ 6 mm，总苞片 5 ~ 6 层，外层浅黄褐色或带紫红色，被长绵毛，卵圆形，内层倒卵状长圆形；雌株呈白色，宽约 1.2 mm，雄株呈乳白色稀稍红色，宽达 1.5 mm，最内层匙形，有长爪。瘦果长圆形，具小腺体。花果期 8 ~ 10 月。

生境分布

生于海拔 500 ~ 1 800 m 的山坡杂草丛中或路旁。分布于湖南永州（双牌）等。

资源情况

野生资源稀少。药材主要来源于野生。

功能主治 祛风止咳，清热利湿。用于劳伤咳嗽。

菊科 Asteraceae 香青属 *Anaphalis*

珠光香青 *Anaphalis margaritacea* (L.) Benth. et Hook. f.

| 药 材 名 | 珠光香青（药用部位：带根全草。别名：大叶白头翁）。

| 形态特征 | 多年生草本，高 30 ~ 70 cm。根茎横走或斜升，木质，有具褐色鳞片的短匍枝，常粗壮，稀分枝，被灰白色绵毛，下部木质。下部叶，先端钝；中部叶，线形或线状披针形，长 5 ~ 9 cm，宽 0.3 ~ 1.2 cm；基部稍狭，边缘平，先端渐尖，有尖头，叶稍革质，上面被蛛丝状毛，下面被灰白色至红褐色厚绵毛，有单脉或三至五出脉。头状花序多数，在茎和枝端排列成复伞房状；花序梗长 4 ~ 17 mm；总苞钟状或半球状，长 5 ~ 8 mm，直径 8 ~ 13 mm；总苞片 5 ~ 7 层，白色，干膜质，最内层线状倒披针形，宽 0.5 mm，有长为总苞片全长 3/4 的爪部；花托蜂窝状；雌株头状花序外围有多层雌花，中央有 3 ~ 20 雄花；雄株头状花序，有雄花或外围有极少数雌花；

花冠长 3 ~ 5 mm；冠毛比花冠稍长。瘦果长椭圆形，长 0.7 mm，有小腺点。花果期 8 ~ 11 月。

| 生境分布 | 生于海拔 500 ~ 1 800 m 的山谷、坡地、林地或草地。分布于湖南邵阳（新邵）、郴州（临武）、永州（蓝山）、怀化（通道、洪江）、娄底（新化）、张家界（桑植、慈利）、湘西州（古丈、永顺、凤凰、保靖）等。

| 资源情况 | 野生资源较少。药材主要来源于野生。

| 采收加工 | 夏季花苞初放时采挖带根全草，除去泥沙，晒干或鲜用。

| 功能主治 | 苦、辛，凉。清热泻火，燥湿，驱虫。用于吐血，胃火牙痛，湿热泻痢，蛔虫病，乳痈，瘰疬，臁疮。

| 用法用量 | 内服煎汤，10 ~ 30 g。外用适量，捣敷；或研末调敷。

菊科 Asteraceae 香青属 *Anaphalis*

黄褐珠光香青 *Anaphalis margaritacea* (L.) Benth. et Hook. f. var. *cinnamomea* (DC.) Herder. ex Masim

| 药 材 名 | 大火草（药用部位：全草。别名：毛女儿草）。

| 形态特征 | 茎高 0.5 ~ 1 m，被灰白色绵毛，下部木质。叶长圆状或线状披针形，基部抱茎，先端渐尖，上面被灰白色蛛丝状绵毛，下面被黄褐色或红褐色厚绵毛，下面有凸起的三或五出脉。头状花序多数，在茎枝端排成复伞房状，稀伞房状；总苞宽钟状或半球状，长 5 ~ 8 mm，直径 0.8 ~ 1.3 cm，总苞片 5 ~ 7 层，基部多少褐色，上部白色，外层卵圆形，被绵毛，内层卵圆形或长椭圆形，长 5 mm，先端圆或稍尖，最内层线状倒披针形，宽 0.5 mm，有长爪。瘦果长椭圆形，长 0.7 mm，有小腺点。花果期 8 ~ 11 月。

| 生境分布 | 生于海拔 500 ~ 2 000 m 的灌丛、草地、山坡和溪岸。分布于湖南

张家界（桑植）、邵阳（武冈、新宁）等。

资源情况 野生资源稀少。药材来源于野生。

采收加工 春、夏季植株生长旺盛、花苞初放时采收，晒干。

功能主治 微苦、甘，平。清热解毒，祛风通络，驱虫。外用于跌打损伤。

用法用量 内服煎汤，6 ~ 12 g。外用适量，捣敷；或研末敷。

菊科 Asteraceae 香青属 *Anaphalis*

香青 *Anaphalis sinica* Hance

| 药 材 名 | 香青（药用部位：全草。别名：通肠香、九里香、萩）。

| 形态特征 | 多年生草本。高 20 ~ 50 cm，通常不分枝。根茎木质，有长达 8 cm 的细匍匐枝。茎直立，被白色或灰白色绵毛。叶互生；中部叶长圆形、倒披针状长圆形，长 2.5 ~ 9 cm，宽 0.2 ~ 1.5 cm，沿茎下延成翅，边缘平；上部叶较小，披针状线形；全部叶上面被蛛丝状绵毛，下面或两面被白色或黄白色绵毛及腺毛。头状花序多数排成复伞房状或多次复伞房状；总苞钟状或近倒圆锥状，长 4 ~ 5 mm；总苞片 6 ~ 7 层，外层卵圆形，浅褐色，内层舌状长圆形，乳白色或污白色，最内层长椭圆形，有长达 2/3 的爪部；雌株头状花序有多层雌花，中央 1 ~ 4 雄花；雄株头状花序全部有雄花。冠毛比花冠稍长。瘦果长 0.7 ~ 1 mm，有小腺点。花期 6 ~ 9 月，果期 8 ~ 10 月。

| 生境分布 | 生于海拔 400 ~ 1 800 m 的低山灌丛下、岗地、丘陵、山坡及溪岸旁。分布于湖南郴州（汝城）、永州（双牌、江华）、娄底（新化）、张家界（桑植）、怀化（通道）、湘西州等。

| 资源情况 | 野生资源较少。药材主要来源于野生。

| 采收加工 | 霜降后采收，除去泥沙，晒干。

| 药材性状 | 本品密被白色绵毛。根呈灰褐色。茎长 25 ~ 70 cm，灰白色，基部毛脱落处显淡棕色，有纵沟纹；质脆，易折断，断面中部具髓。叶互生，无柄；叶片皱缩，展平后呈倒披针形，长 2 ~ 7 cm；先端急尖，基部常下延成四棱状狭翅。头状花序排成伞房状，顶生，淡黄白色。瘦果细小，矩圆形，冠毛白色。气香，味微苦。以色灰白、香气浓者为佳。

| 功能主治 | 辛、微苦，微温。祛风解表，宣肺止咳。用于感冒，气管炎，肠炎，痢疾。

| 用法用量 | 内服煎汤，10 ~ 30 g。

| 附　　注 | 《中华本草》记载：“通肠香，为菊科植物香青（*Anaphalis sinica* Hance）或翅茎香青（变型）[*Anaphalis sinica* f. *pterocaula* (Franch. et Savat.) Ling] 的全草。别名：九里香、萩。”

菊科 Asteraceae 牛蒡属 *Arctium*

牛蒡 *Arctium lappa* L.

| 药 材 名 |

牛蒡子（药用部位：果实。别名：恶实）、牛蒡茎叶（药用部位：茎、叶。别名：大夫叶）、牛蒡根（药用部位：根。别名：恶实根）。

| 形态特征 |

一年生或多年生草本，灌木，植株高达2 m。枝疏被乳突状短毛及长蛛丝毛并棕黄色小腺点。基生叶宽卵形，长达30 cm，宽达21 cm，基部心形，上面疏生糙毛及黄色小腺点，下面灰白色或淡绿色，被绒毛，有黄色小腺点；叶柄长32 cm，灰白色，密被蛛丝状绒毛及黄色小腺点；茎生叶与基生叶近同形。头状花序排列成伞房或圆锥状伞房花序，花序梗粗；总苞卵形或卵球形，直径1.5 ~ 2 cm；总苞片多层，绿色，无毛，近等长，先端有软骨质钩刺，外层三角状或披针状钻形，中、内层披针状或线状钻形；小花紫红色，花冠外面无腺点。瘦果倒长卵状圆形或偏斜倒长卵状圆形，浅褐色，有深褐色斑或无色斑；冠毛多层，浅褐色，冠毛刚毛糙毛状，不等长。花果期6 ~ 9月。

| 生境分布 |

生于海拔500 ~ 1 500 m的中山、低山、林缘、

丘陵岗地。湖南各地均有分布。

| 资源情况 | 野生资源一般。药材来源于野生和栽培。

| 采收加工 | **牛蒡子：** 7 ~ 8 月果实成熟呈灰褐色时采收果实，晒干，打下果实，除去杂质，再晒干。

牛蒡茎叶： 6 ~ 9 月采收，晒干或鲜用。

牛蒡根： 10 月间采挖 2 年以上的根，洗净，晒干。

| 药材性状 | **牛蒡子：** 本品呈长倒卵形，略扁，微弯曲，长 5 ~ 7 mm，宽 2 ~ 3 mm。表面灰褐色，带紫黑色斑点，有数条纵棱，通常中间 1 ~ 2 较明显。先端钝圆，稍宽，顶面有圆环，中间具点状花柱残迹。基部略窄，着生面色较淡。果皮较硬，子叶 2 片，淡黄白色，富油性。气微，味苦后微辛而稍麻舌。

牛蒡根： 本品呈纺锤形，肉质而直立；皮部黑褐色，有皱纹，内呈黄白色；味微苦而性黏。

| 功能主治 | **牛蒡子：** 辛、苦，寒。归肺、胃经。疏散风热，宣肺透疹，利咽散结，解毒消肿。用于风热咳嗽，咽喉肿痛，斑疹不透，风疹瘙痒，疮疡肿毒。

牛蒡茎叶： 苦、微甘，凉。归肺、心经。清热除烦，消肿止痛。用于风热头痛，心烦口干，咽喉肿痛，小便涩少，痈肿疮疖，皮肤瘙痒，白屑风。

牛蒡根：苦、微甘，凉。归肺、心经。散风热，消毒肿。用于风热感冒，头痛，咳嗽，热毒面肿，咽喉肿痛，齿龈肿痛，风湿痹痛，癥瘕积块，痈疖恶疮，痔疮，脱肛。

| 用法用量 | **牛蒡子：**内服煎汤，5 ~ 10 g；或入散剂。外用适量，煎汤含漱。

牛蒡茎叶：内服煎汤，10 ~ 15 g，鲜品加倍；或捣汁。外用适量，鲜品捣敷；或绞汁；熬膏涂。

牛蒡根：内服煎汤，6 ~ 15 g；或捣汁；或研末；或浸酒。外用适量，捣敷；或熬膏涂；或煎汤洗。

| 附　　注 | 本种为《中华人民共和国药典》（2020 版）牛蒡子的基原植物。

菊科 Asteraceae 蒿属 *Artemisia*

黄花蒿 *Artemisia annua* L.

| 药 材 名 | 青蒿（药用部位：全草。别名：蒿、臭蒿、细叶蒿）、青蒿子（药用部位：果实）、青蒿根（药用部位：根）。

| 形态特征 | 一年或多年生草本。茎单生，茎、枝、叶两面及总苞片背面无毛或初时下面微有极稀柔毛。叶两面具脱落性白色腺点及细小凹点，茎下部叶宽卵形或三角状卵形，长 3 ~ 7 cm，3 ~ 4 回栉齿状羽状深裂，每侧裂片 5 ~ 8（~ 10），中肋在上面稍隆起，中轴两侧有窄翅无小栉齿，上部稀具数枚小栉齿；叶柄长 1 ~ 2 cm，基部有半抱茎假托叶；中部叶 2 ~ 3 回栉齿状羽状深裂，小裂片栉齿状三角形，具短柄；上近无柄。头状花序球形，多数，直径 1.5 ~ 2.5 mm，有短梗，基部有线形小苞叶，在分枝上排成总状或复总状花序，在茎上组成开展的尖塔形圆锥花序；总苞片背面无毛；雌花 10 ~ 18；两性花

10 ~ 30。瘦果椭圆状卵圆形，稍扁。花果期 8 ~ 11 月。

| **生境分布** | 生于海拔 300 ~ 1 000 m 的岗地、低山、中山。湖南各地均有分布。

| **资源情况** | 野生资源丰富。药材来源于野生和栽培。

| **采收加工** | **青蒿**：花蕾期采收，切碎，晒干。

青蒿子：秋季果实成熟时，采取果枝，打下果实，晒干。

青蒿根：秋、冬季采挖，洗净，切段，晒干。

| **药材性状** | **青蒿**：本品茎呈圆柱形，上部多分枝，长 30 ~ 80 cm，直径 0.2 ~ 0.6 cm。表面黄绿色或棕黄色，具纵棱线；质略硬，易折断，断面中部有髓。叶互生，暗绿色或棕绿色，卷缩易碎，完整者展平后为 3 回羽状深裂，裂片和小裂片矩圆形或长椭圆形，两面被短毛。气香特异，味微苦。

| **功能主治** | **青蒿**：苦、微辛，寒，归肝、胆经。清热，解暑，除蒸，截疟。用于暑热，暑湿，湿温，阴虚发热，疟疾，黄疸。

青蒿子：甘，凉。清热明目，杀虫。用于劳热骨蒸，痢疾，恶疮，疥癣，风疹。

青蒿根：用于劳热骨蒸，关节酸疼，大便下血。

| **用法用量** | **青蒿**：内服煎汤，6 ~ 15 g，治疟疾可用 20 ~ 40 g，不宜久煎，鲜品加倍，水浸绞汁饮；或入丸、散剂。外用适量，研末调敷；或鲜品捣敷；或煎汤洗。

青蒿子：内服煎汤，3 ~ 6 g；或研末。外用适量，煎汤洗。

青蒿根：内服煎汤，3 ~ 15 g。

| **附　　注** | 本种为《中华人民共和国药典》（2020 版）青蒿的基原植物。

菊科 Asteraceae  蒿属 *Artemisia*

奇蒿 *Artemisia anomala* S. Moore

| 药 材 名 | 刘寄奴（药用部位：带花全草。别名：蒿、臭蒿、细叶蒿）。

| 形态特征 | 多年生草本。茎单生，高达 1.5 m，被微柔毛。叶上面微被疏柔毛，下面微被蛛丝状绵毛；下部叶卵形或长卵形，稀倒卵形，不分裂或先端有数枚浅裂齿，具细锯齿，叶柄长 3 ~ 5 mm；中部叶卵形、长卵形或卵状披针形，长 9 ~ 15 cm，具细齿，叶柄长 2 ~ 10 mm；上部叶与苞片叶小。头状花序长圆形或卵圆形，排成密穗状花序，在茎上端组成窄或稍开展的圆锥花序；总苞片背面淡黄色，无毛；雌花 4 ~ 6；两性花 6 ~ 8。瘦果倒卵状圆形或长圆形。花果期 6 ~ 11 月。

| 生境分布 | 生于海拔 1 000 m 以下的岗地、低山、中山的草丛和荒坡。湖南各

地均有分布。

资源情况 野生资源较丰富。药材主要来源于野生。

采收加工 夏、秋季花开时采收，连根拔起，洗净，鲜用，或晒干，打成捆，以防夜露、雨淋变黑。

功能主治 破瘀通经，止血消肿，消食化积。用于经闭，痛经，产后瘀滞腹痛，恶露不尽，跌打损伤，金疮出血，风湿痹痛，便血，尿血，痈疮肿毒，烫伤，食积腹痛，泄泻，痢疾。

用法用量 内服煎汤，5 ~ 10 g；单味可用至 15 ~ 30 g；或入散剂。外用适量，捣敷；或研末掺。

菊科 Asteraceae 蒿属 *Artemisia*

密毛奇蒿 *Artemisia anomala* S. Moore var. *tomentella* Hand. Mazz.

| 药 材 名 | 密毛奇蒿（药用部位：全草）。

| 形态特征 | 多年生草本。茎单生，高达 1.5 m，被微柔毛。叶面初时疏被短糙毛，叶背被密灰白色或灰黄色宿存的绵毛；下部叶卵形或长卵形，稀倒卵形，不分裂或先端有数枚浅裂齿，具细锯齿，叶柄长 3 ~ 5 mm；中部叶卵形、长卵形或卵状披针形，长 9 ~ 12（~ 15）cm，具细齿，叶柄长 2 ~ 4（~ 10）mm；上部叶与苞片叶小。头状花序长圆形或卵圆形，直径 2 ~ 2.5 mm，排列成密穗状花序，在茎上端组成窄或稍开展的圆锥花序；总苞片背面淡黄色，无毛；雌花 4 ~ 6；两性花 6 ~ 8。瘦果倒卵状圆形或长圆状倒卵圆形。花果期 6 ~ 11 月。

| 生境分布 | 生于林缘、灌丛、路边、河岸或荒坡。分布于湖南益阳（安化）等。

资源情况 野生资源稀少。药材主要来源于野生。

功能主治 清热解毒，利湿，消食，止痛，消炎。用于血丝虫病。

菊科 Asteraceae 蒿属 *Artemisia*

艾 *Artemisia argyi* H. Lév. et Vaniot

药材名

艾叶（药用部位：叶。别名：艾蒿、蕲艾）、艾实（药用部位：果实。别名：艾子）。

形态特征

多年生草本或稍亚灌木状，植株有浓香。茎有少数短分枝，被灰色蛛丝状柔毛。叶上面被灰白色柔毛，兼有白色腺点与小凹点，下面密被白色蛛丝状绒毛；基生叶具长柄；茎下部叶近圆形或宽卵形，羽状深裂，每侧裂片 2 ~ 3，裂片有裂齿，干后下面主、侧脉常呈深褐色或锈色，叶柄长 0.5 ~ 0.8 cm；中部叶卵形、三角状卵形或近菱形，长 5 ~ 8 cm，1 ~ 2 回羽状深裂或半裂，每侧裂片 2 ~ 3，宽 2 ~ 3（~ 4）cm，干后主脉和侧脉深褐色或锈色；叶柄长 0.2 ~ 0.5 cm；上部叶与苞片叶羽状半裂、浅裂、3 深裂或不分裂。头状花序椭圆形，排列成穗状花序或复穗状花序，在茎上常组成尖塔状窄圆锥形花序；总苞片背面密被灰白色蛛丝状绵毛，边缘膜质；雌花 6 ~ 10；两性花 8 ~ 12，檐部紫色。瘦果长卵圆形或长圆形。花果期 7 ~ 10 月。

| 生境分布 | 生于海拔 70 ~ 1 000 m 的岗地、低山、中山的树林、路旁、草地和村边。湖南各地广泛分布。

| 资源情况 | 野生资源丰富。栽培资源丰富。药材来源于野生和栽培。

| 药材性状 | **艾叶**：本品多皱缩、破碎，有短柄。完整叶片展平后呈卵状椭圆形，羽状深裂，裂片椭圆状披针形，边缘有不规则的粗锯齿；上表面灰绿色或深黄绿色，有稀疏的柔毛和腺点；下表面密生灰白色绒毛。质柔软。气清香，味苦。

| 功能主治 | **艾叶**：辛、苦，温。归肝、脾、肾经。温经止血，散寒止痛，祛湿止痒。用于吐血，衄血，咯血，便血，崩漏，妊娠下血，月经不调，痛经，胎动不安，心腹冷痛，泄泻，久痢，霍乱转筋，带下，湿疹，疥癣，痔疮，痈疡。

艾实：苦、辛，温。温肾壮阳。用于肾虚腰酸，阳虚内寒。

| 用法用量 | **艾叶**：内服煎汤，3 ~ 10 g；或入丸、散剂；或捣汁。外用适量，捣绒作柱；或制成艾条熏灸；或捣敷；或煎汤熏洗；或炒热温熨。

艾实：内服研末，1.5 ~ 4.5 g；或入丸剂。

| 附　　注 | 本种为《中华人民共和国药典》（2020 版）艾叶的基原植物。

菊科 Asteraceae 蒿属 *Artemisia*

茵陈蒿 *Artemisia capillaris* Thunb.

|药 材 名| 茵陈（药用部位：去根全草。别名：绵茵陈）。

|形态特征| 一年生或多年生半灌木和小半灌木或亚灌木状草本，植株有浓香。茎、枝初被密灰白色或灰黄色绢质柔毛。枝端有密集叶丛，基生叶常呈莲座状；基生叶、茎下部叶与营养枝叶两面均被棕黄色或灰黄色绢质柔毛，叶卵圆形或卵状椭圆形，长 2 ~ 5 cm，2 回羽状全裂，每侧裂片 2 ~ 4，裂片 3 ~ 5 全裂，小裂片线形或线状披针形，叶柄长 3 ~ 7 mm；中部叶宽卵形、近圆形或卵圆形，长 2 ~ 3 cm，1 ~ 2 回羽状全裂，小裂片细直，长 0.8 ~ 1.2 cm，近无毛，基部裂片常半抱茎；上部叶与苞片叶羽状 5 全裂或 3 全裂。头状花序卵圆形，直径 1.5 ~ 2 mm，多数集成圆锥花序；总苞片淡黄色，无毛；雌花 6 ~ 10；两性花 3 ~ 7。瘦果长圆形或长卵圆形。花果期 7 ~ 10 月。

| 生境分布 | 生于海拔 800 m 以下的草丛荒坡。湖南各地广泛分布。

| 资源情况 | 野生资源较丰富。栽培资源。药材来源于野生和栽培。

| 采收加工 | 春季幼苗高 6 ~ 10 cm 时，采挖全草去根，除去杂质，晾干或晒干，或于秋季花蕾长成时采割其地上部分。

| 药材性状 | 本品多卷曲成团状，灰白色或灰绿色，全体密被白色茸毛，绵软如绒。茎细小，长 1.5 ~ 2.5cm，直径 0.1 ~ 0.2cm，除去表面白色茸毛后可见明显纵纹；质脆，易折断。叶具柄；展平后叶片呈 1 ~ 3 回羽状分裂，叶片长 1 ~ 3cm，宽约 1cm；小裂片卵形或稍呈倒披针形、条形，先端锐尖。气清香，味微苦。

| 功能主治 | 苦、辛，微寒。清热利湿，利胆退黄。用于黄疸性肝炎，胆囊炎。

| 用法用量 | 用量 9 ~ 30 g。

| 附　　注 | 本种为《中华人民共和国药典》（2020 版）茵陈的基原植物之一。

菊科 Asteraceae 蒿属 *Artemisia*

青蒿 *Artemisia caruifolia* Buch.-Ham. ex Roxb.

| 药 材 名 |

青蒿（药用部位：全草。别名：黑蒿）、青蒿根（药用部位：根）、青蒿子（药用部位：果实）。

| 形态特征 |

一年生草本。茎单生，高达 1.5 m，无毛。叶两面无毛；基生叶与茎下部叶 3 回栉齿状羽状分裂，叶柄长；中部叶长圆形、长圆状卵形或椭圆形，长 5 ~ 15 cm，2 回栉齿状羽状分裂，第 1 回全裂，每侧裂片 4 ~ 6，裂片具长三角形栉齿或近线状披针形小裂片，中轴与裂片羽轴有小锯齿，叶柄长 0.5 ~ 1 cm，基部有小形半抱茎假托叶；上部叶与苞片叶 1 ~ 2 回栉齿状羽状分裂，无柄。头状花序近半球形，直径 3.5 ~ 4 mm，具短梗，下垂，基部有线形小苞叶，穗状总状花序组成圆锥花序；总苞片背面无毛；雌花 1 ~ 20；两性花 30 ~ 40。瘦果长圆形。花果期 6 ~ 9 月。

| 生境分布 |

生于海拔 300 ~ 1 800 m 的荒坡、路旁、沟坎、海边湿地、河岸、林缘、草地及村旁。湖南各地均有分布。

资源情况 野生资源丰富。药材主要来源于野生。

采收加工 **青蒿**：花蕾期采收，切碎，晒干。

青蒿根：秋、冬季采挖，洗净，切段，晒干。

青蒿子：秋季果实成熟时，采取果枝，打下果实晒干。

功能主治 **青蒿**：苦、微辛，凉。清热，解暑，除蒸。用于温病，暑热，劳热骨蒸，疟疾，泄泻，黄疸，疥疮，瘙痒。

青蒿根：用于劳热骨蒸，关节酸痛，大便下血。

青蒿子：甘，凉。清热明目，杀虫。用于劳热骨蒸，泄泻，恶疮，疥癣，风疹。

用法用量 **青蒿**：内服煎汤，6 ~ 15 g，治疟疾可用 20 ~ 40 g，不宜久煎，鲜品加倍，水浸绞汁饮；或入丸、散剂。外用适量，研末调敷；或鲜品捣敷；或煎汤洗。

青蒿根：内服煎汤，3 ~ 15 g。

青蒿子：内服煎汤，3 ~ 6 g；或研末。外用适量，煎汤洗。

菊科 Asteraceae 蒿属 *Artemisia*

南牡蒿 *Artemisia eriopoda* Bunge.

| 药材名 |

南牡蒿（药用部位：全草或根。别名：牡蒿、米蒿、一枝蒿）。

| 形态特征 |

多年生草本。茎单生，稀2至少数，高达80 cm，基部密生柔毛，余无毛，分枝多，初被疏毛。叶上面无毛，下面微被柔毛或无毛；基生叶与茎下部叶近圆形、宽卵形或倒卵形，长4 ~ 8 cm，1 ~ 2回大头羽状深裂或全裂或不分裂，具疏生锯齿，叶柄长1.5 ~ 3 cm；中部叶近圆形或宽卵形，长2 ~ 4 cm，1 ~ 2回羽状深裂或全裂，每侧裂片2 ~ 3，裂片椭圆形或近匙形，先端3深裂、浅裂齿或全缘，近无柄；上部叶卵形或长卵形，羽状全裂，每侧裂片2 ~ 3，苞片叶3深裂或不分裂。头状花序宽卵圆形或近球形，直径1.5 ~ 2.5 mm；基部具线形小苞叶，排成穗状或穗状总状花序，在茎上组成开展的圆锥花序；总苞片背面绿色或稍带紫褐色，无毛；雌花4 ~ 8；两性花6 ~ 10。花果期6 ~ 11月。

| 生境分布 |

生于海拔500 ~ 1 700 m的丘陵岗地。分布于湖南永州（蓝山）等。

| 资源情况 | 野生资源稀少。药材主要来源于野生。

| 采收加工 | 夏季采收地上部分，鲜用或晒干。秋季采挖根，洗净，晒干。

| 功能主治 | 苦、微辛，凉。疏风清热，除湿止痛。用于风热头痛，风湿性关节炎，蛇咬伤。

| 用法用量 | 内服煎汤，10 ~ 15 g，鲜品加倍。外用适量，捣敷。

菊科 Asteraceae 蒿属 *Artemisia*

五月艾 *Artemisia indica* Willd.

药材名

艾叶（药用部位：全草或叶。别名：小野艾）。

形态特征

亚灌木状草本，植株具浓香。茎单生或少数，分枝多；茎、枝初微被柔毛。叶上面被、下面密被灰白色绒毛；基生叶与茎下部及中部叶卵形或长卵形，1 ~ 2 回羽状分裂或深裂，1 回全裂或深裂，每侧裂片 3 ~ 4，裂片椭圆形；中部叶近无柄，假托叶小；上部叶羽状全裂；苞片叶 3 全裂或不分裂。头状花序直立或斜展，卵圆形、长卵圆形或宽卵圆形，直径 2 ~ 2.5 mm，具短梗及小苞叶，在分枝排列成穗形总状或复总状花序，在茎上组成开展或中等开展的圆锥花序；总苞片背面初微被灰白色绒毛；雌花 4 ~ 8；两性花 8 ~ 12，檐部紫色。瘦果长圆形或倒卵状圆形。花果期 8 ~ 10 月。

生境分布

生于海拔 100 ~ 1 500 m 的低海拔或中海拔湿润地区的林缘、灌丛、草坡、路旁或荒野。湖南各地均有分布。

|资源情况| 野生资源丰富。药材主要来源于野生。

|功能主治| 理气血，逐寒湿，止血，温经，安胎。用于痛经，崩漏，胎动不安。

|附　　注| 本种可作艾蒿代用品。

菊科 Asteraceae 蒿属 *Artemisia*

牡蒿 *Artemisia japonica* Thunb.

药材名

牡蒿（药用部位：全草。别名：脚板蒿）、牡蒿根（药用部位：根。别名：齐头蒿根）。

形态特征

多年生草本。茎单生或少数，高达 1.3 m。茎、枝被微柔毛。叶两面无毛或初微被柔毛；基生叶与茎下部叶倒卵形或宽匙形，长 4 ~ 7 cm，羽状深裂或半裂，具短柄；中部叶匙形，长 2.5 ~ 4.5 cm，上端有 3 ~ 5 斜向浅裂片或深裂片，每裂片上端有 2 ~ 3 小齿或无齿，无柄；上部叶上端具 3 浅裂或不裂；苞片叶长椭圆形、椭圆形、披针形或线状披针形。头状花序卵圆形或近球形，直径 1.5 ~ 2.5 mm，基部具线形小苞叶，排列成穗状或穗状总状花序，在茎上组成窄或中等开展的圆锥花序；总苞片无毛；雌花 3 ~ 8；两性花 5 ~ 10。瘦果倒卵状圆形。花果期 7 ~ 10 月。

生境分布

生于海拔 1 600 m 以下的林缘、山坡、空地、路边。湖南各地均有分布。

| 资源情况 | 野生资源一般。药材主要来源于野生。

| 采收加工 | **牡蒿：**夏、秋季间采收，晒干或鲜用。

牡蒿根：秋季采挖，除去泥土，洗净，晒干。

| 功能主治 | **牡蒿：**苦、微甘，凉。清热，凉血，解毒。用于夏季感冒，肺结核潮热，咯血，小儿疳热，衄血，便血，崩漏，带下，黄疸性肝炎，丹毒，毒蛇咬伤。

牡蒿根：苦、微甘，平。祛风，补虚，杀虫，截疟。用于产后伤风感冒，风湿痹痛，劳伤乏力，虚肿，疟疾。

| 用法用量 | **牡蒿：**内服煎汤，10 ~ 15 g，鲜品加倍。外用适量，捣敷。

牡蒿根：内服煎汤，15 ~ 30 g。

菊科 Asteraceae 蒿属 *Artemisia*

白苞蒿 *Artemisia lactiflora* Wall. ex DC.

| 药 材 名 | 鸭脚艾（药用部位：全草或根）。

| 形态特征 | 多年生草本。主根明显，侧根细长，根茎短，茎直立，有纵棱，上部多分枝。茎、枝初微被稀疏、白色蛛丝状柔毛。叶上面疏被腺状柔毛，下面初微被稀疏柔毛；基生叶与茎下部叶宽卵形或长卵形，2 回或 1 ~ 2 回羽状全裂，叶柄长；中部叶卵圆形或长卵形，长 5.5 ~ 14.5 cm，2 回或 1 ~ 2 回羽状全裂，稀深裂，每侧裂片 3 ~ 5，裂片或小裂片卵形、长卵形、倒卵形或椭圆形，基部与侧边中部裂片长 2 ~ 8 cm，常有细小假托叶；上部叶与苞片叶羽状深裂或全裂。头状花序长圆形，直径 1.5 ~ 30 mm，数花序或 10 余花序排成密穗状花序，在分枝排成复穗状花序，在茎上端组成圆锥花序；总苞片无毛；雌花 3 ~ 6；两性花 4 ~ 10。瘦果倒卵状圆形或倒卵状长圆形。

花果期 8 ~ 11 月。

| 生境分布 | 生于海拔 300 ~ 1 200 m 的岗地，低山，中山。湖南各地均有分布。

| 资源情况 | 野生资源丰富。药材主要来源于野生。

| 采收加工 | 夏、秋季采收地上部分，晒干或鲜用。秋季采挖根，洗净，鲜用或晒干。

| 功能主治 | 辛、微苦，微温。活血散瘀，理气化湿。用于血瘀痛经，经闭，产后瘀滞腹痛，慢性肝炎，肝脾肿大，食积腹胀，寒湿泄泻，疝气，脚气，阴疽肿痛，跌打损伤，烫火伤。

| 用法用量 | 内服煎汤，10 ~ 15 g，鲜品加倍；或捣汁饮。外用适量，捣敷；或绞汁涂；或研末撒；或调敷。

菊科 Asteraceae 蒿属 *Artemisia*

矮蒿 *Artemisia lancea* Vant.

| 药 材 名 |

矮蒿叶（药用部位：叶。别名：青蒿、细叶蒿、细叶艾）、矮蒿根（药用部位：根）。

| 形态特征 |

多年生草本。茎常成丛，高达 1.5 m；中部以上有分枝；茎、枝初微被蛛丝状微柔毛。叶上面初微被蛛丝状柔毛及白色腺点和小凹点，下面密被灰白色或灰黄色蛛丝状毛；基生叶与茎下部叶卵圆形，2 回羽状全裂，每侧裂片 3 ~ 4，中部裂片羽状深裂，小裂片线状披针形或线形；中部叶长卵形或椭圆状卵形，长 1.5 ~ 3 cm，1 ~ 2 回羽状全裂，稀深裂，每侧裂片 2 ~ 3，裂片披针形或线状披针形，长 1.5 ~ 2.5 cm，边缘外卷，基部 1 对裂片呈假托叶状；上部叶与苞片叶 3 或 5 全裂或不分裂。头状花序多数，卵圆形或长卵圆形，无梗，直径 1 ~ 1.5 mm，排成穗状花序或复穗状花序，在茎上端组成圆锥花序；总苞片背面初微被柔毛；雌花 1 ~ 3；两性花 2 ~ 5；花冠檐部紫红色。瘦果长圆形。花果期 8 ~ 10 月。

| 生境分布 |

生于低海拔 300 ~ 1 400 m 的林缘、路旁、

荒坡及疏林下。湖南各地均有分布。

资源情况 野生资源丰富。药材主要来源于野生。

功能主治 **矮蒿叶：**辛、苦，温；有小毒。散寒止痛，温经止血。用于小腹冷痛，月经不调，宫冷不孕，吐血，衄血，崩漏，妊娠下血，皮肤瘙痒。

矮蒿根：用于淋证。

附　　注 本种作为艾蒿 *Artemisia argyi* Lévl. et Vant. 与茵陈蒿 *Artemisia capillans* Thunb. 的代用品。

菊科 Asteraceae 蒿属 *Artemisia*

野艾蒿 *Artemisia lavandulifolia* DC.

| 药 材 名 | 野艾（药用部位：叶。别名：蕲艾、祈艾）。

| 形态特征 | 多年生草本。茎成小丛，稀单生，高达 1.2 m，分枝多；茎、枝被灰白色蛛丝状柔毛。叶上面具密集白色腺点及小凹点，初疏被灰白色蛛丝状柔毛，下面除中脉外密被灰白色密绵毛；基生叶与茎下部叶宽卵形或近圆形，长 8 ~ 13 cm，1 ~ 2 回羽状全裂或深裂；中部叶卵形、长圆形或近圆形，长 6 ~ 8 cm，1 ~ 2 回羽状深裂，每侧裂片 2 ~ 3，具 2 ~ 3 线状披针形或披针形小裂片或深裂齿，边缘反卷，叶柄长 1 ~ 3 cm，基部有羽状分裂小假托叶；上部叶羽状全裂。头状花序极多数，椭圆形或长圆形，直径 2 ~ 2.5 mm，排列成密穗状或复穗状花序，在茎上组成圆锥花序；总苞片背面密被灰白色或

灰黄色蛛丝状柔毛：雌花 4 ~ 9；两性花 10 ~ 20；花冠檐部紫红色。瘦果长卵状圆形或倒卵状圆形。花果期 8 ~ 10 月。

| 生境分布 | 多生于海拔 100 ~ 200 m 的路旁、林缘、山坡、草地、山谷、灌丛及河、湖、滨边草地等。湖南各地均有分布。

| 资源情况 | 野生资源丰富。药材主要来源于野生。

| 功能主治 | 苦、辛，温。散寒除湿，温经止血，安胎。用于崩漏，先兆流产，痛经，月经不调，湿疹，皮肤瘙痒。

| 附　　注 | 在市场上，本种 *Artemisia lavanduliplia* DC. 常被作为艾蒿 *Artemisia argyi* Lévl. et Vant. 的代用品。

菊科 Asteraceae 蒿属 *Artemisia*

魁蒿 *Artemisia princeps* Pamp.

药材名

魁艾（药用部位：茎叶。别名：五月艾）。

形态特征

多年生草本。茎、枝初被蛛丝状薄毛。叶上面无毛，下面密被灰白色蛛丝状绒毛；下部叶卵形或长卵形，1 ~ 2 回羽状深裂，每侧有裂片 2，羽状浅裂，具长柄；中部叶卵形或卵状椭圆形，长 6 ~ 12 cm，羽状深裂或半裂，稀全裂，每侧裂片 2 ~ 3，裂片椭圆状披针形或椭圆形，中裂片较侧裂片大，侧裂片基部裂片较侧边与中部裂片大，不分裂或每侧具 1 ~ 2 疏裂齿，叶柄长 1 ~ 3 cm，基部有小假托叶；上部叶羽状深裂或半裂，每侧裂片 1 ~ 2；苞片叶 3 深裂或不分裂。头状花序长圆形或长卵圆形，直径 1.5 ~ 2.5 mm，排列成穗状或穗状总状花序，在茎上组成中等开展的圆锥花序；总苞片背面绿色，微被蛛丝状毛。瘦果椭圆形或倒卵状椭圆形。花果期 7 ~ 11 月。

生境分布

多生于海拔 300 ~ 600 m 的路旁、山坡、灌丛、林缘及沟边。湖南各地均有分布。

资源情况 野生资源丰富。药材主要来源于野生。

功能主治 辛、苦，温。解毒消肿，散寒除湿，温经止血。用于月经不调，经闭腹痛，崩漏，产后腹痛，腹中寒痛，胎动不安，鼻衄，肠风出血，血痢下血。

附　　注 本种 *Artemisia princeps* Pamp. 为湘西“篙莱粑粑”的基原植物之一，有时亦作艾蒿 *Artemisia argyi* Lévl. et Vant. 的代用品。

菊科 Asteraceae 蒿属 *Artemisia*

灰苞蒿 *Artemisia roxburghiana* Bess.

| 药 材 名 |

灰苞蒿（药用部位：全草）。

| 形态特征 |

多年生半灌木状草本。茎分枝多；茎、枝被灰白色蛛丝状薄柔毛。叶上面初微被柔毛，下面密被灰白色蛛丝状绒毛；下部叶卵形或长卵形，2 回羽状深裂或全裂；中部叶卵形或长卵形，长 6 ~ 10 cm，2 回羽状全裂，每侧裂片 2 ~ 3（~ 4），每侧裂片具 1 ~ 3 披针形、线状披针形小裂片或为深裂齿，小裂片长 0.5 ~ 1.5 cm，中轴具窄翅，叶基部渐窄成柄，叶柄长 1.5 ~ 2 cm，基部有半抱茎小假托叶；上部叶卵形，1 ~ 2 回羽状全裂；苞片叶 3 ~ 5 全裂或不分裂。头状花序多数，卵状圆形、宽卵状圆形或近半球形，稀长圆形，直径 2 ~ 3 mm，基部常有小苞叶，排成穗状总状花序，在茎上组成开展的圆锥花序；总苞片背面被灰白色蛛丝状绒毛；雌花 5 ~ 7；两性花 10 ~ 20，檐部反卷，紫色或黄色。瘦果倒卵状圆形或长圆形。花果期 8 ~ 10 月。

| 生境分布 |

生于海拔 1 200 m 以下的低山地区。分布于湖南湘西州（花垣）等。

资源情况 野生资源稀少。药材主要来源于野生。

功能主治 甘、苦，凉。清热解毒，除湿，止血。用于痈疽疮毒。

菊科 Asteraceae 蒿属 *Artemisia*

白莲蒿 *Artemisia sacrorum* Ledeb.

| 药材名 | 万年蒿（药用部位：全草。别名：铁杆蒿）。

| 形态特征 | 一年或多年生亚灌木状草本。茎、枝初被微柔毛。叶下面初密被灰白色平贴柔毛；茎下部与中部叶长卵形、三角状卵形或长椭圆状卵形，长 2 ~ 10 cm，第 2 ~ 3 回栉齿状羽状分裂，第 1 回全裂，每侧裂片 3 ~ 5，小裂片栉齿状披针形或线状披针形，中轴两侧具 4 ~ 7 栉齿，叶柄长 1 ~ 5 cm，基部有小型栉齿状分裂的假托叶；上部叶 1 ~ 2 回栉齿状羽状分裂；苞片叶羽状分裂或不裂。头状花序近球形，下垂，直径 2 ~ 3.5（~ 4）mm，具短梗或近无梗，排成穗状总状花序，在茎上组成密集或稍开展的圆锥花序；总苞片背面初密被灰白色柔毛；雌花 10 ~ 12；两性花 20 ~ 40。瘦果窄椭圆状卵圆形或窄圆锥形。花果期 8 ~ 10 月。

| 生境分布 | 生于海拔 300 ~ 700 m 的山坡、路旁、灌丛地及森林、草原。分布于湘南、湘西、湘中等。

| 资源情况 | 野生资源较少。药材主要来源于野生。

| 采收加工 | 夏、秋季采收，阴干。

| 功能主治 | 苦、辛，平。清热解毒，凉血止血。用于肝炎，肠痈，小儿惊风，阴虚潮热，创伤出血。

| 用法用量 | 内服煎汤，9 ~ 12 g。外用适量，鲜品捣敷；或干品研末撒。

| 附　　注 | ①东北部分地区将本种作茵陈蒿 *Artemisia capillaris* Thunb. 的代用品。②功效与分布相同的有灰莲蒿 *A. sacrorum* Ledeb.var. *incana* (Bess.) Y. R. Ling。

菊科 Asteraceae 蒿属 *Artemisia*

猪毛蒿 *Artemisia scoparia* Waldst. & Kit.

药材名 茵陈蒿（药用部位：去根幼苗或地上部分）。

形态特征 一至二年生或多年生草本；植株有浓香。茎单生，稀 2 ~ 3，高达 1.3 m，中部以上分枝，被灰白色或灰黄色绢质柔毛。叶两面被灰白色绢质柔毛，近圆形或长卵形，2 ~ 3 回羽状全裂，具长柄；茎下部叶两面密被灰白色或灰黄色绢质柔毛，长卵形或椭圆形，2 ~ 3 回羽状全裂，每侧裂片 3 ~ 4，裂片羽状全裂，每侧小裂片 1 ~ 2；中部叶初两面被柔毛，长卵形，长 1 ~ 2 cm，1 ~ 2 回羽状全裂，每侧裂片 2 ~ 3，小裂片丝线形或毛发状，长 4 ~ 8 mm；茎上部叶与分枝叶及苞片叶 3 ~ 5 全裂或不分裂。头状花序近球形，基部有线形小苞叶，排列成复总状或复穗状花序，在茎上组成开展的圆锥花序；总苞片无毛；雌花 5 ~ 7；两性花 4 ~ 10。瘦果倒卵状圆形

或长圆形。花期 8 ~ 9 月，果期 9 ~ 10 月。

| 生境分布 | 生于海拔 200 ~ 300 m 的岗地、丘陵岗地、低山、中山。分布于湖南株洲（天元）、邵阳（新邵）、岳阳（君山、岳阳）、益阳（南县）、常德（津市）、郴州（桂东、安仁）、永州（东安、江永）、怀化（芷江）等。

| 资源情况 | 野生资源一般。药材来源于野生和栽培。

| 采收加工 | 第 2 年 3 ~ 4 月即可采收嫩梢，连续采收 3 ~ 4 年。

| 功能主治 | 微苦、微辛，微寒。归脾、胃、膀胱经。清热利湿，退黄。用于黄疸，小便不利，湿疮瘙痒。

| 用法用量 | 内服煎汤，10 ~ 15 g；或入丸、散剂。外用适量，煎汤洗。

菊科 Asteraceae 蒿属 *Artemisia*

蒌蒿 *Artemisia selengensis* Turcz. ex Bess.

| 药 材 名 | 蒌蒿（药用部位：全草。别名：芦蒿、红陈艾）。

| 形态特征 | 多年生草本，植株具清香气味。茎少数或单一，高达 1.5 m，无毛，上部分枝。叶上面无毛或近无毛，下面密被灰白色蛛丝状平贴绵毛；茎下部叶宽卵形或卵形，长 8 ~ 12 cm，近长成掌状或指状，5 或 3 全裂或深裂，稀间有 7 裂或不分裂的叶，裂片线形或线状披针形，长 5 ~ 8 cm，叶柄长 0.5 ~ 5 cm，无假托叶；中部叶近呈掌状 5 深裂或指状 3 深裂，稀间有不裂之叶，裂片长椭圆形、椭圆状披针形或线状披针形，长 3 ~ 5 cm，叶缘或裂片有锯齿，基部楔形，渐窄成柄状；上部叶与苞片叶指状 3 深裂、2 裂或不分裂。头状花序多数，长圆形或宽卵形，直径 2 ~ 2.5 mm，在分枝上排成密穗状花序，在茎上组成窄长圆锥花序；总苞片背面初疏被灰白色蛛丝状绵毛；雌

花 8 ~ 12；两性花 10 ~ 15。瘦果卵圆形。花果期 7 ~ 10 月。

| 生境分布 | 生于海拔 300 m 以下的海滩、湖洲堤岸边、滩地水边、沼泽地或草甸中。分布于湖南岳阳（君山、华容）、常德（安乡）等。

| 资源情况 | 野生资源稀少。药材主要来源于野生。

| 采收加工 | 春季采收嫩根苗，鲜用。

| 功能主治 | 苦、辛，温。利膈开胃。用于食欲不振。

| 用法用量 | 内服煎汤，10 ~ 15 g；或入丸、散剂。外用适量，煎汤洗。

菊科 Asteraceae 蒿属 *Artemisia*

阴地蒿 *Artemisia sylvatica* Maxim.

药材名

阴地蒿（药用部位：全草。别名：林地蒿）。

形态特征

多年生草本；植株有香气。茎少数或单生，高达 1.3 m，中上部分枝。茎、枝初微被柔毛，后毛脱落。叶薄纸质，上面初微被柔毛及疏生白色腺点，下面被灰白色蛛丝状薄绒毛或近无毛；茎下部叶具长柄，卵形或宽卵形，2 回羽状深裂；中部叶具柄，卵形或长卵形，1 ~ 2 回羽状深裂，每侧裂片 2 ~ 3，裂片椭圆形或长卵形，3 ~ 5 深裂、浅裂或不裂，小裂片或裂片长椭圆形或椭圆状披针形，有疏锯齿或无，叶柄基部有小假托叶；上部叶有短柄，羽状深裂或近全裂，中裂片长，偶有 1 ~ 2 小锯齿；苞片叶 3 ~ 5 深裂或不裂。头状花序近球形或宽卵圆形，具短梗及细小、线形小苞叶，下垂，在茎上常组成疏散、开展、具多级分枝的圆锥花序；总苞片初微被蛛丝状薄毛；雌花 4 ~ 7；两性花 8 ~ 14。瘦果窄卵圆形或窄倒卵圆形。花果期 8 ~ 10 月。

生境分布

生于低海拔湿润地区的林下、林缘或灌丛下

背阴处。分布于湖南怀化（芷江）、岳阳（平江）、湘西州（吉首）等。

| 资源情况 | 野生资源稀少。药材来源于野生。

| 采收加工 | 春季采收，洗净，沸水浸烫，挤干水分。

| 功能主治 | 辛、苦，温。用于男子虚寒，妇女血气诸痛。

| 用法用量 | 内服煎汤，3 ~ 9 g。外用适量，供灸治或熏洗用。

菊科 Asteraceae 蒿属 *Artemisia*

南艾蒿 *Artemisia verlotorum* Lamotte.

| 药 材 名 | 南艾蒿（药用部位：根、叶）。

| 形态特征 | 多年生草本。茎、枝初微被柔毛。叶上面近无毛，被白色腺点及小凹点，下面除叶脉外密被灰白色绵毛；基生叶与茎下部叶卵形或宽卵形，1 ~ 2 回羽状全裂，具柄；中部叶卵形或宽卵形，长 5 ~ 10（~ 13） cm，1 ~ 2 回羽状全裂，每侧裂片 3 ~ 4，裂片披针形或线状披针形，稀线形，长 3 ~ 5 cm，不分裂或偶有数浅裂齿，边缘反卷，叶柄短或近无柄；上部叶 3 ~ 5 全裂或深裂；苞片叶不裂。头状花序椭圆形或长圆形，直径 2 ~ 2.5 mm，排列成穗状花序，在茎上组成圆锥花序；总苞片背面初微有蛛丝状柔毛，雌花 3 ~ 6；两性花 8 ~ 18；花冠檐部紫红色。瘦果倒卵状圆形或长圆形，稍扁。花果期 7 ~ 10 月。

生境分布 生于海拔 200 ~ 500 m 的山坡、田边及路旁。分布于湖南邵阳（双清）等。

资源情况 野生资源稀少。药材主要来源于野生。

功能主治 散寒，止痛，止血。用于淋证。

附　　注 本种可作艾蒿 *Artemisia argyi* Lévl. et Vant. 的代用品。

菊科 Asteraceae 紫菀属 *Aster*

三脉紫菀 *Aster ageratoides* Turcz.

药材名

山白菊（药用部位：全草或根。别名：野白菊、白升麻）。

形态特征

多年生草本。茎高达 1 m，被柔毛或粗毛。下部叶宽卵圆形，骤窄成长柄；中部叶窄披针形或长圆状披针形，基部骤窄成楔形、具宽翅的柄，边缘有 3 ~ 7 对锯齿；上部叶有浅齿或全缘；叶纸质，上面被糙毛，下面被柔毛，常有腺点，或两面被茸毛，下面沿脉有粗毛，离基三出脉，侧脉 3 ~ 4 对。头状花序直径 1.5 ~ 2 cm，排成伞房或圆锥伞房状，花序梗长 0.5 ~ 3 cm；总苞倒锥状或半球状，直径 0.4 ~ 1 cm，总苞片 3 层，覆瓦状排列，线状长圆形，上部绿色或紫褐色，有缘毛；舌状花管部长 2 mm，舌片线状长圆形，紫色、浅红色或白色；管状花黄色，长 4.5 ~ 5.5 mm，管部长 1.5 mm，裂片长 1 ~ 2 mm。冠毛 1 层，浅红褐色或污白色。瘦果倒卵状长圆形，灰褐色，有边肋，一面常有肋，被粗毛。花果期 7 ~ 12 月。

生境分布

生于海拔 1 200 m 以下的岗地、低山、中山。

湖南各地均有分布。

| 资源情况 | 野生资源丰富。药材主要来源于野生。

| 采收加工 | 夏、秋季采收，洗净，鲜用，或扎把，晾干。

| 功能主治 | 苦、辛，凉。清热解毒，祛痰镇咳，凉血止血。用于感冒发热，扁桃体炎，支气管炎，肝炎，肠炎，痢疾，热淋，血热吐衄，痈肿疔毒，蛇虫咬伤。

| 用法用量 | 内服煎汤，15 ～ 60 g。外用适量，鲜品捣敷。

菊科 Asteraceae 紫菀属 *Aster*

毛枝三脉紫菀 *Aster ageratoides* Turcz. var. *lasiocladus* (Hayata) Hand.-Mazz.

| 药 材 名 |

毛枝三脉紫菀（药用部位：全草）。

| 形态特征 |

茎被黄褐色或灰色密茸毛。叶长圆状披针形，常较小，长 4 ~ 8 cm，宽 1 ~ 3 cm，边缘有浅齿，先端钝或急尖，质厚，上面被密糙毛，或两面被密茸毛，沿脉常有粗毛。总苞片厚质，被密茸毛；舌状花白色。

| 生境分布 |

生于海拔 1 000 m 以下的山坡林下、阴湿沟边、草坡或田埂。湖南各地均有分布。

| 资源情况 |

野生资源稀少。药材主要来源于野生。

| 功能主治 |

微苦、辛，凉。散风热，理气，止痛，解毒。用于风热感冒，头痛，咳嗽，胸痛，周身疼痛，蛇咬伤，烫火伤。

| 附 注 |

本种为三脉紫菀 *Aster ageratoides* Turcz. 的毛枝变种，极易与其他各变种区别，且较其他各变种更近似于三基脉紫菀 *Aster trinervius* Roxb. ex D. Don，后者也有较厚质的叶和较密的毛茸。

菊科 Asteraceae 紫菀属 *Aster*

宽伞三脉紫菀 *Aster ageratoides* Turcz. var. *laticorymbus* (Vant.) Hand.-Mazz.

| 药 材 名 | 宽伞三脉紫菀（药用部位：全草）。

| 形态特征 | 茎多分枝。中部叶长圆状披针形或卵圆状披针形，下部渐狭，有 7 ~ 9 对锯齿，下面常脱毛；枝部叶小，卵圆形或披针形，全缘或有齿。总苞片较狭，上部绿色；舌状花常白色。

| 生境分布 | 生于 1 000 m 以下的山坡山地疏林下。分布于湘西南、湘西北、湘南等。

| 资源情况 | 野生资源稀少。药材主要来源于野生。

| 功能主治 | 清热解毒，利尿，止血。

| 附 注 | 本种为三脉紫菀 *Aster ageratoides* Turcz. 的宽伞变种，与微糙变种

Aster ageratoides Turc. var. *scaberulus* (Miq.) Y. Ling比较接近，且似为后者的一种发育类型。

菊科 Asteraceae 紫菀属 *Aster*

微糙三脉紫菀 *Aster ageratoides* Turcz. var. *scaberulus* (Miq.) Y. Ling.

| 药 材 名 | 野粉团儿（药用部位：全草）。

| 形态特征 | 叶通常卵圆形或卵圆状披针形，有 6 ~ 9 对浅锯齿，下部渐狭或急狭成具狭翅或无翅的短柄，质较厚，上面密被微糙毛，下面密被短柔毛，有明显的腺点，且沿脉常有长柔毛，或下面后脱毛；总苞较大，直径 6 ~ 10 mm，长 5 ~ 7 mm；总苞片上部绿色；舌状花白色或带红色。

| 生境分布 | 生于海拔 500 ~ 1 000 m 的树下、灌丛及山谷湿地。分布于湖南长沙（岳麓）、常德（安乡）、湘西州（永顺）等。

| 资源情况 | 野生资源稀少。药材主要来源于野生。

| 功能主治 | 清热解毒，祛痰止咳，疏风。用于感冒发热，头痛，蛇咬伤。

| 附　　注 | 本种为三脉紫菀 *Aster ageratoides* Turcz. 的微糙变种，多变异。有时叶卵圆形而较小，与卵叶变种 *Aster ageratoides* var. *oophyllus* Y. Ling 接近；有时叶宽卵形而无明显的齿或具圆齿。本种较其他变种与喜马拉雅山脉地区的三基脉紫菀 *Aster trinervius* Roxb. D. Don 更接近，但本种的叶具离基三出脉且较宽短，二者不难区别。

菊科 Asteraceae 紫菀属 *Aster*

小舌紫菀 *Aster albescens* (DC.) Hand.-Mazz.

| 药 材 名 |

小舌紫菀（药用部位：全草。别名：石灰条）。

| 形态特征 |

多年生草本或灌木，高 30 ~ 180 cm。多分枝，老枝褐色，当年生枝黄褐色。叶近纸质，卵圆形至披针形，基部楔形或近圆形，先端尖，上部叶小。头状花序多数在茎和枝端排列成复伞房状；舌状花舌片白色至紫红色，管状花黄色，花柱附片宽三角形。瘦果长圆形，长 1.7 ~ 2.5 mm，宽 0.5 mm，有 4 ~ 6 肋，被白色短绢毛；冠毛污白色，后红褐色，1 层，长 4 mm，有多数近等长的微糙毛。花期 6 ~ 9 月，果期 8 ~ 10 月。

| 生境分布 |

生于海拔 500 ~ 1 700 m 的低山至高山林下、灌丛或路旁。分布于湖南永州（蓝山）等。

| 资源情况 |

野生资源稀少。药材主要来源于野生。

| 功能主治 |

苦，凉。归肝、肾、脾经。利湿退黄，解毒消肿，杀虫，止咳。用于黄疸。

用法用量 内服煎汤，3 ~ 9 g。

菊科 Asteraceae 紫菀属 *Aster*

白舌紫菀 *Aster baccharoides* (Benth.) Steetz.

药材名 白舌紫菀（药用部位：全草）。

形态特征 一年生或多年生木质草本或亚灌木，有粗壮扭曲的根。茎直立，高 50 ~ 100 cm，多分枝；老枝灰褐色，有棱，脱毛；幼枝直立，被多少卷曲的密短毛。下部叶匙状长圆形，上部有疏齿；中部叶长圆形或长圆状披针形，基部渐窄或急狭，无柄或有短柄，先端尖，全缘或上部有小尖头状疏锯齿；上部叶渐小，近全缘；全部叶上面被短糙毛，下面被短毛或有腺点；中脉在下面凸起，侧脉 3 ~ 4 对。头状花序在枝端排列成圆锥伞房状；总苞倒锥状，4 ~ 7 层，覆瓦状排列，外层卵圆形，长 1.5 mm，先端尖，内层长圆状披针形，先端钝，背面或上部被短密毛，边缘干膜质，有缘毛；舌状花 10 余，

舌片白色；管状花有微毛。瘦果狭长圆形，稍扁，有时两面有肋，被密短毛。花期 7 ~ 10 月，果期 8 ~ 11 月。

| 生境分布 | 生于海拔 200 ~ 1 700 m 的山坡路旁、草地和沙地。分布于湖南邵阳（新宁）、岳阳（汨罗）、常德（鼎城）、郴州（北湖、苏仙、永兴、桂东）、永州（祁阳、双牌）、株洲（渌口）等。

| 资源情况 | 野生资源较少。药材主要来源于野生。

| 功能主治 | 清热解毒，止血生肌，杀虫。用于感冒。

菊科 Asteraceae 紫菀属 *Aster*

琴叶紫菀 *Aster panduratus* Nees ex Walp.

药材名

岗边菊（药用部位：全草。别名：大风草、鱼鳅串、福氏紫菀）。

形态特征

多年生草本。茎单生或丛生，被长粗毛，常有腺。茎下部叶匙状长圆形，长达 12 cm，下部渐窄成长柄；中部叶长圆状匙形，长 4 ~ 9 cm，基部半抱茎；上部叶卵状长圆形，基部心形抱茎；叶两面被长贴生毛和密短毛，有腺点，下面沿脉及边缘有长毛。头状花序直径 2 ~ 2.5 cm，单生于枝端或呈疏散伞房状排列，花序梗有线状披针形或卵形苞叶；总苞半球形，总苞片 3 层，覆瓦状排列，长圆状披针形，外层草质，长 2 ~ 3 mm，被密短毛及腺，内层上部或中脉草质，长 4 mm，边缘膜质而无毛；舌状花约 30 个，管部长 1.5 mm，舌片浅紫色；管状花长约 4 mm，管部被密毛；冠毛 1 层，白色或稍红色，与管状花花冠近等长，有微糙毛。瘦果卵状长圆形，两面有肋，被柔毛。花期 2 ~ 9 月，果期 6 ~ 10 月。

生境分布

生于海拔 100 ~ 1 400 m 的山坡灌丛、草地、溪岸、路旁。分布于湖南湘西州（永顺、保靖）等。

资源情况 野生资源较少。药材主要来源于野生。

采收加工 全年均可采收，晒干。

功能主治 苦、辛，温。温中散寒，止咳，止痛。用于咳嗽痰喘，慢性胃痛，泄泻，消化不良，血崩。

用法用量 内服煎汤，15 ~ 30 g。

菊科 Asteraceae 紫菀属 *Aster*

短舌紫菀 *Aster sampsonii* (Hance) Hemsl.

| 药 材 名 | 短舌紫菀（药用部位：全草。别名：接骨草、小儿还魂草、黑根紫菀）。

| 形态特征 | 多年生草本。茎被粗毛，中、上部有帚状分枝，下部有枯萎叶柄残片。下部叶匙状长圆形，长 2.5 ~ 7 cm，下部渐窄成长柄，先端有小尖头，边缘有具小尖头的疏锯齿；中部叶椭圆形，长 3 ~ 4 cm，基部渐窄，有短柄，全缘或有 1 ~ 2 对锯齿；上部叶线形；叶上面被糙毛，下面被毛，有腺点，有离基三出脉及侧脉。头状花序直径 0.8 ~ 1.5 cm，疏散伞房状排列，花序梗长 1 ~ 4.5 cm，有渐转为总苞片的钻形苞叶；总苞倒锥形，长 4 ~ 5 mm，直径 5 ~ 8 mm，总苞片 4 层，覆瓦状排列，线状披针形，先端渐尖，外层长 2 ~ 3 mm，被密短毛，

内层长达 5 mm，边缘宽膜质，有缘毛；舌状花管部长 1.5 mm，舌片白色或浅红色；管状花花冠长 3.2 mm，管部长 1.2 mm，裂片长 1 mm，上部有腺点；冠毛 1 层，白色，较管状花花冠稍短，有微糙毛。瘦果长圆形，稍扁，一面有肋，被密短毛。花果期 7 ~ 10 月。

| 生境分布 | 生于海拔 1 200 m 左右的山坡草地及灌丛。分布于湖南郴州（宜章）等。

| 资源情况 | 野生资源较少。药材主要来源于野生。

| 功能主治 | 苦，温。理气活血，消积，止汗。用于痞积，气虚自汗，月经不调，骨折。

菊科 Asteraceae 联毛紫菀属 *Symphyotrichum*

钻叶紫菀 *Symphyotrichum subulatum* (Michx.) G. L. Nesom

药材名

瑞连草（药用部位：全草）。

形态特征

一年生草本。茎高 25 ~ 100 cm，无毛。基生叶倒披针形，花后凋落；茎中部叶线状披针形，长 6 ~ 10 cm，宽 5 ~ 10 mm，主脉明显，侧脉不显著，无柄；上部叶渐狭窄，全缘，无柄，无毛。头状花序，多数在茎先端排成圆锥状；总苞钟状，总苞片 3 ~ 4 层，外层较短，内层较长，线状钻形，边缘膜质，无毛；舌状花细狭，淡红色，与冠毛等长或稍长；管状花多数，花冠短于冠毛。瘦果长圆形或椭圆形，长 1.5 ~ 2.5 mm，有 5 纵棱；冠毛淡褐色，长 3 ~ 4 mm。

生境分布

生于海拔 1 500 m 以下的荒野，路边。湖南各地均有分布。

资源情况

野生资源一般。药材来源于野生。

采收加工

秋季采收，切段，鲜用或晒干。

功能主治 苦、酸，凉。清热解毒。用于痈肿，湿疹。

用法用量 内服煎汤，10 ~ 30 g。外用适量，捣敷。

菊科 Asteraceae 苍术属 *Atractylodes*

茅苍术 *Atractylodes lancea* (Thunb.) DC.

| 药 材 名 | 苍术（药用部位：根茎。别名：山精、赤术、仙术）。

| 形态特征 | 多年生草本。茎单生或簇生，茎枝疏被蛛丝状毛。中、下部茎生叶圆形、倒卵形、偏斜卵形、卵形或椭圆形，3 ~ 5（7 ~ 9）羽状深裂或半裂，基部楔形或宽楔形，侧裂片 1 ~ 2（3 ~ 4）对，椭圆形、长椭圆形或倒卵状长椭圆形，几无柄；中部以上或上部茎生叶不裂，倒长卵形、倒卵状长椭圆形或长椭圆形；或全部茎生叶不裂；中部茎生叶倒卵形、长倒卵形、倒披针形或长倒披针形；叶硬纸质，两面绿色，无毛。头状花序单生于茎枝先端；总苞钟状，直径 1 ~ 1.5 cm，总苞片 5 ~ 7 层，最外层及外层卵形或卵状披针形，中层长卵形、长椭圆形或卵状长椭圆形，内层线状长椭圆形或线形；

苞叶针刺状羽状全裂或深裂；小花白色。瘦果倒卵圆形，密被白色长直毛；冠毛刚毛褐色或污白色。花果期 6 ~ 10 月。

| 生境分布 | 生于海拔 200 ~ 800 m 的草地、林下、灌丛及岩石缝隙。分布于湘西北等。

| 资源情况 | 野生资源稀少。药材主要来源于栽培。

| 采收加工 | 栽培 2 ~ 3 年后，9 月上旬至 11 月上旬或翌年 2 ~ 3 月采挖，除净残茎，抖掉泥土，晒干，去除根须或晒至九成干后用火燎掉须根，再晒至全干。

| 药材性状 | 本品呈不规则连珠状或结节状圆柱形，略弯曲，偶有分枝，长 3 ~ 10cm，直径 1 ~ 2cm。表面灰棕色，有皱纹、横曲纹及残留须根，顶端具茎痕或残留茎基。质坚实，断面黄白色或灰白色，散有多数橙黄色或棕红色油室，暴露稍久，可析出白色细针状结晶。气香特异，味微甘、辛、苦。

| 功能主治 | 辛、苦，温。归脾、胃、肝经。燥湿健脾，祛风湿，明目。用于湿困脾胃，倦怠嗜卧，胸痞腹胀，食欲不振，呕吐泄泻，痰饮，湿肿，表证夹湿，头身重痛，湿痹，肢节酸痛重着，痿躄，夜盲。

| 用法用量 | 内服煎汤，3 ~ 9 g；或入丸、散剂。

| 附　　注 | 本种为《中华人民共和国药典》的苍术基原植物之一。

菊科 Asteraceae 苍术属 *Atractylodes*

白术 *Atractylodes macrocephala* Koidz.

| 药 材 名 |

白术（药用部位：根茎。别名：于术、冬术、浙术）。

| 形态特征 |

多年生草本。高 20 ~ 60 cm，根茎结节状。茎直立，通常自中下部长分枝，全部光滑无毛。中部茎生叶有长 3 ~ 6 cm 的叶柄，叶片通常 3 ~ 5 羽状全裂，极少兼杂不裂而叶为长椭圆形的，侧裂片 1 ~ 2 对，倒披针形、椭圆形或长椭圆形，长 4.5 ~ 7 cm，宽 1.5 ~ 2 cm，顶裂片比侧裂片大，倒长卵形、长椭圆形或椭圆形；自中部茎生叶向上、向下，叶渐小，与中部茎生叶等样分裂，接花序下部的叶不裂，椭圆形或长椭圆形，无柄，或大部茎生叶不裂，但总兼杂有 3 ~ 5 羽状全裂的叶；全部叶质地薄，纸质，两面绿色，无毛，边缘或裂片边缘有长或短针刺状缘毛，或细刺齿。头状花序单生于茎枝先端，植株通常有 6 ~ 10 头状花序，但不呈明显的花序式排列；苞叶绿色，长 3 ~ 4 cm，针刺状羽状全裂；总苞大，宽钟状，直径 3 ~ 4 cm，总苞片 9 ~ 10 层，覆瓦状排列，外层及中外层长卵形或三角形，长 6 ~ 8 mm，中层披针形或椭圆状披针形，长

11 ~ 16 mm，最内层宽线形，长 2 cm，先端紫红色，全部苞片先端钝，边缘有白色蛛丝状毛；小花长 1.7 cm，紫红色，冠檐 5 深裂。瘦果倒圆锥状，长 7.5 mm，被顺伏、稠密、白色的长直毛，冠毛刚毛羽毛状，污白色，长 1.5 cm，基部结合成环状。花果期 8 ~ 10 月。

| 生境分布 | 生于山坡草地及山坡林下。分布于湖南岳阳（平江）等。

| 资源情况 | 野生资源稀少。药材来源于栽培。

| 采收加工 | 10 月下旬至 11 月中旬待地上部分枯萎后，清除地上部分枝叶，采挖根茎，烘干或晒干。

| 药材性状 | 本品为不规则的肥厚团块，长 3 ~ 13 cm，直径 1.5 ~ 7 cm。表面灰黄色或灰棕色，有瘤状突起及断续的纵皱纹和沟纹，并有须根痕，先端有残留茎基和芽痕。质坚硬，不易折断，断面不平坦，黄白色至淡棕色，散在棕黄色的点状油室；烘干者断面角质样，色较深或有裂隙。气清香，味甘、微辛，嚼之略带黏性。

| 功能主治 | 苦、甘，温。归脾、胃经。健脾益气，燥湿利水，止汗，安胎。用于脾气虚弱，神疲乏力，食少腹胀，大便溏薄，水饮内停，小便不利，水肿，痰饮眩晕，湿痹酸痛，气虚自汗，胎动不安。

| 用法用量 | 内服煎汤，6 ~ 12 g；或熬膏；或入丸、散剂。

| 附　　注 | 本种为《中华人民共和国药典》（2020 版）白术的基原植物。

菊科 Asteraceae 云木香属 *Aucklandia*

木香 *Aucklandia lappa* Decne.

| 药 材 名 | 木香（药用部位：根。别名：云木香山蓟、山姜）。

| 形态特征 | 多年生高大草本，高 1.5 ~ 2 m。主根粗壮，直径可达 5 cm，表面黄褐色，有稀疏侧根。茎直立，被疏短柔毛。基生叶大型，具长柄；叶片三角状卵形或长三角形，长 30 ~ 100 cm，宽 15 ~ 30 cm，基部心形或楔形，叶缘呈不规则浅裂或波状，疏生短刺，被短毛；茎生叶较小，叶基翼状。头状花序顶生及腋生，通常 2 ~ 3 丛生，腋生者单一，有长的总花梗；总苞片约 10 层，三角状披针形或长披针形，长 9 ~ 25 mm，外层较短，先端长锐尖如刺，疏被微柔毛；花全部管状，暗紫色，花冠管长 1.5 cm，先端 5 裂；雄蕊 5，花药连合，上端稍分离，有 5 尖齿；子房下位，花柱伸出花冠之外，柱头 2 裂。瘦果线形，长端有 2 层黄色、直立的羽状冠毛，果实成熟时毛多脱落。

花期 5 ～ 8 月，果期 9 ～ 10 月。

| 生境分布 | 生于海拔 800 ～ 2 500 m 的山区阴坡地。分布于湘西、湘北等。

| 资源情况 | 药材主要来源于栽培。

| 采收加工 | 培育 3 年后，于 9 月下旬至 10 月下旬选晴天采挖根，去除泥土、茎秆和叶柄，粗大者切成 2 ～ 4 块，于 50 ～ 60 ℃低温下烘干。

| 药材性状 | 本品呈圆柱形或半圆柱形，长 5 ～ 10 cm，直径 0.5 ～ 5 cm。表面黄棕色至灰褐色，有明显的皱纹、纵沟及侧根痕。质坚，不易折断，断面灰褐色至暗褐色，周边灰黄色或浅棕黄色，形成层环棕色，有放射状纹理及散在的褐色点状油室。气香特异，味微苦。

| 功能主治 | 辛、苦，温。归脾、胃、肝、肺经。行气止痛，调中导滞。用于胸胁胀满，脘腹胀痛，呕吐泄泻，痢疾里急后重。

| 用法用量 | 内服煎汤，3 ～ 10 g；或入丸、散剂。生用专行气滞，煨用可实肠止泻。

| 附　　注 | 本种为《中华人民共和国药典》（2020 版）木香的基原植物。

菊科 Asteraceae 鬼针草属 *Bidens*

婆婆针 *Bidens bipinnata* L.

| 药 材 名 | 鬼针草（药用部位：全草。别名：鬼钗、刺针草）。

| 形态特征 | 一年生草本。茎直立，高 30 ~ 120 cm，下部略具 4 棱，无毛或上部被疏柔毛，基部直径 2 ~ 7 cm。叶对生，具柄，柄长 2 ~ 6 cm，腹面具沟槽，槽内及边缘具疏柔毛；叶片长 5 ~ 14 cm，2 回羽状分裂，第 1 次分裂深达中肋，裂片再次羽状分裂，小裂片三角状或菱状披针形，具 1 ~ 2 对缺刻或深裂，顶生裂片狭，先端渐尖，边缘有稀疏不规整的粗齿，两面均被疏柔毛。头状花序直径 6 ~ 10 mm；花序梗长 1 ~ 5 cm，果时长 2 ~ 10 cm；总苞杯形，基部有柔毛，外层苞片 5 ~ 7，托片狭披针形，长约 5 mm，果时长可达 12 mm；舌状花通常 1 ~ 3，不育，盘花筒状，黄色，长约 4.5 mm，冠檐 5 齿裂。瘦果条形，略扁，具 3 ~ 4 棱，长 12 ~ 18 mm，宽约

1 mm，具瘤状突起及小刚毛，先端芒刺 3 ~ 4，长 3 ~ 4 mm，具倒刺毛。花期 8 ~ 9 月，果期 9 ~ 11 月。

| 生境分布 | 生于海拔 1 000 m 以下的路边、荒野或住宅附近。分布于湖南衡阳（衡山、祁东）、岳阳（汨罗）、常德（鼎城）、郴州（永兴）、永州（道县、江华）、湘西州（古丈）、湘潭（湘乡）、怀化（溆浦）等。

| 资源情况 | 野生资源丰富。药材主要来源于野生。

| 采收加工 | 夏、秋季盛花期采收，拣去杂草，鲜用或晒干。

| 功能主治 | 苦，微寒。清热解毒，祛风除湿，活血消肿。用于咽喉肿痛，泄泻，痢疾，黄疸，肠痈，疔疮肿毒，蛇虫咬伤，风湿痹痛，跌打损伤。

| 用法用量 | 内服煎汤，15 ~ 30 g，鲜品加倍；或捣汁。外用适量，捣敷；或取汁涂；或煎汤熏洗。

菊科 Asteraceae 鬼针草属 *Bidens*

金盏银盘 *Bidens biternata* (Lour.) Merr. et Sherff.

| 药 材 名 | 金盏银盘（药用部位：全草。别名：千条针、铁笼帚）。

| 形态特征 | 一年生草本，高 30 ~ 150 cm。茎略具 4 棱，无毛或被稀疏、卷曲短柔毛。叶对生，一回羽状复叶，顶生小叶卵形至长圆状卵形或卵状披针形，长 2 ~ 7 cm，宽 1 ~ 2.5 cm，先端渐尖，基部楔形，边缘具稍密的锯齿，两面均被柔毛，侧生小叶 1 ~ 2 对，通常不分裂，基部下延，无柄或具短柄，三出复叶状分裂或仅一侧具 1 裂片，边缘有锯齿；总叶柄长 1.5 ~ 5 cm。头状花序单生，花序梗长 1.5 ~ 5.5 cm，果时长 4.5 ~ 11 cm；总苞基部有短柔毛，外层苞片 8 ~ 10，线形，先端渐尖，背面密被短柔毛，内层苞片长圆状披针形，背面褐色，有深色条纹，被短柔毛；舌状花通常 3 ~ 5，不育，舌片淡黄色，先端 3 齿裂，有时无舌状花；盘花筒状，冠檐 5 齿裂。

瘦果线形，黑色，具 4 棱，两端稍狭，多少被小刚毛，顶端芒刺 3 ～ 4，具倒刺毛。

| 生境分布 | 生于海拔 1 300 m 以下的村旁、路边及旷野处。湖南各地均有分布。

| 资源情况 | 野生资源丰富。药材主要来源于野生。

| 采收加工 | 春、夏季采收，鲜用，或切段，晒干。

| 功能主治 | 甘、微苦，凉。清热解毒，凉血止血。用于感冒发热，黄疸，泄泻，痢疾，血热吐血，血崩，跌打损伤，痈肿疮毒，疥癣。

| 用法用量 | 内服煎汤，10 ～ 30 g；或浸酒。外用适量，捣敷；或煎汤洗。

菊科 Asteraceae 鬼针草属 *Bidens*

大狼杷草 *Bidens frondosa* L.

| 药 材 名 | 大狼杷草（药用部位：全草。别名：狼把草、接力草、针线包草）。

| 形态特征 | 一年生草本，高达 120 cm。茎直立，分枝，常带紫色，被疏毛或无毛。叶对生，具柄；一回羽状复叶，小叶 3 ~ 5，披针形，长 3 ~ 10 cm，宽 1 ~ 3 cm，先端渐尖，边缘有粗锯齿，通常背面被稀疏短柔毛，至少顶生者具明显的柄。头状花序单生，连同总苞片直径 12 ~ 15 mm，高约 12 mm；总苞钟状或半球形，外层苞片 5 ~ 10，通常 8，披针形或匙状倒披针形，叶状，具缘毛，内层苞片长圆形，具淡黄色边缘；舌状花不发育，极不明显；筒花两性，花冠冠檐 5 裂。瘦果扁平，狭楔形，长 5 ~ 10 mm，先端芒刺 2，有侧刺毛。花果期 8 ~ 10 月。

| 生境分布 | 生于海拔 80 ~ 800 m 的田野湿润处。湖南各地均有分布。

| 资源情况 | 野生资源丰富。药材主要来源于野生。

| 采收加工 | 6 ~ 9 月采收，洗净，切段，晒干。

| 功能主治 | 苦，平。补虚清热。用于体虚乏力，盗汗，咯血，疳积，痢疾。

| 用法用量 | 内服煎汤，15 ~ 30 g。

菊科 Asteraceae 鬼针草属 *Bidens*

鬼针草 *Bidens pilosa* L.

| 药 材 名 | 三叶鬼针草（药用部位：全草。别名：盲肠草、路边针、鬼针草）。

| 形态特征 | 一年生草本，高 25 ～ 100 cm。茎直立，四棱形，疏生柔毛或无毛。中、下部叶对生，叶片 3 ～ 7 深裂至羽状复叶，很少下部为单叶，小叶片薄质，卵形或卵状椭圆形，有锯齿或分裂，下部叶有长叶柄，向上逐渐变短；上部叶互生，3 裂或不裂，线状披针形。头状花序开花时直径约为 8 mm，有长梗；总苞片 7 ～ 8，匙形，边缘有细软毛；外层托片狭长圆形，内层托片狭披针形；舌状花白色或黄色，4 ～ 7 朵或有时无，部分不育；管状花黄褐色，长约 4.5 mm，5 裂。瘦果线形，成熟后黑褐色，长 7 ～ 15 mm，有硬毛；冠毛芒刺 3 ～ 4，刺状，长 1.5 ～ 2.5 mm。花果期 9 ～ 11 月。

生境分布 生于海拔 1 000 m 以下的村旁、路边及荒坡。湖南各地均有分布。

资源情况 野生资源丰富。药材主要来源于野生。

采收加工 夏、秋季采收，鲜用，或切段，晒干。

功能主治 甘、微苦，凉。清热，解毒，利湿，健脾。用于时行感冒，咽喉肿痛，黄疸性肝炎，暑湿吐泻，肠炎，痢疾，疳积，血虚黄肿，痔疮，蛇虫咬伤。

用法用量 内服煎汤，10 ~ 30 g，鲜品加倍；或熬膏；或捣汁。外用适量，捣敷；或煎汤洗。

菊科 Asteraceae 鬼针草属 *Bidens*

白花鬼针草 *Bidens pilosa* L. var. *radiata* Sch.-Bip.

| 药 材 名 | 咸丰草（药用部位：全草。别名：金杯银盏、金盏银盆、盲肠草）。

| 形态特征 | 一年生直立草本，高 30 ~ 100 cm。茎钝四棱形，无毛或上部被极稀的柔毛。茎下部叶较小，3 裂或不分裂，通常在开花前枯萎；中部叶具长 1.5 ~ 5 cm、无翅的柄，三出；小叶常为 3，两侧小叶椭圆形或卵状椭圆形，长 2 ~ 4.5 cm，宽 1.5 ~ 2.5 cm，先端锐尖，基部近圆形或阔楔形，有时偏斜，不对称，边缘有锯齿，顶生小叶较大，长椭圆形或卵状长圆形，长 3.5 ~ 7 cm，先端渐尖，基部渐狭或近圆形，具长 1 ~ 2 cm 的柄，边缘有锯齿，上部叶小，3 裂或不分裂，条状披针形。头状花序有长 1 ~ 6 cm 的花序梗；总苞片 7 ~ 8，条状匙形，外层披针形，内层条状披针形；舌状花 5 ~ 7，

舌片椭圆状倒卵形，白色，先端钝或有缺刻；盘花筒状，长约 4.5 mm，冠檐 5 齿裂。瘦果黑色，条形，长 7 ～ 13 mm，先端芒刺 3 ～ 4，长 1.5 ～ 2.5 mm，具倒刺毛。

| 生境分布 | 生于海拔 100 ～ 300 m 的村旁、路边及荒坡。湖南各地均有分布。

| 资源情况 | 野生资源丰富。药材主要来源于野生。

| 采收加工 | 夏、秋季采收，切段，晒干。

| 功能主治 | 甘、微苦，平。清热解毒，利湿退黄。用于感冒发热，风湿痹痛，湿热黄疸，痈肿疮疖。

| 用法用量 | 内服煎汤，15 ～ 30 g。

菊科 Asteraceae 鬼针草属 *Bidens*

狼杷草 *Bidens tripartita* L.

药材名

狼杷草（药用部位：全草。别名：乌杷、狼耶草）。

形态特征

一年生草本，高 20 ~ 150 cm。茎圆柱状或具钝棱而稍呈四方形，绿色或带紫色，无毛，上部分枝。叶对生，下部叶较小，不分裂，边缘具钝齿，通常于花期枯萎；中部叶具柄，柄长 0.8 ~ 2.5 cm，有狭翅；叶片长椭圆状披针形，长 4 ~ 13 cm，不分裂或近基部浅裂成 1 对小裂片，通常 3 ~ 5 深裂；上部叶较小，披针形，3 裂或不裂。头状花序单生，具较长的花序梗；总苞盘状，外层苞片 5 ~ 9，先端钝，叶状，具缘毛，内层苞片褐色，有纵条纹，具透明或淡黄色的边缘；托片线状披针形，背面有褐色条纹，边缘透明；无舌状花，筒状花两性，冠檐 4 裂；花药基部钝，先端有椭圆形附属器，花丝上部增宽。瘦果扁，楔形或倒卵状楔形，边缘有倒刺毛，先端芒刺通常 2，两侧有倒刺毛。花果期 8 ~ 10 月。

生境分布

生于海拔 1 000 m 以下路边荒野及水边湿地。

湖南各地均有分布。

| 资源情况 | 野生资源丰富。药材主要来源于野生。

| 采收加工 | 8 ~ 9 月采收，晒干或鲜用。

| 功能主治 | 甘、微苦，凉。清热解毒，利湿，通经。用于肺热咳嗽，咯血，咽喉肿痛，赤白痢疾，黄疸，月经不调，闭经，疳积，瘰疬结核，湿疹癣疮，毒蛇咬伤。

| 用法用量 | 内服煎汤，10 ~ 30 g，鲜品加倍；或捣汁饮。外用适量，捣敷；或研末撒；或研末调敷。

菊科 Asteraceae 百能葳属 *Blainvillea*

百能葳 *Blainvillea acmella* (L.) Philipson

| 药 材 名 | 鱼鳞菜（药用部位：全草。别名：异芒菊、假麦菜草）。

| 形态特征 | 一年生草本，高 40 ~ 60 cm。茎多分枝，下部分枝对生，上部分枝互生，具细沟纹，被疏柔毛。下部茎生叶对生，叶柄长达 1 cm，叶片卵形至卵状披针形，连叶柄长 4 ~ 7 cm，宽 2 ~ 3 cm，先端渐尖，基部楔形，边缘有疏锯齿，两面被硬糙毛；上部茎生叶较小，互生，卵形，长 2 ~ 3 cm，宽 1.3 ~ 1.5 cm，基部常圆形。头状花序腋生或顶生；花序梗长 1.5 ~ 4 cm，被糙毛；总苞片近 2 层，外层叶质，绿色，卵状长圆形，背面密被基部粗肿的糙毛；托片长圆状披针形，先端具芒尖，上端背面被毛；舌状花 1 层，黄色或黄白色，舌片短，先端 2 ~ 4 齿裂；管状花钟形，檐部稍扩大，5 齿裂，裂片被疏毛；

雌花瘦果三棱形，两性花瘦果扁压，全部瘦果干时浅黑色，被密毛；冠毛 2 ~ 5，不等长，刺芒状，基部连合。花期 4 ~ 6 月。

| 生境分布 | 生于海拔 1 000 m 以下的疏林或山顶斜坡草地。分布于湘南以及湘西州（吉首）等。

| 资源情况 | 野生资源稀少。药材主要来源于野生。

| 采收加工 | 春、夏季采收，鲜用或晒干。

| 功能主治 | 甘、辛，凉。疏风清热，止咳。用于感冒发热，肺虚痨嗽，咯血，扭挫伤。

| 用法用量 | 内服煎汤，6 ~ 15 g。外用适量，捣敷。

菊科 Asteraceae 艾纳香属 *Blumea*

馥芳艾纳香 *Blumea aromatica* DC.

| 药 材 名 | 香艾（药用部位：全草。别名：山风）。

| 形态特征 | 一年生或多年生粗壮草本或亚灌木。茎木质，有分枝，被黏绒毛或上部花序轴被密柔毛，兼有腺毛。叶腋常有束生的白色或污白色糙毛；下部叶倒卵形、倒披针形或椭圆形，长 20 ~ 22 cm，基部渐窄，边缘有粗细相间的锯齿，被糙毛，兼有腺体，侧脉 10 ~ 16 对，近无柄；中部叶倒卵状长圆形或长椭圆形，长 12 ~ 18 cm，有时抱茎；上部叶披针形或卵状披针形。头状花序多数，直径 1 ~ 1.5 cm，无梗或梗长 1 ~ 1.5 cm，花序梗被柔毛，兼有卷腺毛，腋生或顶生，排成具叶圆锥花序；总苞圆柱形或近钟形，长 0.1 ~ 1 cm，总苞片 5 ~ 6 层，绿色，外层长圆状披针形，长 2 ~ 4 mm，背面被柔毛，兼有腺体，中层和内层线形，长 0.6 ~ 1 cm，背面被疏毛，有时脊

处具腺体。瘦果圆柱形，有 12 棱，长约 1 mm，被柔毛；冠毛棕红色或淡褐色。花果期 10 月至翌年 3 月。

| 生境分布 | 生于海拔 800 m 以下的低山林缘、荒坡或山谷路旁。分布于湖南衡阳（耒阳）、邵阳（隆回）、益阳（桃江）、郴州（汝城、桂东）、永州（双牌）、怀化（靖州）等。

| 资源情况 | 野生资源稀少。药材主要来源于野生。

| 采收加工 | 秋季采收，鲜用，或切段，晒干。

| 功能主治 | 辛、微苦，温。祛风，除湿，止痒，止血。用于风寒湿痹，关节疼痛，风疹，湿疹，皮肤瘙痒，外伤出血。甘、辛，凉。疏风清热，止咳。用于感冒发热，肺虚痨嗽，咯血，扭挫伤。

| 用法用量 | 内服煎汤，6 ~ 12 g；或浸酒。外用适量，煎汤洗；或捣敷；或研末撒。

菊科 Asteraceae 艾纳香属 *Blumea*

台北艾纳香 *Blumea formosana* Kitam.

药材名

台北艾纳香（药用部位：全草）。

形态特征

一年生或多年生草本。茎被白色长柔毛，基部常脱毛。茎中部叶倒卵状长圆形，长12 ~ 20 cm，基部长渐窄，边缘疏生点状细齿或小尖头，上面被柔毛，下面被紧贴白色绒毛，兼有密集腺体，有时脱毛，侧脉9 ~ 11对，近无柄；上部叶长圆形或长圆状披针形，长5 ~ 12 cm，基部渐窄；最上部叶苞片状。头状花序直径约1 cm，排成顶生圆锥花序，花序梗被白色绒毛；总苞球状钟形，长约1 cm，总苞片4层，近膜质，绿色，外层线状披针形，长2 ~ 3 mm，背面被密柔毛，兼有腺体，中层线状长圆形，长4 ~ 5 mm，内层线形，长约8.5 mm，先端尾尖。瘦果圆柱形，有10棱，长约1 mm，被白色腺状粗毛；冠毛污黄色或黄白色。花期8 ~ 11月。

生境分布

生于海拔50 ~ 1 000 m的低山坡、疏林下、草丛、溪边、路边。分布于湖南常德（鼎城）、益阳（桃江）、郴州（苏仙、永兴）、永州（零陵、东安）、怀化（中方、辰溪、会同）、湘西州（永顺、保靖）等。

| 资源情况 | 野生资源较少。药材主要来源于野生。

| 功能主治 | 苦、微辛，凉。清热解毒，利水消肿。

菊科 Asteraceae 艾纳香属 *Blumea*

毛毡草 *Blumea hieracifolia* (D. Don) DC.

药材名

毛毡草（药用部位：全草。别名：臭草、走马风、鹅掌风）。

形态特征

一年生或多年生草本，高 50 ~ 150 cm。茎上部有分枝，具条棱，密被绢毛状长柔毛，兼有头状具柄腺毛，上部和花序轴密被毛，基部脱毛。叶常茎生，下部和中部叶椭圆形或长椭圆形，长 7 ~ 10 cm，宽 2 ~ 3.5 cm，边缘有硬尖齿，上面被白色短毛，下面被密绢毛状绒毛或绵毛；上部叶较小，无柄，长 2 ~ 4 cm，宽 0.4 ~ 1.4 cm，被白色密绵毛或丝光毛，边缘有尖齿。头状花序多数，簇生，排成穗状圆锥花序；总苞圆柱形或钟形；总苞片 4 ~ 5 层，上部淡紫色，外层线状披针形，背面被白色绒毛，中层线状长圆形，背面被疏毛，内层极狭，丝状；花托无毛；花黄色；雌花多数，花冠檐部 3 齿裂；两性花较少数，花冠檐部 5 浅裂，稀 6 浅裂，有疏毛和腺体。瘦果圆柱形，具 10 棱，被毛；冠毛白色。花期 12 月至翌年 4 月。

生境分布

生于海拔 630 m 以下的田边、路旁、草地或低山灌丛。分布于湖南邵阳（邵东）、永州（双牌）、衡阳（衡东）、湘西州（龙山）等。

| 资源情况 | 野生资源稀少。药材主要来源于野生。

| 采收加工 | 全年均可采收，鲜用，或切段，晾干。

| 功能主治 | 微辛，凉。清热解毒。用于泄泻，毒虫蜇伤。

| 用法用量 | 内服煎汤，10 ~ 15 g。外用适量，煎汤洗；或捣汁涂。

菊科 Asteraceae 艾纳香属 *Blumea*

见霜黄 *Blumea lacera* (Burm. f.) DC.

| 药 材 名 | 红头草（药用部位：全草。别名：白毛倒提壶、红根草、甲冬仗）。

| 形态特征 | 一年生草本，高 18 ~ 100 cm。根粗壮分枝。茎不分枝或上部多分枝，具条棱，被白色绢毛状绒毛或密被短绒毛。下部叶倒卵形或倒卵状长圆形，长 7 ~ 15 cm，宽 4 ~ 5 cm，边缘有疏粗齿，两面均被绒毛；上部叶无柄或有短柄，不分裂，倒卵状长圆形或长椭圆形，长 2.5 ~ 4 cm，宽 1.5 ~ 2 cm，基部渐狭，边缘上半部有粗或细尖齿，有时全缘，两面均被白色丝状密绒毛。头状花序多数，顶生和腋生，排成大圆锥花序；总苞圆柱形，总苞片约 4 层，花后反折，全部线形，外层背面密被白色长柔毛，有密缘毛，内层较外层长 2 倍；花托平，有泡状突起；花黄色；雌花多数，花冠檐部 3 齿裂；两性花约 15，

花冠檐部 5 浅裂，被疏柔毛和腺体。瘦果圆柱状纺锤形，被疏毛；冠毛白色，糙毛状。花期 2 ~ 6 月。

| 生境分布 | 生于海拔 120 ~ 800 m 的草地、路旁或田边。分布于湖南湘西州（吉首）等。

| 资源情况 | 野生资源稀少。药材主要来源于野生。

| 采收加工 | 春、夏季采集，鲜用，或切段，晒干。

| 功能主治 | 苦，寒。清热泻火，解毒消肿。用于肺热咳嗽，咽喉肿痛，口舌生疮，胃火牙痛，痄腮，痈肿疮毒。

| 用法用量 | 内服煎汤，10 ~ 15 g，鲜品加倍，不宜久煎。外用适量，捣敷。

菊科 Asteraceae 艾纳香属 *Blumea*

千头艾纳香 *Blumea lanceolaria* (Roxb.) Druce

药材名

火油草（药用部位：叶。别名：走马风）。

形态特征

一年生或多年生高大草本或亚灌木，高 1 ~ 3 m。茎分枝，有棱条，幼枝和花序轴的毛较密。下部和中部的叶有长 2 ~ 3 cm 的柄，叶片倒披针形，长 15 ~ 30 cm，宽 5 ~ 8 cm，先端短渐尖，基部渐狭下延，或有时有短的耳状附属物，边缘有细或粗齿，上面有泡状突起，下面无毛或被微柔毛，侧脉 13 ~ 20 对，网脉明显；上部叶狭披针形或线状披针形，长 7 ~ 15 cm，宽 1 ~ 2.5 cm，基部渐狭下延成翅状。头状花序多数，常 3 ~ 4 簇生，排成顶生、塔形的大圆锥花序；总苞圆柱形或近钟形，总苞片 5 ~ 6 层，绿色或紫红色；花托蜂窝状，被白色密柔毛；花黄色；雌花多数，花冠檐部 3 齿裂；两性花少数，花冠檐部 5 浅裂，裂片被疏毛。瘦果圆柱形，有 5 棱，被毛；冠毛黄白色至黄褐色，糙毛状。花期 1 ~ 4 月。

生境分布

生于海拔 420 ~ 1 500 m 的山坡、林缘、路边草地或溪边。分布于湖南株洲（茶陵、醴陵）、湘潭（湘潭）、衡阳（衡阳、衡南、衡山）、邵阳（洞口、武冈）、益阳（桃江）、怀化（靖州）、常德（石门）、张家界（慈利）等。

| 资源情况 | 野生资源较少。药材主要来源于野生。

| 采收加工 | 春、夏季采收，鲜用或晒干。

| 功能主治 | 辛，平。祛风活血，通络止痛。用于头风痛，风湿痹痛，跌打肿痛。

| 用法用量 | 内服煎汤，15 ~ 30 g，鲜品加倍。外用适量，鲜品捣敷；或煎汤洗。

菊科 Asteraceae 艾纳香属 *Blumea*

东风草 *Blumea megacephala* (Randeria) C. C. Chang et Y. Q. Tseng

| 药 材 名 | 东风草（药用部位：全草。别名：九里明、毛千里光、大头艾纳香）。

| 形态特征 | 一年生或多年生攀缘状草质藤本，或基部木质，长 1 ~ 3 m。茎圆柱形，多分枝，有明显沟纹。下部和中部叶有长 2 ~ 5 mm 的柄，叶片卵形或长圆形，长 7 ~ 10 cm，宽 2.5 ~ 4 cm，边缘有齿，少被疏毛或无毛，中脉在上面明显，在下面凸起，侧脉 5 ~ 7 对；小枝上部叶具短柄，边缘有细齿。头状花序疏散，通常 1 ~ 7 在腋生小枝先端排成总状或近伞房状花序，再排成大型具叶的圆锥花序；总苞半球形，总苞片 5 ~ 6 层，外层基部常弯曲，背面被密短毛，中层先端稍尖，背面脊处被毛，有缘毛，内层苞片长是最外层苞片长的 3 倍；花托平，密被白色长柔毛；花黄色；雌花多数，细管状，檐部 2 ~ 4 齿裂；两性花花冠管状，被白色多细胞节毛，檐部 5 齿

裂。瘦果圆柱形，有 10 棱，被疏毛；冠毛白色，糙毛状。花期 8 ~ 12 月。

| 生境分布 | 生于海拔 300 ~ 500 m 的林缘、灌丛、山坡、丘陵等。湖南各地均有分布。

| 资源情况 | 野生资源丰富。药材主要来源于野生。

| 采收加工 | 夏、秋季采收，鲜用，或切段，晒干。

| 功能主治 | 苦、微辛，凉。清热明目，祛风止痒，解毒消肿。用于目赤肿痛，翳膜遮睛，风疹，疥疮，皮肤瘙痒，痈肿疮疖，跌打红肿。

| 用法用量 | 内服煎汤，10 ~ 15 g。外用适量，煎汤洗；或捣敷。

菊科 Asteraceae 艾纳香属 *Blumea*

柔毛艾纳香 *Blumea mollis* (D. Don) Merr.

| 药 材 名 | 红头小仙（药用部位：全草。别名：紫背倒提壶、那猪草、红头草）。

| 形态特征 | 一年生或多年生草本，高 60 ~ 90 cm。主根直立，有纤维状叉开的侧根。茎被白色长柔毛和具柄腺毛，具沟纹，节间长 3 ~ 5 cm。下部叶有短柄，叶片倒卵形，长 7 ~ 9 cm，边缘有密细齿，两面被绢状长柔毛，侧脉 5 ~ 7 对；中部叶具短柄，倒卵形；上部叶渐小，近无柄。头状花序多数，通常 3 ~ 5 簇生，密集成聚伞状花序，再排成大圆锥花序，花序梗长达 1 cm，密被长柔毛；总苞圆柱形，总苞片近 4 层，紫色至淡红色，花后反折，外层线形，背面被密柔毛和腺体，中层背面被疏毛，内层狭，较外层长 2 倍；花托扁平，蜂窝状；花紫红色或花冠下半部淡白色；雌花多数，花冠檐部 3 齿裂；两性花约 10，花冠檐部 5 浅裂。瘦果圆柱形，被短柔毛；冠毛白色，

糙毛状，易脱落。花期几全年。

| 生境分布 | 生于海拔 400 ~ 900 m 的田野或空旷草地。湖南各地均有分布。

| 资源情况 | 野生资源较少。药材主要来源于野生。

| 采收加工 | 夏、秋季采收，鲜用，或切段，晒干。

| 功能主治 | 微苦，平。清肺止咳，解毒止痛。用于肺热咳喘，疳积，头痛，鼻渊，胸膜炎，口腔炎，乳腺炎。

| 用法用量 | 内服煎汤，10 ~ 15 g；或捣烂冲开水含服。外用适量，煎汤洗；或捣汁涂。

菊科 Asteraceae 飞廉属 *Carduus*

丝毛飞廉 *Carduus crispus* L.

| 药 材 名 | 飞廉（药用部位：全草或根。别名：红花草、刺打草、雷公菜）。

| 形态特征 | 一年生或多年生草本，高 50 ~ 120 cm。主根肥厚，伸直或偏斜。茎直立，具纵棱，棱有绿色间歇的三角形刺齿状翼。叶互生；通常无柄而抱茎；下部叶椭圆状披针形，长 5 ~ 20 cm，羽状深裂，裂片常大小相对而生，边缘有刺，上面绿色，具细毛或近光滑，下面初具蛛丝状毛，后渐变光滑；上部叶渐小。头状花序 2 ~ 3 簇生于枝端，直径 1.5 ~ 2.5 cm；总苞钟状，长约 2 cm，宽 1.5 ~ 3 cm；总苞片多层，外层较内层逐渐变短，中层条状披针形，先端长尖，呈刺状，向外反曲，内层条形，膜质，稍带紫色；花全为管状花，两性，紫红色，长 15 ~ 16 mm。瘦果长椭圆形，长约 3 mm，先端平截，基部收缩；冠毛白色或灰白色，长约 15 mm，呈刺毛状，

稍粗糙。花期 5 ～ 7 月。

生境分布 生于海拔 1 000 m 以下的山坡草丛及路旁。分布于湘西、湘北等。

资源情况 野生资源较少。药材主要来源于野生。

采收加工 春、夏季采收带花全草，秋季采挖根，鲜用，或花阴干，其余切段，晒干。

功能主治 微苦，凉。祛风，清热，利湿，凉血止血，活血消肿。用于感冒咳嗽，头痛眩晕，尿路感染，乳糜尿，带下，黄疸，风湿痹痛，吐血，衄血，尿血，月经过多，功能失调性子宫出血，跌打损伤，疔疮疖肿，痔疮肿痛，烧伤。

用法用量 内服煎汤，9 ～ 30 g，鲜品 30 ～ 60 g；或入丸、散剂；或浸酒。外用适量，煎汤洗；或鲜品捣敷；或烧存性，研末掺。

Asteraceae *Carduus*

飞廉 *Carduus nutans* L.

药材名

垂花飞廉（药用部位：全草）。

形态特征

二年生或多年生草本。茎单生或簇生，茎枝疏被蛛丝状毛和长毛。中下部茎生叶长卵形或披针形，长（5 ~ ）10 ~ 40 cm，羽状半裂或深裂，侧裂片 5 ~ 7 对，斜三角形或三角状卵形，两面同色，两面沿脉被长毛。头状花序下垂或下倾，单生于茎枝先端；总苞钟状或宽钟状，直径 4 ~ 7 cm，总苞片多层，向内层渐长，无毛或疏被蛛丝状毛，最外层长三角形，宽 4 ~ 4.5 mm，中层及内层三角状披针形、长椭圆形或椭圆状披针形，宽约 5 mm，最内层苞片宽线形或线状披针形，宽 2 ~ 3 mm；小花紫色。瘦果灰黄色，楔形，稍扁，有多数浅褐色纵纹及横纹，全缘；冠毛白色，锯齿状。花期 6 ~ 10 月。

生境分布

生于海拔 400 ~ 1 400 m 的田边、草地或沟谷。分布于湖南湘潭（雨湖、湘潭）、衡阳（衡南）、岳阳（岳阳、湘阴、临湘）、常德（汉寿）、益阳（资阳、赫山、沅江）、张家界（慈利）等。

| 资源情况 | 野生资源较少。药材主要来源于野生。

| 功能主治 | 微苦，平。凉血止血，清热解毒，消肿。

菊科 Asteraceae 天名精属 *Carpesium*

天名精 *Carpesium abrotanoides* L.

| 药 材 名 | 天名精（药用部位：全草。别名：天门精、野烟、癞蟖草）、鹤虱（药用部位：果实。别名：鹄虱、鬼虱、北鹤虱）。

| 形态特征 | 多年生草本，高 50 ~ 100 cm。茎直立，上部多分枝，密生短柔毛，下部近无毛。叶互生；下部叶片宽椭圆形或长圆形，长 10 ~ 15 cm，宽 5 ~ 8 cm，先端尖或钝，基部狭成具翅的叶柄，边缘有不规则的锯齿，或全缘，上面有贴生短毛，下面有短柔毛和腺点；上部叶片渐小，长圆形，无柄。头状花序多数，沿茎枝腋生，有短梗或近无梗，直径 6 ~ 8 mm，平立或梢下垂；总苞钟状球形，总苞片 3 层，外层极短，卵形，先端尖，有短柔毛，中层和内层长圆形，先端圆钝，无毛；花黄色，外围雌花花冠丝状，3 ~ 5 齿裂，中央的两性花花冠筒状，先端 5 齿裂。瘦果条形，具细纵条，先端有短喙，

有腺点，无冠毛。花期 6 ~ 8 月，果期 9 ~ 10 月。

| 生境分布 | 生于海拔 300 ~ 1 400 m 的山坡、路旁或草坪。分布于湘西、湘北等。

| 资源情况 | 野生资源稀少。药材主要来源于野生。

| 采收加工 | **天名精**：7 ~ 8 月采收，洗净，鲜用或晒干。

鹤虱：9 ~ 10 月果实成熟时采收地上部分，晒干，打下果实，扬净。

| 功能主治 | **天名精**：苦、辛，寒。归肝、肺经。清热，化痰，解毒，杀虫，破瘀，止血。用于乳蛾，喉痹，急、慢惊风，牙痛，疔疮肿毒，痔瘘，皮肤痒疹，毒蛇咬伤，虫积，血瘕，吐血，衄血，血淋，创伤出血。

鹤虱：苦、辛，平；有小毒。归脾、胃、大肠经。杀虫消积。用于蛔虫病，绦虫病，蛲虫病，钩虫病，疳积。

| 用法用量 | **天名精**：内服煎汤，9 ~ 15 g；或研末，3 ~ 6 g；或捣汁；或入丸、散剂。外用适量，捣敷；或煎汤熏洗及含漱。

鹤虱：内服煎汤，5 ~ 10 g；或入丸、散剂。

菊科 Asteraceae 天名精属 *Carpesium*

烟管头草 *Carpesium cernuum* L.

药材名

杓儿菜（药用部位：全草。别名：挖耳草、大白泡草、倒提壶）、挖耳草根（药用部位：根）。

形态特征

多年生草本，高 50 ~ 100 cm。茎直立，分枝，被白色长柔毛，上部毛较密。下部叶匙状长圆形，长 9 ~ 20（~ 25）cm，宽 4 ~ 6 cm，先端锐尖或钝尖，基部楔状收缩成具翅的叶柄，边缘有不规则的锯齿，两面有白色长柔毛和腺点；中部叶向上渐小，长圆形或长圆状披针形，叶柄短。头状花序在茎和枝的先端单生，直径 15 ~ 18 mm，下垂，基部有数个条状披针形、不等长的苞片；总苞杯状，长 7 ~ 8 mm，总苞片 4 层，外层卵状长圆形，有长柔毛，中层和内层干膜质，长圆形，钝尖，无毛；花黄色，外围的雌花筒状，3 ~ 5 齿裂，结实；中央的两性花有 5 裂片。瘦果条形，长约 5 mm，有细纵条，先端有短喙和腺点，无冠毛。花期秋季。

生境分布

生于海拔 1 000 m 以下的路边、山坡草地及林缘。湖南各地均有分布。

| 资源情况 | 野生资源较丰富。药材主要来源于野生。

| 采收加工 | **杓儿菜：**秋季花初开时采收，鲜用，或切段，晒干。

挖耳草根：秋季采挖，切片，晒干。

| 功能主治 | **杓儿菜：**苦、辛，寒。清热解毒，消肿止痛。用于感冒发热，高热惊风，咽喉肿痛，痄腮，牙痛，尿路感染，淋巴结结核，疮疡疖肿，乳腺炎。

挖耳草根：苦，凉。清热解毒。用于痢疾，牙痛，乳蛾，子宫脱垂，脱肛。

| 用法用量 | **杓儿菜：**内服煎汤，6 ~ 15 g，鲜品 15 ~ 30 g；或鲜品捣汁。外用适量，鲜品捣敷；或煎汤含漱；或煎汤洗。

挖耳草根：内服煎汤，5 ~ 15 g。

菊科 Asteraceae 天名精属 *Carpesium*

金挖耳 *Carpesium divaricatum* Sieb. et Zucc.

药材名 金挖耳（药用部位：全草。别名：挖耳草、野烟、铁抓子草）、金挖耳根（药用部位：根。别名：野烟头）。

形态特征 多年生草本，高 40 ~ 100 cm。茎细弱，直立，中部有分枝，被短柔毛。单叶互生；全部叶两面有贴生的短毛和腺点；茎下部叶卵形或卵状长圆形，长 7 ~ 15 cm，宽 3 ~ 5 cm，边缘有不规则的锯齿，叶柄长 2 ~ 2.5 cm，无翅；茎上部叶渐小，卵状长圆形或长圆状披针形，基部楔形，有不明显的细锯齿或全缘。头状花序较小，直径 6 ~ 8（~ 10）mm，下垂，在茎和枝顶单生，少有近总状，基部有 2 ~ 4 长圆状披针形的苞片；总苞卵状球形，长 5 ~ 6 mm，总苞片 4 层，外层宽卵形，先端急尖，中层和内层长圆形或条状长圆形；花黄色，外围的雌花圆柱形；中央两性花筒状，有 5 裂片。瘦果条形，先端

有短喙和腺点。花期秋季。

生境分布 生于海拔 300 ~ 1 500 m 的山坡路旁和草丛。湖南各地均有分布。

资源情况 野生资源较丰富。药材主要来源于野生。

采收加工 **金挖耳：**8 ~ 9 月花期时采收，鲜用，或切段，晒干。

金挖耳根：秋季采挖，鲜用，或切片，晒干。

功能主治 **金挖耳：**苦、辛，寒。清热解毒，消肿止痛。用于感冒发热，头风，风火赤眼，咽喉肿痛，痄腮，牙痛，乳痈，疮疖肿毒，痔疾出血，腹痛泄泻，急惊风。

金挖耳根：微苦、辛，平。止痛，解毒。用于产后腹痛，水泻腹痛，牙痛，乳蛾。

用法用量 **金挖耳：**内服煎汤，6 ~ 15 g；或捣汁。外用适量，鲜品捣敷；或煎汤洗。

金挖耳根：内服煎汤，6 ~ 15 g；或捣烂冲酒。外用适量，捣敷。

菊科 Asteraceae 天名精属 *Carpesium*

贵州天名精 *Carpesium faberi* Winkl.

| 药 材 名 |

贵州天名精（药用部位：全草。别名：银挖耳子草）。

| 形态特征 |

多年生草本。茎常带紫褐色，下部被白色长柔毛。基生叶花前凋萎；茎下部叶卵形或卵状披针形，长 4 ~ 7 cm，宽 2 ~ 3 cm，基部宽楔形或近圆形，具疏齿，上面被倒伏硬毛，下面被白色疏长柔毛，叶柄长 1 ~ 5 cm，疏被白色长柔毛，上部具窄翅；中部叶披针形，长 5 ~ 9 cm，具短柄，疏生锯齿或近全缘；上部叶披针形或线状披针形，近全缘。头状花序多数，生于茎、枝端及下部枝条叶腋，几无梗，常呈穗状花序式排列；苞片 2 ~ 3，椭圆形或椭圆状披针形，长 0.6 ~ 1.5 cm，具短柄，两面被柔毛；总苞钟状，直径 3 ~ 5 mm，总苞片 4 层，向内渐长，干膜质，外层卵形，背面被微毛，中层窄长圆形，先端钝或有细齿，内层线形；雌花窄筒状；两性花筒状。瘦果长 2 ~ 2.5 mm。

| 生境分布 |

生于海拔 700 ~ 1 900 m 的林缘、路边及空旷地。分布于湘西等。

| 资源情况 | 野生资源较少。药材主要来源于野生。

| 功能主治 | 苦，凉。用于跌打损伤，头痛。

菊科 Asteraceae 天名精属 *Carpesium*

长叶天名精 *Carpesium longifolium* F. H. Chen et C. M. Hu

药材名 马蹄草（药用部位：全草。别名：乌金野烟、野烟、烟管草）。

形态特征 多年生草本。茎常带紫褐色，下部被白色长柔毛。基生叶花前凋萎；茎下部叶卵形或卵状披针形，长 4 ~ 7 cm，宽 2 ~ 3 cm，基部宽楔形或近圆形，具疏齿，上面被倒伏硬毛，下面被白色疏长柔毛，叶柄长 1 ~ 5 cm，疏被白色长柔毛，上部具窄翅；中部叶披针形，长 5 ~ 9 cm，具短柄，疏生锯齿或近全缘；上部叶披针形或线状披针形，近全缘。头状花序多数，生于茎、枝端及下部枝条叶腋，几无梗，常呈穗状花序式排列；苞片 2 ~ 3，椭圆形或椭圆状披针形，长 0.6 ~ 1.5 cm，具短柄，两面被柔毛；总苞钟状，直径 3 ~ 5 mm，总苞片 4 层，向内渐长，干膜质，外层卵形，背面被微毛，中层窄长圆形，先端钝或有细齿，内层线形；雌花窄筒状；两性花筒状。

瘦果长 2 ~ 2.5 mm。

| 生境分布 | 生于海拔 700 ~ 1 500 m 的山坡灌丛边及林下。分布于湘西等。

| 资源情况 | 野生资源较少。药材主要来源于野生。

| 功能主治 | 苦，凉。清热解毒。用于感冒，咽喉痛，痈肿，疮毒，毒蛇咬伤，咳嗽痰喘。

菊科 Asteraceae 天名精属 *Carpesium*

小花金挖耳 *Carpesium minum* Hemsl.

药材名 小花金挖耳草（药用部位：全草。别名：茄叶细辛、小野烟、散血草）。

形态特征 多年生草本，高 15 ~ 45 cm。茎直立，常呈紫色，疏生长柔毛或下部毛脱落。叶柄短或近无柄；茎下部叶矩圆状披针形或卵状披针形，长 6 ~ 10 cm，宽 1 ~ 1.5 cm，先端渐尖或稍尖，基部狭成长柄，边缘有疏硬小齿；上部叶渐小，披针形或条状披针形，全缘，上面有疏短糙毛，下面疏生长柔毛。头状花序小，直径 3 ~ 5（~ 7）mm，单生于茎枝先端，直立或有时下垂；花梗细长，有长柔毛和腺点；头状花序常有 2 ~ 3 不等长的小苞片；总苞宽钟状，总苞片 4 层，外层卵形，中层和内层长圆形，稍撕裂；花黄色，外围雌花花冠圆柱状，3 ~ 4 齿裂；中央两性花花冠筒状，先端有 5 裂片。瘦果长约 1.8 mm，近圆柱状，先端有短喙和腺点。

| **生境分布** | 生于海拔 400 ~ 1 200 m 的灌丛或山坡路旁草地。分布于湖南怀化（溆浦）、湘西州（保靖）等。

| **资源情况** | 野生资源稀少。药材主要来源于野生。

| **采收加工** | 春、夏季采收，鲜用，或切段，晒干。

| **功能主治** | 辛、苦，凉。解毒消肿，清热凉血。用于吐血，咯血，尿血，血崩，无名肿毒，腮腺炎。

| **用法用量** | 内服煎汤，5 ~ 15 g。外用适量，捣敷。

菊科 Asteraceae 天名精属 *Carpesium*

棉毛尼泊尔天名精 *Carpesium nepalense* Less. var. *lanatum* (Hook. f. et T. Thoms. ex C. B. Clarke) Kitamura

药材名

棉毛金挖耳草（药用部位：全草。别名：地朝阳、棉毛倒提壶、野叶子烟）。

形态特征

多年生草本。全株密被白色绵毛，茎上尤密。茎直立，高 50 ~ 100 cm，分枝。叶互生；下部叶匙状长圆形，长 9 ~ 20 cm，宽 4 ~ 6 cm，基部楔状收缩成具翅的叶柄，边缘有不规则的锯齿；中部叶向上渐小，长圆形或长圆状披针形。头状花序在茎和枝先端单生，直径 12 ~ 20 mm，下垂，基部有数个条状披针形、不等长的苞片；总苞盘状，苞片 4 层，锐尖；花黄色，有时被稀疏柔毛，外围的雌花筒状，3 ~ 5 齿裂；中央两性花有 5 裂片。瘦果条形，长约 5 mm，具直细纵条。

生境分布

生于 1 400 m 以下山坡路旁草地。分布于湖南湘西州（永顺、保靖）、张家界（桑植）、邵阳（新宁）、常德（石门）等。

资源情况

野生资源稀少。药材主要来源于野生。

| 采收加工 | 春、夏季采收，鲜用，或切段，晒干。

| 功能主治 | 苦，寒。清热解毒。用于痈肿疮毒，疥疮，脓疱疮，痔疮。

| 用法用量 | 外用适量，鲜品捣敷；或煎汤熏洗。

菊科 Asteraceae 石胡荽属 *Centipeda*

石胡荽 *Centipeda minima* (L.) A. Br. et Aschers.

| 药 材 名 | 鹅不食草（药用部位：全草。别名：野园荽、鸡肠草、二郎剑）。

| 形态特征 | 一年生小草本，高 5 ~ 20 cm。茎纤细，多分枝，基部匍匐，着地后易生根，无毛或略具细绵毛。叶互生；无柄；叶片楔状倒披针形，长 7 ~ 20 mm，宽 3 ~ 5 mm，先端钝，边缘有不规则的疏齿，无毛，或下面稍有细毛。头状花序细小，扁球形，直径约 3 mm，单生于叶腋，无总花梗或近无总花梗；总苞半球形，总苞片 2 层，椭圆状披针形，绿色，边缘膜质，外层较内层大；花托平坦，无托片；花杂性，淡黄色或黄绿色，全为筒状；外围雌花多层，花冠细，有不明显的裂片；中央两性花花冠明显 4 裂。瘦果椭圆形，长约 1 mm，具 4 棱，边缘有长毛；无冠毛。花期 9 ~ 11 月。

生境分布 生于海拔 500 ~ 1 000 m 的路旁荒野、田埂及阴湿草地。湖南各地均有分布。

资源情况 野生资源丰富。

采收加工 9 ~ 11 月花开时采收，鲜用或晒干。

功能主治 辛，温。归肺、肝经。祛风通窍，解毒消肿。用于感冒，头痛，鼻渊，鼻息肉，咳嗽，哮喘，喉痹，耳聋，目赤翳膜，疟疾，痢疾，风湿痹痛，跌打损伤，肿毒，疥癣。

用法用量 内服煎汤，5 ~ 9 g；或捣汁。外用适量，捣敷；或捣烂塞鼻；或研末搐鼻。

菊科 Asteraceae 茼蒿属 *Chrysanthemum*

茼蒿 *Chrysanthemum coronarium* L.

药材名

茼蒿菊（药用部位：茎叶。别名：同蒿、蓬蒿、蒿菜）。

形态特征

光滑无毛或几光滑无毛。茎高达 70 cm，不分枝或自中上部分枝。基生叶花期枯萎；中、下部茎生叶长椭圆形或长椭圆状倒卵形，长 8 ～ 10 cm，无柄，2 回羽状分裂，第 1 回为深裂或几全裂，侧裂片 4 ～ 10 对。第 2 回为浅裂、半裂或深裂，裂片卵形或线形；上部叶小。头状花序单生于茎顶或少数生于茎枝先端，但并不形成明显的伞房花序，花梗长 15 ～ 20 cm；总苞直径 1.5 ～ 3 cm，总苞片 4 层，内层长 1 cm，先端膜质，扩大成附片状；舌片长 1.5 ～ 2.5 cm；舌状花瘦果有 3 凸起的狭翅肋，肋间有 1 ～ 2 明显的间肋；管状花瘦果有 1 ～ 2 椭圆形凸起的肋及不明显的间肋。花果期 6 ～ 8 月。

生境分布

栽培种，生于岗地、低山。湖南各地均有分布。

资源情况

药材主要来源于栽培。

| 采收加工 | 冬、春季及夏初均可采收。

| 功能主治 | 辛、甘，平。归脾、胃经。和脾胃，利二便，消痰饮。

| 用法用量 | 内服适量，一般作蔬菜煮食。

| 附　　注 | 本种的拉丁学名在 FOC 中被修订为 *Glebionis coronaria* (L.) Cass. ex Spach。

菊科 Asteraceae 茼蒿属 *Chrysanthemum*

南茼蒿 *Chrysanthemum segetum* L.

| 药 材 名 | 茼蒿菊（药用部位：茎叶。别名：蓬蒿菜、菊花菜、同蒿菜）。

| 形态特征 | 一年生草本，高 30 ~ 70 cm。茎直立，光滑无毛或几光滑无毛，通常自中上部分枝。基生叶花期枯萎，中下部茎生叶倒卵形至长椭圆形，长 8 ~ 10 cm，边缘有不规则大锯齿或羽状分裂。头状花序通常 2 ~ 8 生于茎枝先端，有长花梗，但未形成明显的伞房花序，或头状花序单生于茎顶；总苞直径 1.5 ~ 2.5 cm；总苞片 4 层，内层长约 1 mm；舌片长 15 ~ 25 mm。舌状花的瘦果有 3 宽翅肋，腹面的 1 翅肋延于瘦果先端并超出花冠基部，伸长成喙状或芒尖状，间肋不明显或背面的间肋稍明显；管状花瘦果有 2 明显凸起的椭圆形侧肋。花果期 6 ~ 8 月。

| 生境分布 | 分布于湖南株洲（石峰）、常德（安乡）、郴州（嘉禾）、永州（道县）、怀化（中方、辰溪）等。

| 资源情况 | 栽培资源。药材主要来源于栽培。

| 采收加工 | 春、夏季采收，鲜用。

| 功能主治 | 辛、甘，凉。归心、脾、胃经。和脾胃，消痰饮，安心神。用于脾胃不和，大便不通，咳嗽痰多，烦热不安。

| 用法用量 | 内服煎汤，鲜品 60 ~ 90 g。

| 附　　注 | 本种的拉丁学名在 FOC 中被修订为 *Glebionis segetum* (Linnaeus) Fourreau。

菊科 Asteraceae 菊苣属 *Cichorium*

菊苣 *Cichorium intybus* L.

| 药 材 名 | 菊苣（药用部位：地上部分。别名：蓝菊）、菊苣根（药用部位：根）。

| 形态特征 | 多年生草本，高 20 ~ 150 cm。根肥大。茎直立，有棱，中空，分枝偏斜，先端粗厚，有疏粗毛或绢毛，少有无毛。基生叶倒向羽状分裂至不分裂，但有齿，长 6 ~ 20 cm，先端裂片较大，侧裂片三角形，基部渐狭成有翅的叶柄；茎生叶渐小，少数，披针状卵形至披针形，上部叶小，全缘，全部叶的下面被粗毛或绢毛。头状花序单生于茎和枝端，或 2 ~ 3 在中上部叶腋内簇生；总苞圆柱状，长 8 ~ 14 mm；外层总苞片长短、形状不一，下部软革质，有睫毛，外面无毛或有毛；花全部舌状，花冠蓝色。瘦果先端截形；冠毛短，长 0.2 ~ 0.8 mm，鳞片状，先端细齿裂。花期夏季。

生境分布 生于海拔400 ~ 900 m的山坡、田野及荒地。分布于湖南长沙（望城）、衡阳（珠晖）、邵阳（双清、新邵、邵阳、洞口）、岳阳（华容）、常德（津市）、益阳（赫山、南县）、湘西州（永顺、凤凰）、张家界（慈利）等。

资源情况 野生资源较丰富。药材主要来源于野生。

采收加工 **菊苣：**春、夏季采收，切段，晒干。

菊苣根：夏、秋季采挖，切片，晒干。

功能主治 **菊苣：**苦，寒。清热解毒，利尿消肿。用于湿热黄疸，肾炎性水肿，胃脘胀痛，食欲不振。

菊苣根：微苦，凉。清热，健胃。用于消化不良，胸腹胀闷。

用法用量 **菊苣：**内服煎汤，3 ~ 9 g。外用适量，煎汤洗。

菊苣根：内服研末，3 ~ 6 g。

菊科 Asteraceae 蓟属 *Cirsium*

等苞蓟 *Cirsium fargesii* (Franch.) Diels

药材名

等苞蓟（药用部位：全草。别名：光苞蓟）。

形态特征

多年生草本。茎直立，高达 100 cm，有条棱，上部有少数分枝，全部茎枝被稀疏蛛丝毛及多细胞长节毛。中下部茎生叶较大，宽披针形或披针形，长 20 ~ 30 cm，宽 7 ~ 8 cm，羽状半裂，有长柄或短柄；侧裂片 6 对或更多，半椭圆形、宽三角形或三角形，边缘具大小不等的三角形刺齿，齿顶有针刺，针刺长达 1 cm，齿缘针刺较稀疏且短，顶裂片长披针形，边缘有针刺或明显的齿痕；中上部茎生叶渐小，与中下部茎生叶同形并等样分裂，无柄，基部扩大半抱茎；全部茎生叶两面异色，上面绿色，无毛，下面浅灰白色，被蛛丝状薄绒毛。瘦果不成熟；冠毛多层，基部连合成环，整体脱落；冠毛刚毛长羽毛状，长 2 cm，向先端渐细。花期 7 月。

生境分布

生于海拔 1 400 m 的路边草丛、河谷、沟边、山坡。分布于湖南湘西州（吉首、花垣）等。

资源情况 野生资源稀少。药材主要来源于野生。

功能主治 清热，凉血，祛风。

菊科 Asteraceae 蓟属 *Cirsium*

湖北蓟 *Cirsium hupehense* Pamp.

| 药材名 | 湖北蓟（药用部位：全草）。

| 形态特征 | 多年生草本。茎直立，有条棱，上部或自下部长分枝，分枝斜升，上部灰白色，被薄绒毛。中部茎生叶长椭圆形或长椭圆状披针形，不分裂，边缘有针刺，下部边缘有三角形或斜三角形锯齿；全部叶质厚，两面异色，上面绿色，被稀疏的糠秕状糙伏毛，下面灰白色，被密厚的绒毛。头状花序在茎枝先端排成伞房花序；总苞卵球形，直径 2 ~ 2.5 cm，无毛。总苞片约 6 层，覆瓦状排列，全部苞片外面沿中脉有黑色黏腺；小花紫红色或粉红色，花冠长 2.2 cm，檐部长 1.1 cm，不等 5 浅裂。瘦果偏斜楔状倒卵形，长 3.5 cm，宽 2 mm，压扁，先端斜截形；冠毛浅褐色，多层，基部连合成环，整

体脱落；冠毛刚毛长羽毛状，长 1.5 cm，先端渐细。花果期 8 ~ 11 月。

| 生境分布 | 生于海拔 500 ~ 1 000 m 的山坡灌木林、林缘、草丛、荒地或田间。分布于湖南郴州（临武）等。

| 资源情况 | 野生资源稀少。药材主要来源于野生。

| 功能主治 | 活血散瘀，消肿解毒。

菊科 Asteraceae 蓟属 *Cirsium*

蓟 *Cirsium japonicum* Fisch. ex DC.

药材名

大蓟（药用部位：地上部分、根。别名：马蓟、驴扎嘴、牛刺菜）。

形态特征

多年生草本。块根纺锤状或萝卜状。茎直立，高 30 ~ 80 cm，茎枝有条棱，被长毛。基生叶有柄，叶片倒披针形或倒卵状椭圆形，羽状深裂或几全裂，边缘齿状，齿端具刺；自基部向上的叶渐小，与基生叶同形并等样分裂，但无柄，基部扩大半抱茎；全部茎生叶两面绿色且沿脉有疏毛。头状花序直立，单一或数个生于枝端集成圆锥状；总苞钟状，直径 3 cm；总苞片约 6 层，覆瓦状排列，向内层渐长，先端有短刺，内层披针形或线状披针形，先端渐尖，呈软针刺状；花两性，全部为管状花，花冠紫色或紫红色，长 1.5 ~ 2 cm，5 裂，裂片较下面膨大部分短；雄蕊 5，花药先端有附片，基部有尾。瘦果长椭圆形，稍扁，长约 4 mm；冠毛羽状，暗灰色，稍短于花冠。花期 5 ~ 8 月，果期 6 ~ 8 月。

生境分布

生于海拔 100 ~ 2 000 m 的山坡、草地、路旁。

湖南各地均有分布。

| 资源情况 | 野生资源丰富。药材主要来源于野生。

| 采收加工 | 地上部分，夏、秋季盛花时采收，鲜用或晒干。根，秋季采挖，除去泥土、残茎，洗净，晒干。

| 药材性状 | 本品茎呈圆柱形，基部直径可达 1.2cm；表面绿褐色或棕褐色，有数条纵棱，被丝状毛；断面灰白色，髓部疏松或中空。叶皱缩，多破碎，完整叶片展平后呈倒披针形或倒卵状椭圆形，羽状深裂，边缘具不等长的针刺；上表面灰绿色或黄棕色，下表面色较浅，两面均具灰白色丝状毛。头状花序顶生，球形或椭圆形，总苞黄褐色，羽状冠毛灰白色。气微，味淡。

| 功能主治 | 甘、苦，凉。归心、肝经。凉血止血，行瘀消肿。用于吐血，咯血，衄血，便血，尿血，崩漏，外伤出血，疮疡肿痛，瘰疬，湿疹，肝炎，肾炎。

| 用法用量 | 内服煎汤，5 ~ 10 g，鲜品 30 ~ 60 g。外用适量，捣敷。

| 附　　注 | 本种为《中华人民共和国药典》（2020 版）大蓟的基原植物。

菊科 Asteraceae 蓟属 *Cirsium*

线叶蓟 *Cirsium lineare* (Thunb.) Sch.-Bip.

| 药 材 名 | 条叶蓟（药用部位：地上部分、根。别名：野红花、山红花、尖叶小蓟）。

| 形态特征 | 多年生草本，高 60 ~ 150 cm。茎直立，有条棱，被稀疏的蛛丝状毛及多细胞长节毛或无毛至几无毛；上部有分枝，下部和中部茎生叶长椭圆形、披针形或倒披针形，长 6 ~ 12（ ~ 23 ）cm，宽 2 ~ 2.5（ ~ 5 ）cm，向上的叶渐小，不分裂，基部渐狭成长或短翼柄，上部叶则无柄，上面绿色，被多细胞长或短节毛，下面色淡或呈淡白色，被稀疏的蛛丝状毛，边缘有细密的针刺，稀叶下部两侧边缘有凹缺状微浅齿。头状花序生于茎枝先端；总苞片卵形或长卵形，直径 1 ~ 2 cm，约 6 层，向内层渐长，外层与中层先端有针刺，内层

先端渐尖，最内层先端膜质扩大，红色；花紫红色，花冠长约 2 cm，不等 5 深裂。瘦果倒金字塔状，长约 2.5 mm，先端截形；冠毛浅褐色，多层，刚毛呈长羽毛状，长达 1.5 cm。花果期 9 ~ 10 月。

| 生境分布 | 生于海拔 900 ~ 1 700 m 的山地草坡或路旁。分布于湖南邵阳（邵东、邵阳、洞口）、常德（桃源、石门）、张家界（武陵源）、永州（双牌、道县、江永）、怀化（辰溪、沅陵）、湘西州（吉首、泸溪、花垣、古丈、永顺、凤凰）、益阳（安化）等。

| 资源情况 | 野生资源较丰富。药材主要来源于野生。

| 采收加工 | 秋季采收，鲜用或切片，晒干。

| 功能主治 | 酸，温。活血散瘀，解毒消肿。用于月经不调，闭经，痛经，乳腺炎，跌打损伤，尿路感染，痈疖，毒蛇咬伤。

| 用法用量 | 内服煎汤，15 ~ 30 g。外用适量，捣敷。

菊科 Asteraceae 蓟属 *Cirsium*

总序蓟 *Cirsium racemiforme* Y. Ling et Shih

| 药材名 | 总序蓟（药用部位：根）。

| 形态特征 | 多年生草本，植株高达 1.5 m。茎被节毛及蛛丝状毛，花序枝密被绒毛。中上部茎生叶椭圆形或长椭圆形，长 9 ~ 21 cm，基部耳状半抱茎，羽状浅裂或半裂，侧裂片 3 ~ 8 对，半椭圆形或宽三角形，边缘有缘毛状针刺及刺齿；头状花序下部的叶与中上部茎生叶同形并等样分裂或边缘有刺齿；叶上面绿色，被短毛，下面灰白色，密被绒毛。头状花序直立，排成总状花序，长 10 ~ 25 cm，花序轴及花序梗密被绒毛及长毛；总苞钟状，直径 2.5 ~ 3 cm，总苞片约 6 层，覆瓦状排列，向内层渐长，外层与中层三角形或三角状披针形，有针刺，背面被糙毛，内层线状披针形或线形，先端膜质渐尖；小花

紫红色，檐部长 1.1 cm，5 浅裂，细管部长 1.2 cm。瘦果浅黄色，楔状；冠毛浅褐色。花果期 4 ~ 6 月。

| 生境分布 | 生于海拔 1 000 ~ 1 300 m 的山谷、山坡及山脚林缘、林下潮湿地。分布于湖南益阳（桃江）、郴州（北湖、苏仙、永兴）、永州（东安、双牌）等。

| 资源情况 | 野生资源较少。药材来源于野生。

| 功能主治 | 甘，平。归脾、胃经。健脾开胃，凉血止血。用于小儿消化不良，外伤出血，咯血，衄血，尿血，子宫出血。

| 用法用量 | 内服煎汤，5 ~ 10 g。

菊科 Asteraceae 蓟属 *Cirsium*

刺儿菜 *Cirsium setosum* (Willd.) MB.

| 药 材 名 | 小蓟（药用部位：全草或根。别名：猫蓟、青刺蓟、千针草）。

| 形态特征 | 多年生草本。根茎长。茎直立，高 30 ~ 80 cm，无毛或被蛛丝状毛。基生叶花期枯萎；下部茎生叶和中部茎生叶椭圆形或椭圆状披针形，长 7 ~ 15 cm，宽 1.5 ~ 10 cm，先端钝或圆形，基部楔形，通常无叶柄；上部茎生叶渐小，叶缘有细密的针刺或刺齿，全部茎生叶两面同色，无毛。头状花序单生于茎端，雌雄异株；雄花序总苞长约 18 mm，雌花序总苞长约 25 mm；总苞片 6 层，外层甚短，长椭圆状披针形，内层披针形，先端长尖，具刺；雄花花冠长 17 ~ 20 mm，裂片长 9 ~ 10 mm，花药紫红色，长约 6 mm；雌花花冠紫红色，长约 26 mm，裂片长约 5 mm，退化花药长约 2 mm。

瘦果椭圆形或长卵形，略扁平；冠毛羽状。花期 5 ~ 6 月，果期 5 ~ 7 月。

| 生境分布 | 生于海拔 1 700 m 以下的山坡、河旁荒地或田间。湖南各地均有分布。

| 资源情况 | 野生资源丰富。药材主要来源于野生。

| 采收加工 | 5 ~ 6 月盛花期采收，晒干或鲜用。

| 药材性状 | 本品茎呈圆柱形，有的上部分枝，长 5 ~ 30cm，直径 0.2 ~ 0.5cm；表面灰绿色或带紫色，具纵棱及白色柔毛；质脆，易折断，断面中空。叶互生，无柄或有短柄；叶片皱缩或破碎，完整者展平后呈长椭圆形或长圆状披针形，长 3 ~ 12cm，宽 0.5 ~ 3cm；全缘或微齿裂至羽状深裂，齿尖具针刺；上表面绿褐色，下表面灰绿色，两面均具白色柔毛。头状花序单个或数个顶生；总苞钟状，苞片 5 ~ 8 层，黄绿色；花紫红色。气微，味微苦。

| 功能主治 | 甘、苦，凉。归肝、脾经。凉血止血，清热消肿。用于咯血，吐血，衄血，尿血，血淋，便血，血痢，崩中漏下，外伤出血，痈疽肿毒。

| 用法用量 | 内服煎汤，5 ~ 10 g，鲜品 30 ~ 60 g；或捣汁。外用适量，捣敷。

| 附　　注 | 本种为《中华人民共和国药典》（2020 版）小蓟的基原植物。

菊科 Asteraceae 蓟属 *Cirsium*

牛口刺 *Cirsium shansiense* Petrak

药材名

牛口刺（药用部位：地上部分）。

形态特征

多年生草本。茎枝被长毛或绒毛。中部茎生叶卵形、披针形、长椭圆形、椭圆形或线状长椭圆形，羽状浅裂、半裂或深裂，基部渐窄，扩大抱茎；侧裂片 3 ~ 6 对，偏斜三角形或偏斜半椭圆形，顶裂片长三角形、宽线形或长线形，先端及边缘有针刺，向上的叶渐小，与中部茎生叶同形并等样分裂，具齿裂；叶上面绿色，被长毛，下面灰白色，密被绒毛。头状花序排成伞房花序；总苞卵圆形，无毛，直径 2 ~ 2.5 cm，总苞片 7 层，覆瓦状排列，向内层渐长，背面有黑色黏腺，最外层长三角形，外层三角状披针形或卵状披针形，先端有短针刺，内层披针形或宽线形，先端膜质，红色。小花粉红色或紫色。瘦果偏斜椭圆状倒卵形；冠毛浅褐色。花果期 5 ~ 11 月。

生境分布

生于海拔 1 300 ~ 2 000 m 的山坡、山顶、山脚、山谷林下或灌木林下、草地、河边湿地、溪边和路旁。分布于湖南邵阳（新宁）、

张家界（桑植）、郴州（宜章）、湘西州（保靖）等。

| 资源情况 | 野生资源稀少。药材来源于野生。

| 采收加工 | 夏、秋季割取，晒干。

| 功能主治 | 甘、苦，凉。凉血，止血，祛瘀，消痈肿。用于吐血，衄血，尿血，血淋，血崩，带下，肠风下血，肠痈，痈疡肿毒，疔疮。

| 用法用量 | 内服煎汤，9 ~ 15 g。

菊科 Asteraceae 白酒草属 *Conyza*

香丝草 *Conyza bonariensis* (L.) Cronq.

药材名

野塘蒿（药用部位：全草。别名：小山艾、火草苗、蓑衣草）。

形态特征

一年生或二年生草本，高 30 ~ 70 cm。根纺锤形，具纤维状根。直立，全株被有开展的细软毛，上部常分枝。单叶互生；基部叶披针形，长 6 ~ 10 cm，宽约 1.5 cm，边缘具不规则的齿裂或羽裂，花后多凋落，有柄；茎生叶向上渐窄，线状，全缘，无柄。头状花序直径 1 ~ 1.5 cm，有梗，在枝端排列成圆锥状；总苞长约 5 mm，总苞片 2 ~ 3 层，线形，长几相等，有毛；舌状花白色，多层，不明显，雌性，全部结实，先端齿裂；管状花黄色，多数，两性，裂片 5。瘦果长圆形，扁平，有毛；冠毛 1 ~ 2 层，外短内长。花期 5 ~ 10 月。

生境分布

生于海拔 200 ~ 900 m 的路边、田野及山坡草地。湖南各地均有分布。

资源情况

野生资源较丰富。药材主要来源于野生。

| 采收加工 | 夏、秋季采收，鲜用或切段，晒干。

| 功能主治 | 苦，凉。清热解毒，除湿止痛，止血。用于感冒，疟疾，风湿性关节炎，疮疡脓肿，外伤出血。

| 用法用量 | 内服煎汤，9 ~ 12 g。外用适量，热敷。

菊科 Asteraceae 白酒草属 *Conyza*

小蓬草 *Conyza canadensis* (L.) Cronq.

| 药 材 名 | 小飞蓬（药用部位：全草。别名：小白酒草、蛇舌草、鱼胆草）。

| 形态特征 | 一年生草本，高 50 ~ 100 cm。具锥形直根。茎直立，有细条纹及粗糙毛，上部多分枝，呈圆锥状，小枝柔弱。单叶互生；基部叶近匙形，长 7 ~ 10 cm，宽 1 ~ 1.5 cm，先端尖，基部狭，全缘或具微锯齿，边缘有长睫毛，无明显的叶柄；上部叶条形或条状披针形。头状花序多数，直径约 4 mm，有短梗，密集成圆锥状或伞房圆锥状；总苞半球形，直径约 3 mm，总苞片 2 ~ 3 层，条状披针形，边缘膜质，几无毛；舌状花直立，白色微带紫色，条形至披针形；两性花筒状，5 齿裂。瘦果矩圆形；冠毛污白色，糙毛状。花期 5 ~ 9 月。

生境分布 生于海拔 100 ~ 1 500 m 的山坡、草地、田野或路旁。湖南各地均有分布。

资源情况 野生资源较丰富。药材主要来源于野生。

采收加工 春、夏季采收，鲜用或切段，晒干。

功能主治 微苦、辛，凉。清热利湿，散瘀消肿。用于痢疾，肠炎，肝炎，胆囊炎，跌打损伤，风湿骨痛，疮疖肿痛，外伤出血，牛皮癣。

用法用量 内服煎汤，15 ~ 30 g。外用适量，鲜品捣敷。

菊科 Asteraceae 白酒草属 *Conyza*

白酒草 *Conyza japonica* (Thunb.) Less.

药材名

白酒草（药用部位：根。别名：刀口药、酒药草、小白酒草）。

形态特征

一年生或二年生草本。茎直立，高（15 ~ ）20 ~ 45 cm，全株被白色长柔毛或糙毛。基生叶呈莲座状，倒卵形或匙形，长 6 ~ 7 cm；下部茎生叶长圆形或倒披针形，边缘有圆齿或粗锯齿，侧脉 4 ~ 5 对，叶柄长 3 ~ 13 cm；中部茎生叶长 3.5 ~ 5 cm，基部半抱茎，有小尖齿，无柄；上部茎生叶披针形或线状披针形，两面被长毛。头状花序在茎先端密集成球状或伞房状，密被长柔毛；总苞半球形，总苞片 3 ~ 4 层，外层卵状披针形，长约 2 mm，内层线状披针形，长 4 ~ 5 mm，边缘膜质或带紫色，背面沿中脉绿色，被长柔毛；花全结实，黄色；外围雌花多数，花冠丝状，较花柱短 2.5 倍；中央两性花 15 ~ 16，花冠管状，有 5 卵形裂片。瘦果长圆形，黄色，长 1 ~ 1.2 mm，边缘脉状，有微毛；冠毛污白色或稍红色，糙毛状。花期 5 ~ 9 月。

| 生境分布 | 生于海拔 300 ~ 1 200 m 的山坡草丛或林缘。湖南各地均有分布。

| 资源情况 | 野生资源丰富。药材主要来源于野生。

| 采收加工 | 夏、秋季采挖，切段，晒干。

| 功能主治 | 苦、辛，寒。清热止痛，祛风化痰。用于胸膜炎，肺炎，咽喉肿痛，小儿惊风。

| 用法用量 | 内服煎汤，9 ~ 15 g。

菊科 Asteraceae 白酒草属 *Conyza*

苏门白酒草 *Conyza sumatrensis* (Retz.) Walker

| 药 材 名 | 竹叶艾（药用部位：全草）。

| 形态特征 | 一年生或二年生草本，高 80 ~ 150 cm。根纺锤状。茎直立，粗壮，具棱条，中部以上有长分枝，被较密灰白色短糙毛，杂有开展的疏柔毛。叶密集，下部叶倒披针形或披针形，先端尖或渐尖，基部渐狭成柄，边缘上部每边常有粗齿，基部全缘；中部和上部叶渐小，两面尤其是下面被密短糙毛。头状花序多数，在茎枝端排成大而长的圆锥花序；总苞卵形短圆柱状，总苞片 3 层，灰绿色，背面被短糙毛，外层稍短，边缘干膜质；花托具明显的小窝孔；雌花多层，长 4 ~ 4.5 mm，管部细长，舌片淡黄色或淡紫色，先端 2 细裂；两性花 6 ~ 11，花冠淡黄色，檐部狭漏斗形，上端具 5 齿裂，管部上

部被疏柔毛。瘦果线状披针形，长 1.2 ~ 1.5 mm，扁压，被贴微毛；冠毛 1 层，初时白色，后变黄褐色。花期 5 ~ 10 月。

| 生境分布 | 生于海拔 20 ~ 500 m 的山坡草地、路旁和林缘。分布于湖南邵阳（邵阳）、岳阳（君山）、永州（江永）等。

| 资源情况 | 野生资源稀少。药材主要来源于野生。

| 采收加工 | 夏、秋季采收，切段，晒干。

| 功能主治 | 辛，平。化痰，通络，止血。用于咳嗽痰多，风湿痹痛，子宫出血。

| 用法用量 | 内服煎汤，3 ~ 10 g。

菊科 Asteraceae 金鸡菊属 *Coreopsis*

大花金鸡菊 *Coreopsis grandiflora* Hogg ex Sweet

| 药 材 名 | 大花金鸡菊（药用部位：全草）。

| 形态特征 | 多年生草本，高 20 ~ 100 cm。茎直立，下部常有稀疏的糙毛，上部有分枝。叶对生；基部叶有长柄，披针形或匙形；下部叶羽状全裂，裂片长圆形；中部及上部叶 3 ~ 5 深裂，裂片线形或披针形，中裂片较大，两面及边缘有细毛。头状花序单生于枝端，直径 4 ~ 5 cm，具长花序梗；总苞片外层较短，披针形，长 6 ~ 8 mm，先端尖，有缘毛，内层卵形或卵状披针形，长 10 ~ 13 mm，托片线状钻形；舌状花 6 ~ 10，舌片宽大，黄色，长 1.5 ~ 2.5 cm；管状花长 5 mm，两性。瘦果广椭圆形或近圆形，长 2.5 ~ 3 mm，边缘具膜质宽翅，先端具 2 短鳞片。花期 5 ~ 9 月。

生境分布 原产美洲的观赏植物，在我国各地常栽培，有时归化逸为野生。分布于湖南常德（临澧）、益阳（桃江）、永州（双牌）等地。

资源情况 野生资源稀少。药材来源于野生。

功能主治 清热解毒。

菊科 Asteraceae 金鸡菊属 *Coreopsis*

剑叶金鸡菊 *Coreopsis lanceolata* L.

| 药材名 | 线叶金鸡菊（药用部位：全草。别名：除虫菊、剑叶波斯菊）。

| 形态特征 | 多年生草本，高 30 ~ 70 cm。茎直立，光滑或基部被软毛，上部分枝。叶对生；叶片 3 ~ 5 深裂，裂片线状披针形，先端裂片长 5 ~ 8 cm，宽 1 ~ 1.5 cm，先端圆钝，基部渐狭；叶柄长。头状花序生于枝端，直径 4 ~ 6 cm，有长 10 ~ 30 cm 的梗；总苞片 2 层，每层 8，外层较短或几等长，椭圆状披针形，内层边缘略带白色；舌状花黄色，长 1.5 ~ 2.5 cm，先端具 2 ~ 4 浅齿；管状花黄色。瘦果椭圆形，长约 2.5 mm；无冠毛。花期 5 月。

| 生境分布 | 生于丘陵岗地、中山。分布于湘南、湘西北等。

| 资源情况 | 野生资源较丰富。药材主要来源于野生。

| 采收加工 | 夏、秋季采收，鲜用或切段，晒干。

| 功能主治 | 辛，平。解热毒，消痈肿。用于疮疡肿毒。

| 用法用量 | 外用适量，捣敷。

菊科 Asteraceae 金鸡菊属 *Coreopsis*

两色金鸡菊 *Coreopsis tinctoria* Nutt.

| 药 材 名 | 蛇目菊（药用部位：全草。别名：孔雀草、波斯菊、痢疾草）。

| 形态特征 | 一年生草本，高 60 ~ 120 cm。茎直立，具细棱，无毛，上部稍有分枝。叶对生；叶片 2 回羽状分裂，裂片线形或线状披针形；下部和中部叶有叶柄；上部叶少有分裂，无叶柄。头状花序生于枝端，直径约 3 cm，花序梗纤细，长 3 ~ 8 cm；总苞片 2 层，外层较内层稍短，线状长椭圆形，长约 2 mm，内层卵圆形，长 5 ~ 6 mm；舌状花 1 层，不育或少育，舌片黄色或上部黄色，基部呈深棕色，倒卵形，先端 3 浅裂；管状花两性，通常孕育，棕红色。瘦果线状长椭圆形，稍弯曲，无翅，无芒。花期 6 ~ 8 月。

| 生境分布 | 生于丘陵岗地、中山。湖南有广泛分布。

资源情况 野生资源较丰富。药材主要来源于野生。

采收加工 春、夏季采收，鲜用或切段晒干。

功能主治 甘，平。清湿热，解毒消痈。用于湿热痢疾，目赤肿痛，痈肿疮毒。

用法用量 内服煎汤，15 ~ 30 g。外用适量，捣敷。

菊科 Asteraceae 秋英属 *Cosmos*

秋英 *Cosmos bipinnata* Cav.

药材名

秋英花（药用部位：全草或花序。别名：水茼蒿、红菊、大波斯菊）。

形态特征

一年生或多年生草本，高达 2 m。茎无毛或稍被柔毛。叶 2 回羽状深裂。头状花序单生，直径 3 ~ 6 cm，花序梗长 6 ~ 18 cm；总苞片外层披针形或线状披针形，近革质，淡绿色，具深紫色条纹，长 1 ~ 1.5 cm，内层椭圆状卵形，膜质；舌状花紫红色、粉红色或白色，舌片椭圆状倒卵形，长 2 ~ 3 cm；管状花黄色，长 6 ~ 8 mm，管部短，上部圆柱形，有披针状裂片。瘦果黑紫色，长 0.8 ~ 1.2 cm，无毛，上端具长喙，有 2 ~ 3 尖刺。花期 6 ~ 8 月，果期 9 ~ 10 月。

生境分布

栽培种。常逸生于海拔 300 ~ 1 500 m 的路旁、田埂及溪岸。湖南各地均有分布。

资源情况

野生资源较丰富。药材来源于野生。

| 采收加工 | 花蕾半开至盛开时采收带梗花序。

| 功能主治 | 甘，平。清热解毒，明目化湿。

| 用法用量 | 内服煎汤，50 ~ 100 g。外用适量，鲜全草加红糖捣敷。

菊科 Asteraceae 秋英属 *Cosmos*

黄秋英 *Cosmos sulphureus* Cav.

| 药 材 名 | 硫磺菊（药用部位：全草）。

| 形态特征 | 一年生草本。多分枝。叶为对生的二回羽状复叶，深裂，裂片呈披针形，有短尖，叶缘粗糙。花为舌状花，有单瓣和重瓣 2 种，直径 3 ~ 5 cm，黄色、金黄色、橙色或红色。瘦果总长 1.8 ~ 2.5 cm，棕褐色，坚硬，粗糙有毛，先端有细长喙。春播花期 6 ~ 8 月，夏播花期 9 ~ 10 月。

| 生境分布 | 生于海拔 500 ~ 1 600 m 的山坡及草丛。湖南各地均有分布。

| 资源情况 | 野生资源较丰富。药材来源于野生。

| 功能主治 | 清热解毒，明目化湿。用于咳嗽。

菊科 Asteraceae 野茼蒿属 *Crassocephalum*

野茼蒿 *Crassocephalum crepidioides* (Benth.) S. Moore

| 药 材 名 |

满天飞（药用部位：全草。别名：野木耳菜、假茼蒿、飞机菜）。

| 形态特征 |

一年生草本，高 20 ~ 100 cm。茎直立，有纵条纹，光滑无毛。单叶互生；叶柄长 2 ~ 2.5 cm；叶片膜质，长圆状椭圆形，长 7 ~ 12 cm，宽 4 ~ 5 cm，先端渐尖，基部楔形，边缘有不规则锯齿、重锯齿，有时基部羽状分裂，两面无毛。头状花序直径约 2 cm，少数，在枝顶排列成圆锥状；总苞圆柱形，总苞片 2 层，条状披针形，长约 1 cm，边缘膜质，先端有小束毛，基部有小苞片数枚；花全为两性，管状，粉红色，花冠先端 5 齿裂，花柱基部小球状，分枝先端有线状被毛的尖端。瘦果狭圆柱形，赤红色，有条纹，被毛；冠毛多数，白色。花期夏季。

| 生境分布 |

生于海拔 60 ~ 1 600 m 的山坡荒地、路旁及沟谷杂草丛。湖南各地均有分布。

| 资源情况 |

野生资源丰富。药材主要来源于野生。

| 采收加工 | 夏季采收，鲜用或晒干。

| 功能主治 | 微苦、辛，平。清热解毒，调和脾胃。用于感冒，肠炎，痢疾，口腔炎，乳腺炎，消化不良。

| 用法用量 | 内服煎汤，30 ~ 60 g；或绞汁。外用适量，捣敷。

菊科 Asteraceae 芙蓉菊属 *Crossostephium*

芙蓉菊 *Crossostephium chinense* (L.) Makino

| 药 材 名 | 芙蓉菊根（药用部位：根）、香菊（药用部位：叶。别名：千年艾、白艾、白香菊）。

| 形态特征 | 半灌木，高 10 ~ 40 cm。上部多分枝，密被灰色短柔毛。叶聚生于枝顶，狭匙形或狭倒披针形，长 2 ~ 4 cm，宽 4 ~ 5 mm，全缘或有时 3 ~ 5 裂，先端钝，基部渐狭，两面密被灰色短柔毛，质地厚。头状花序盘状，直径约 7 mm，有长 6 ~ 15 mm 的细梗，生于枝端叶腋，排列成有叶的总状花序；总苞半球形，总苞片 3 层，外、中层等长，椭圆形，钝或急尖，叶质，内层较短小，矩圆形，几无毛，具宽膜质边缘；边花雌性，1 列，花冠管状，长 1.5 mm，先端 2 ~ 3 齿裂，具腺点；盘花两性，花冠管状，长 1.5 mm，先端 5 齿裂，外面密生

腺点。瘦果矩圆形，长约 1.5 mm，基部收狭，具 5 ～ 7 棱，被腺点；冠状冠毛长约 0.5 mm，撕裂状。花果期全年。

| 生境分布 | 栽培种。生于丘陵岗地。湖南衡阳（衡东）等有栽培。

| 资源情况 | 药材来源于栽培。

| 采收加工 | **芙蓉菊根：**全年均可采挖，洗净，切片，鲜用或晒干。

| 功能主治 | **芙蓉菊根：**辛、苦，微温。祛风湿。用于风湿关节痛，胃脘冷痛。

香菊：辛、苦，微温。祛风湿，消肿毒。用于风寒感冒，小儿惊风，痈疽疔疮。

| 用法用量 | **芙蓉菊根：**内服煎汤，15 ～ 30 g，鲜品 30 ～ 60 g。

香菊：内服煎汤，15 ～ 30 g。外用适量，捣敷。

菊科 Asteraceae 菜蓟属 *Cynara*

菜蓟 *Cynara scolymus* L.

| 药 材 名 | 菜蓟（药用部位：叶）。

| 形态特征 | 多年生草本，高达 2 m。茎粗壮，茎枝密被蛛丝毛或稀疏毛。基生叶莲座状；下部茎生叶长椭圆形或宽披针形，长约 1 m，宽约 50 cm，2 回羽状全裂，下部渐窄，叶柄长；中部及上部茎生叶渐小，最上部茎生叶长椭圆形或线形，长达 5 cm；叶草质，上面无毛，下面灰白色，被绒毛。头状花序极大，生于分枝先端；总苞多层，几无毛，硬革质，中、外层苞片先端渐尖，内层苞片先端有附片，附片硬膜质，先端有小尖头；小花紫红色；花冠长 4.5 cm，细管长 2.8 cm，檐部长 1.7 cm，花冠裂片长 9 mm。瘦果长椭圆形，具 4 棱，先端平截，无果缘；冠毛白色，多层，长 3.6 cm，刚毛羽毛状，基部联合成环，整体脱落。花果期 7 月。

| 生境分布 | 栽培于田间。分布于湖南常德（鼎城）等。

| 资源情况 | 栽培资源较丰富。药材来源于栽培。

| 采收加工 | 夏季采收，洗净，晒干。

| 功能主治 | 甘，平。疏肝利胆，清泄湿热。用于黄疸，胸胁胀痛，湿热泻痢。

| 用法用量 | 内服煎汤，6 ~ 15 g。

菊科 Asteraceae 大丽花属 *Dahlia*

大丽花 *Dahlia pinnata* Cav.

药材名

大丽菊（药用部位：块根。别名：大理菊、天竺牡丹、洋芍药）。

形态特征

多年生草本，有巨大棒状块根。茎直立，多分枝，高 1.5 ~ 2 m，粗壮。叶 1 ~ 3 回羽状全裂，上部叶有时不分裂，裂片卵形或长圆状卵形，下面灰绿色，两面无毛。头状花序大，有长花序梗，常下垂，宽 6 ~ 12 cm；总苞片外层约 5，卵状椭圆形，叶质，内层膜质，椭圆状披针形；舌状花 1 层，白色、红色或紫色，常卵形，先端有不明显的 3 齿，或全缘；管状花黄色，有时栽培种全部为舌状花。瘦果长圆形，长 9 ~ 12 mm，宽 3 ~ 4 mm，黑色，扁平，有 2 不明显的齿。花期 6 ~ 12 月，果期 9 ~ 10 月。

生境分布

生于岗地。湖南各地偶见栽培。

资源情况

野生资源稀少。药材主要来源于栽培。

| 采收加工 | 秋季采挖，洗净，晒干或鲜用。

| 药材性状 | 本品呈长纺锤形，微弯，有的已压扁，有的切成两瓣，长 6 ～ 10 cm，直径 3 ～ 4.5 cm。表面灰白色或类白色，未去皮的呈黄棕色，有明显而不规则的纵沟纹，先端有茎基痕，先端及尾部均呈纤维状。质硬，不易折断，断面类白色，角质化。气微，味淡。

| 功能主治 | 甘、微苦，凉。归肝经。清热解毒，消肿。用于头风，脾虚食滞，痄腮，龋齿痛。

| 用法用量 | 内服煎汤，6 ～ 15 g。外用适量，捣敷。

菊科 Asteraceae 菊属 *Dendranthema*

野菊 *Dendranthema indicum* (L.) Des Moul.

| 药 材 名 | 野菊（药用部位：全草或花）。

| 形态特征 | 多年生草本。茎枝疏被毛。中部茎生叶卵形、长卵形或椭圆状卵形，长 3 ~ 7（~ 10）cm，羽状半裂、浅裂，有浅锯齿，基部平截、稍心形或宽楔形，裂片先端尖，叶柄长 1 ~ 2 cm，柄基无耳或有分裂叶耳，两面淡绿色，干后两面橄榄色，疏生柔毛。头状花序直径 1.5 ~ 2.5 cm，排成疏散伞房圆锥花序或伞房状花序；总苞片约 5 层，边缘白色或褐色，宽膜质，先端钝或圆，外层卵形或卵状三角形，长 2.5 ~ 3 mm，中层卵形，内层长椭圆形，长 1.1 cm；舌状花黄色，舌片长 1 ~ 1.3 cm，先端全缘或具 2 ~ 3 齿。瘦果长 1.5 ~ 1.8 mm。花期 6 ~ 11 月。

| 生境分布 | 生于海拔 1 500 m 以下的山坡草地、灌丛、河边湿地、田边及路旁。湖南各地均有分布。

| 资源情况 | 野生资源丰富。药材主要来源于野生。

| 采收加工 | 夏、秋季间采收，鲜用或晒干。

| 药材性状 | 本品呈类球形，直径 0.3 ~ 1cm，棕黄色。总苞由 4 ~ 5 层苞片组成，外层苞片卵形或条形，外表面中部灰绿色或浅棕色，通常被白毛，边缘膜质；内层苞片长椭圆形，膜质，外表面无毛。总苞基部有的残留总花梗。舌状花 1 轮，黄色至棕黄色，皱缩卷曲；管状花多数，深黄色。体轻。气芳香，味苦。

| 功能主治 | 苦、辛，寒。归肺、肝经。用于感冒，气管炎，肝炎，高血压，痢疾，痈肿，疔疮，目赤肿痛，瘰疬，湿疹。

| 用法用量 | 内服煎汤，6 ~ 12 g，鲜品 30 ~ 60 g；或捣汁。外用适量，捣敷；或煎汤洗；或熬膏涂。

| 附　　注 | 本种为《中华人民共和国药典》（2020 版）野菊花的基原植物。

菊科 Asteraceae 菊属 *Dendranthema*

甘菊 *Dendranthema lavandulifolium* (Fisch. ex Trautv.) Ling et Shih

| 药 材 名 |

甘菊花（药用部位：头状花序）。

| 形态特征 |

多年生草本。高 0.3 ~ 1.5 m，有地下匍匐茎。茎直立，自中部以上多分枝或仅上部伞房状花序分枝，有稀疏的柔毛。基部和下部叶花期脱落；中部叶卵形、宽卵形或椭圆状卵形，2 回羽状分裂；最上部的叶或接花序下部的叶羽裂、3 裂或不裂。全部叶两面同色或几同色，被稀疏或稍多的柔毛，或上面几无毛。茎中部叶叶柄基部有分裂的叶耳或无耳。头状花序，通常多数在茎枝先端排成复伞房花序；舌状花黄色，舌片椭圆形，前端全缘或具 2 ~ 3 不明显的裂齿。瘦果长 1.2 ~ 1.5 mm。花果期 5 ~ 11 月。

| 生境分布 |

生于海拔 630 ~ 1 800 m 的山坡、岩石上、河谷、河岸、荒地及黄土丘陵地。湖南各地均有分布。

| 资源情况 |

野生资源丰富。药材来源于野生。

| 采收加工 | 秋季花盛开时采收，晒干或烘干。

| 功能主治 | 苦、辛，凉。归肺、肝经。清热解毒，凉血，降血压。用于痈肿疔疮，目赤，瘰疬，天疱疮，湿疹。

菊科 Asteraceae 菊属 *Dendranthema*

菊花 *Dendranthema morifolium* (Ramat.) Tzvel.

| 药 材 名 | 菊花（药用部位：头状花序）。

| 形态特征 | 多年生草本，高 60 ~ 150 cm。根茎多少木质化。茎直立，基部有时木质化。叶卵形至披针形，边缘有粗大锯齿或深裂，基部楔形，有叶柄。头状花序直径 2.5 ~ 20 cm，单生或数个集生于茎枝先端；外层总苞片绿色，条形，边缘膜质；舌状花白色、红色、紫色或黄色。瘦果不发育。

| 生境分布 | 栽培于庭院、田间。湖南各地均有栽培。

| 资源情况 | 栽培资源丰富。药材来源于栽培。

| 功能主治 | 甘、苦，微寒。归肺、肝经。疏风清热，平肝明目，解毒消肿。用

于外感风热或风湿初起，发热头痛，眩晕，目赤肿痛，疔疮肿毒。

| 用法用量 | 内服煎汤，10 ~ 15 g；或入丸、散剂；或泡茶。外用适量，煎汤洗；或捣敷。

| 附　　注 | 本种在FOC中被修订为菊科Asteraceae菊属*Chrysanthemum*菊花*Chrysanthemum* × *morifolium* (Ramat.) Hemsl.。

菊科 Asteraceae 鱼眼草属 *Dichrocephala*

鱼眼草 *Dichrocephala auriculata* (Thunb.) Druce

| 药 材 名 | 鱼眼草（药用部位：全草。别名：蚯疽草、鱼眼菊、胡椒草）。

| 形态特征 | 一年生草本，直立或铺散，高 12 ~ 50 cm。茎枝被白色长或短绒毛。叶卵形、椭圆形或披针形；全部叶边缘具重粗锯齿或缺刻状，少有具规则圆锯齿的叶。头状花序小，球形，直径 3 ~ 5 mm，生于枝端；花序梗纤细，长达 3 cm；总苞片 1 ~ 2 层，膜质，长圆形或长圆状披针形，稍不等长，长约 1 mm，先端急尖，微锯齿状撕裂；外围雌花多层，紫色，花冠极细，线形，长 0.5 mm，先端通常 2 齿；中央两性花黄绿色，少数，长 0.5 mm，管部短，狭细，檐部长钟状，先端具 4 ~ 5 齿。瘦果扁压，倒披针形，边缘脉状加厚；无冠毛，或两性花瘦果先端有 1 ~ 2 细毛状冠毛。花果期全年。

| 生境分布 | 生于海拔 300 ~ 1 400 m 的山坡、山谷阴处或阳处、平川耕地、荒地、水沟边。湖南各地均有分布。

| 资源情况 | 野生资源较丰富。药材主要来源于野生。

| 采收加工 | 夏季采收，洗净，鲜用或晒干。

| 功能主治 | 苦、辛，平。归肝、胆经。活血调经，解毒消肿。用于月经不调，扭伤肿痛，蛇毒咬伤，疔毒。

| 用法用量 | 内服煎汤，15 ~ 25 g。外用适量，捣敷。

菊科 Asteraceae 鱼眼草属 *Dichrocephala*

小鱼眼草 *Dichrocephala benthamii* C. B. Clarke

| 药 材 名 | 鱼眼草（药用部位：全草。别名：鸡眼菊、小馒头草、地胡椒）、鱼眼草根（药用部位：根）。

| 形态特征 | 一年生草本，高 10 ~ 25 cm。茎略带紫色，密被白色柔毛。叶片倒卵形或匙形，长 3.5 ~ 7 cm，中下部叶通常羽裂或大头羽裂；上部叶通常有深圆齿，两面被疏或密的短柔毛，基部扩大，耳状抱茎。头状花序半球形，宽达 5 mm，少数或多数在茎和分枝先端排列成疏或密的伞房状或圆锥状；雌花白色，线形，先端有 2 ~ 3 细齿；两性花绿黄色，近壶状，先端有 4 齿。瘦果扁平，有加厚的边缘；无冠毛。花期春末至夏、秋季。

| 生境分布 | 生于海拔 350 ~ 1 200 m 的山坡与山谷草地、河岸、溪旁、路旁或田边荒地。分布于湖南郴州（汝城）、永州（冷水滩、祁阳、蓝山、江华）、怀化（新晃）、湘西州（保靖）等。

| 资源情况 | 野生资源一般。药材主要来源于野生。

| 采收加工 | **鱼眼草、鱼眼草根：**夏季采收，洗净，鲜用或晒干。

| 功能主治 | **鱼眼草：**苦，凉。祛风明目，清热解毒。用于肝炎，小儿消化不良，小儿感冒高热，风热咳嗽，泄泻，痉疾，牙痛，夜盲，疮疡，蛇咬伤。

鱼眼草根：辛、甘，温。利小便。

| 用法用量 | **鱼眼草：**内服煎汤，6 ~ 12 g。外用适量，捣敷；或煎汤洗。

鱼眼草根：内服炖肉，40 ~ 50 g。

菊科 Asteraceae 东风菜属 *Doellingeria*

短冠东风菜 *Doellingeria marchandii* (Lévl.) Ling

| 药 材 名 |

东风菜（药用部位：全草。别名：盘龙草、白云草）。

| 形态特征 |

根茎粗壮。茎直立，高 60 ~ 130 cm，上部有短柔毛。下部叶在花期枯萎，叶片心形，长 7 ~ 10 cm，宽 7 ~ 10 cm，边缘有具小尖头的锯齿，先端尖或近圆形；中部叶稍小，宽卵形，基部近截形，急狭成较短的柄；上部叶小，卵形，基部常楔形，有下延成翅状的短柄。头状花序直径 2.5 ~ 4 cm，排成疏散的圆锥状伞房花序；花序梗长 1 ~ 5 cm，有矩圆形至条状披针形的苞叶；总苞宽钟状，宽 6 ~ 7 mm，总苞片约 3 层，近等长；舌状花 10 余，舌片白色，长 9 ~ 11 mm，矩圆状条形，管部长 3 mm；管状花长 6 ~ 7 mm，有条状披针形深裂片。瘦果倒卵形或长椭圆形，长 3 ~ 3.5 mm，被粗伏毛；冠毛褐色，长 0.5 ~ 1.5 mm，有少数不等长的糙毛。花期 8 ~ 9 月，果期 9 ~ 10 月。

| 生境分布 |

生于海拔 500 ~ 1 100 m 的山谷、水边、田间、路旁。分布于湖南邵阳（洞口）、张家界（慈利）、郴州（桂东）等偶有栽培。

| 资源情况 | 野生资源较少。药材来源于野生或者栽培。

| 采收加工 | 秋季采收，洗净，鲜用或晒干。

| 功能主治 | 辛、甘，寒。清热解毒，祛风止痛。用于毒蛇咬伤，风湿性关节炎，跌打损伤，感冒头痛，目赤肿痛，咽喉肿痛。

| 用法用量 | 内服煎汤，15 ~ 30 g。外用适量，鲜品捣敷。

| 附　　注 | 本种的拉丁学名在 FOC 中被修订为 *Aster marchandii* H. Lév.。

菊科 Asteraceae 东风菜属 *Doellingeria*

东风菜 *Doellingeria scabra* (Thunb.) Nees

| 药 材 名 | 东风菜（药用部位：全草或根茎。别名：盘龙草、白云草）。

| 形态特征 | 多年生草本，高 1 ~ 1.5 m。根茎粗短，横卧，棕褐色，旁生多数须根。茎直立，中部有时略带红色，有糙毛。叶互生；叶柄长 5 ~ 15 cm，具翅；叶片心形，长 9 ~ 15 cm，宽 6 ~ 15 cm，上面绿色，下面灰白色，两面有糙毛，边缘有具小尖头的齿，基部急狭成长 10 ~ 15 cm 的柄，花后凋落；中部以上的叶片卵状三角形，先端急尖，两面有毛。头状花序直径 1.8 ~ 2.4 cm，排列成圆锥伞房状；总苞片约 3 层，不等长，边缘膜质；外围 1 层雌花约 10，舌状，舌片白色，条状长圆形；中央有多数黄色两性花，花冠筒状，上部 5 齿裂，齿片条状披针形。瘦果倒卵圆形或椭圆形，有 5 厚肋，

无毛；冠毛污黄色，与筒状花冠等长。花期 6 ~ 10 月，果期 8 ~ 10 月。

| 生境分布 | 生于海拔 1 500 m 以下的山坡、山谷路旁、林缘、溪谷及灌丛。分布于湖南衡阳（祁东）、邵阳（隆回）、常德（汉寿）、永州（蓝山）、郴州（北湖、临武、桂东）、怀化（沅陵、通道）、湘西州（龙山）等。

| 资源情况 | 野生资源较丰富。药材来源于野生。

| 采收加工 | 夏、秋季采收全草，秋季采挖根茎，洗净，鲜用或晒干。

| 功能主治 | 辛、甘，寒。清热解毒，祛风止痛。用于毒蛇咬伤，风湿性关节炎，跌打损伤，感冒头痛，目赤肿痛，咽喉肿痛。

| 用法用量 | 内服煎汤，15 ~ 30 g。外用适量，鲜全草捣敷。

| 附　　注 | 本种的拉丁学名在 FOC 中被修订为 *Aster scaber* Thunb.。

菊科 Asteraceae 蓝刺头属 *Echinops*

华东蓝刺头 *Echinops grijsii* Hance

| 药 材 名 | 漏芦（药用部位：根。别名：大蓟根、升麻根、土防风）。

| 形态特征 | 多年生草本，高 30 ~ 80 cm。茎直立，单生，上部通常有短或长的花序分枝。叶薄，纸质，全部茎生叶两面异色，上面绿色，无毛，无腺点，下面白色或灰白色，被密厚的蛛丝状绵毛。复头状花序单生于枝端或茎顶，直径约 4 cm，头状花序长 1.5 ~ 2 cm；全部苞片 24 ~ 28，外面无毛，无腺点；小花长 1 cm，花冠 5 深裂，花冠管外面有腺点。瘦果倒圆锥状，长 1 cm，被密厚的顺向贴伏的棕黄色长直毛，不遮盖冠毛；冠毛呈量杯状，长 3 mm，冠毛膜片线形，边缘糙毛状，大部结合。花果期 7 ~ 10 月。

| 生境分布 | 生于海拔 300 ~ 1 000 m 的山坡草地。分布于湖南永州（江永）等。

| 资源情况 | 野生资源稀少。药材主要来源于野生。

| 采收加工 | 秋季采挖，除去残茎及须根，洗净泥土，晒干。

| 药材性状 | 本品呈圆柱形，上粗下细，稍扭曲，长 10 ~ 30 cm，直径 1 ~ 2 cm。外皮灰褐色或灰黄色，粗糙，有纵皱纹，先端丛生棕色硬毛，为残存的叶柄维管束，下端偶有分枝。质坚，不易折断，断面外圈褐色，内有黄、黑相间的菊花纹。气微，味微涩。以条粗、坚实者为佳。

| 功能主治 | 苦、咸，凉。归胃经。清热解毒，消肿排脓，下乳，通经。用于痈疽发背，乳房肿痛，乳汁不通，瘰疬恶疮，湿痹所致的筋脉拘挛，热毒血痢，痔疮出血。

| 用法用量 | 内服煎汤，7.5 ~ 15 g，鲜品 50 ~ 100 g；或入丸、散剂。外用适量，煎汤洗；或研末调敷。

菊科 Asteraceae 鳢肠属 *Eclipta*

鳢肠 *Eclipta prostrate* L.

| 药 材 名 | 墨旱莲（药用部位：全草。别名：水旱莲、冰冻草、旱莲草）。

| 形态特征 | 一年生草本。茎直立，斜升或平卧，高达 60 cm，通常自基部分枝，被贴生糙毛。叶长圆状披针形或披针形，长 3 ~ 10 cm，宽 0.5 ~ 2.5 cm，两面被密硬糙毛。总苞球状钟形，总苞片绿色，草质，长圆形或长圆状披针形，外层较内层稍短；外围的雌花 2 层，舌状，长 2 ~ 3 mm，舌片短，先端 2 浅裂或全缘，中央的两性花多数，花冠管状，白色，长约 1.5 mm，先端 4 齿裂；花柱分枝钝，有乳头状突起；花托凸，有披针形或线形的托片；托片中部以上有微毛。瘦果暗褐色，长 2.8 mm，雌花瘦果三棱形，两性花瘦果扁四棱形，先端截形，具 1 ~ 3 细齿，基部稍缩小，边缘具白色的肋，表面有小瘤状突起，无毛。花期 6 ~ 9 月。

| 生境分布 | 生于海拔 1 000 m 以下的河边、田边或路旁。湖南各地均有分布。

| 资源情况 | 野生资源丰富。药材主要来源于野生。

| 采收加工 | 夏、秋季采收，除去泥沙，晒干或阴干。

| 药材性状 | 本品被白色茸毛。茎呈圆柱形，有纵棱，直径 2 ~ 5 mm；表面绿褐色或墨绿色。叶对生，近无柄，叶片皱缩卷曲或破碎，完整者展平后呈长披针形，全缘或具浅齿，墨绿色。头状花序直径 2 ~ 6 mm。瘦果椭圆形而扁，长 2 ~ 3 mm，棕色或浅褐色。气微，味微咸。

| 功能主治 | 甘、酸，寒。归肝、肾经。滋补肝肾，凉血止血。用于牙齿松动，须发早白，眩晕耳鸣，腰膝酸软，阴虚血热，吐血，衄血，尿血，血痢，崩漏下血，外伤出血。

| 用法用量 | 内服煎汤，6 ~ 12 g。外用适量，鲜品捣敷。

| 附　　注 | 本种为《中华人民共和国药典》（2020 版）墨旱莲的基原植物。

菊科 Asteraceae 地胆草属 *Elephantopus*

地胆草 *Elephantopus scaber* L.

| 药 材 名 | 地胆草（药用部位：全草。别名：草鞋根、草鞋底、地胆头）。

| 形态特征 | 茎直立，高 20 ~ 60 cm，常多少二叉分枝，稍密被白色贴硬毛。基部叶莲座状，匙形，长 5 ~ 18 cm，宽 2 ~ 4 cm；茎生叶少数而小，倒披针形或长圆状披针形，向上渐小，全部叶上面被疏长糙毛。头状花序多数，基部被 3 叶状苞片包围；苞片绿色，草质，宽卵形或长圆状卵形，长 1 ~ 1.5 cm，宽 0.8 ~ 1 cm，先端渐尖，具明显凸起的脉，被长糙毛和腺点；总苞狭，长 8 ~ 10 mm，宽约 2 mm；总苞片绿色或上端紫红色，长圆状披针形，先端渐尖而具刺尖，具 1 或 3 脉，被短糙毛和腺点，外层长 4 ~ 5 mm，内层长约 10 mm；花 4，淡紫色或粉红色；花冠长 7 ~ 9 mm，管部长 4 ~ 5 mm。瘦

果长圆状线形，长约 4 mm，先端截形，基部缩小，具棱，被短柔毛；冠毛污白色，具 5、稀具 6 硬刚毛，长 4 ~ 5 mm，基部宽扁。花期 7 ~ 11 月。

| 生境分布 | 生于海拔 200 m 以下的开阔的山坡、路旁或山谷林缘。分布于湖南衡阳（衡阳）、郴州（宜章、嘉禾、汝城）、永州（冷水滩、东安、道县、江永、蓝山、江华）、怀化（沅陵）等。

| 资源情况 | 野生资源一般。药材主要来源于野生。

| 采收加工 | 夏、秋季采收，除去杂质，洗净，晒干或鲜用。

| 药材性状 | 本品根茎短粗，长 1 ~ 2 cm，直径约 0.5 cm，密被紧贴白绒毛。根生叶多皱缩，黄绿色，匙形或长圆状倒披针形，疏被白色长毛，纸质稍柔。茎圆柱形，直径 2 ~ 3 mm，多剪断，断面中空，茎生叶少而小。有时茎端带有头状花序，花冠多脱落。以叶多、无花者为佳。

| 功能主治 | 苦、辛，寒。清热，凉血，解毒，利湿。用于感冒，百日咳，扁桃体炎，咽喉炎，眼炎，黄疸，肾炎性水肿，月经不调，带下，疮疖，湿疹，蛇虫咬伤。

| 用法用量 | 内服煎汤，6 ~ 15 g，鲜品 30 ~ 60 g；或捣汁。外用适量，捣敷；或煎汤熏洗。

菊科 Asteraceae 一点红属 *Emilia*

一点红 *Emilia sonchifolia* (L.) DC.

| 药 材 名 | 一点红（药用部位：全草。别名：红背叶、叶下红、羊蹄草）。

| 形态特征 | 一年生草本，高 10 ~ 50 cm。茎分枝，枝柔弱，粉绿色。叶互生，稍带肉质，茎下部叶卵形，攀缘状分裂，长 4 ~ 9 cm；上部叶较小，抱茎，上面绿色，下面多紫红色。头状花序直径 1 ~ 1.3 cm，有长梗，花枝常 2 叉分枝；总苞圆柱形，苞片 1 层，约与花冠等长；花管状，红色，两性。瘦果圆柱形，长 5 ~ 6 mm，有棱；冠毛白色，柔软。花期春季至秋季。

| 生境分布 | 生于海拔 100 ~ 600 m 的山坡荒地、田埂、路旁。湖南各地均有分布。湖南各地均有栽培。

| 资源情况 | 野生资源一般。药材来源于野生和栽培。

| 采收加工 | 夏、秋季采收，除去杂质，洗净，鲜用或干用。

| 功能主治 | 微苦，凉。清热解毒，消炎，利尿。用于肠炎，痢疾，尿路感染，上呼吸道感染，结膜炎，口腔溃疡，疮痈。

| 用法用量 | 内服煎汤，干品 25 ~ 50 g。外用适量，鲜品捣敷。

菊科 Asteraceae 飞蓬属 *Erigeron*

一年蓬 *Erigeron annuus* (L.) Pers.

| 药 材 名 |

一年蓬（药用部位：全草或根。别名：女菀、野蒿、治疟草）。

| 形态特征 |

一年生或二年生草本，高 30 ~ 100 cm。茎直立，上部有分枝，全株被上曲的短硬毛。基生叶长圆形或宽卵形，长 4 ~ 17 cm，宽 1.5 ~ 4 cm，边缘有粗齿，基部渐狭成具翅的叶柄；中部和上部叶较小，长圆状披针形或披针形，长 1 ~ 9 cm，宽 0.2 ~ 2 cm，边缘有不规则的齿裂，具短叶柄或无叶柄；最上部的叶通常条形，全缘，具睫毛。头状花序排列成伞房状或圆锥状；总苞半球形，总苞片 3 层，革质，密被长的直节毛；舌状花 2 层，白色或淡蓝色，舌片平展；两性花筒状，黄色。花期 6 ~ 9 月。

| 生境分布 |

生于海拔 100 ~ 1 700 m 的山坡、路边及田野。湖南各地均有分布。湖南各地均有栽培。

| 资源情况 |

野生资源丰富。药材主要来源于野生及栽培。

|采收加工| 夏、秋季采收，洗净，鲜用或晒干。

|药材性状| 本品根呈圆锥形，有分枝，黄棕色，具多数须根。全草疏被粗毛。茎呈圆柱形，长 40 ~ 80 cm，直径 2 ~ 4 mm，表面黄绿色，有纵棱线；质脆，易折断，断面有大形白色的髓。单叶互生，叶片皱缩易破碎，完整者展平后呈披针形，黄绿色。有的于枝顶和叶腋可见头状花序，头状花序排列成伞房状或圆锥状花序；花淡棕色。气微，味微苦。

|功能主治| 甘、苦，凉。归胃、大肠经。消食止泻，清热解毒，截疟。用于消化不良，胃肠炎，齿龈炎，疟疾，毒蛇咬伤。

|用法用量| 内服煎汤，30 ~ 60 g。外用适量，捣敷。

菊科 Asteraceae 飞蓬属 *Erigeron*

短葶飞蓬 *Erigeron breviscapus* (Vaniot) Hand.-Mazz.

药材名

灯盏细辛（药用部位：全草。别名：地顶草、灯盏花、灯盏草）。

形态特征

多年生草本，高 20 ~ 30 cm。根茎粗壮，其上密生纤细的须根。叶为单叶，基生叶密集，匙形，长 3 ~ 5 cm，宽 1.2 ~ 1.5 cm，两面有毛，边缘常皱波状，基部下延成柄，柄带红色；茎生叶长圆形，长仅 2 cm，宽约 0.6 cm。头状花序顶生，常单个，边缘有 2 列紫色舌状花，中央为黄色管状花。瘦果扁平，有柔软的冠毛。花期夏季。

生境分布

生于海拔 1 000 ~ 1 500 m 的向阳坡地。分布于湖南怀化（新晃、通道）、湘西州（凤凰）等。

资源情况

野生资源稀少。药材主要来源于野生。

采收加工

夏、秋季采收，洗净，鲜用或晒干。

| 药材性状 | 本品长 15 ~ 25cm，根茎长 1 ~ 3cm，直径 0.2 ~ 0.5cm；表面凹凸不平，着生多数圆柱形细根，直径约 0.1cm，淡褐色至黄褐色。茎圆柱形，长 14 ~ 22cm，直径 0.1 ~ 0.2cm；黄绿色至淡棕色，具细纵棱线，被白色短柔毛；质脆，断面黄白色，有髓或中空。基生叶皱缩、破碎，完整者展平后呈倒卵状披针形、匙形、阔披针形或阔倒卵形，长 1.5 ~ 9cm，宽 0.5 ~ 1.3cm；黄绿色，先端钝圆，有短尖，基部渐狭，全缘；茎生叶互生，披针形，基部抱茎。头状花序顶生。瘦果扁倒卵形。气微香，味微苦。

| 功能主治 | 辛、微苦，温。归肺、胃经。散寒解表，祛风除湿，活络止痛，消积。用于感冒，风湿痹痛，瘫痪，胃痛，牙痛，疳积，骨髓炎，跌打损伤。

| 用法用量 | 内服煎汤，9 ~ 15 g；或蒸蛋食。外用适量，捣敷。

| 附　　注 | 本种为《中华人民共和国药典》（2020 版）灯盏细辛的基原植物。

菊科 Asteraceae 泽兰属 *Eupatorium*

多须公 *Eupatorium chinense* L.

药材名

广东土牛膝（药用部位：根。别名：华泽兰、六月雪、水泽兰）。

形态特征

多年生草本，高 80 ~ 150 cm。枝蜿蜒状，稍被短柔毛。单叶对生，有短柄，卵形或椭圆状披针形，长 2.5 ~ 5 cm，先端急尖，基部圆形或近心形，边缘有不整齐粗齿，无毛或近无毛，脉明显，脉上毛密；叶柄长 3 ~ 10 mm，具短柔毛。头状花序，有短梗，在茎先端排成紧密聚伞花序，每 1 头状花序有花 5 ~ 6，总苞片约 10，覆瓦状排列，长圆形或卵形，不等大，先端钝，边缘干膜质，小花皆为管状，两性，先端 5 裂，裂片三角状；雄蕊 5，聚生花药，花药基部钝；子房下位，1 室，花柱伸出花冠外，柱头 2 深裂。瘦果圆柱形，微有毛，通常有 5 棱；冠毛 1 列，刚毛状。花期 7 ~ 9 月。

生境分布

生于海拔 100 ~ 1 200 m 的山谷、山坡林缘、林下、灌丛或山坡、草地，村舍旁及田间。湖南各地均有分布。

| 资源情况 | 野生资源较丰富。药材主要来源于野生。

| 采收加工 | 秋季采挖根，洗净，切段，晒干。

| 药材性状 | 本品呈须状圆柱形，长 10 ~ 35 cm，最长可达 50 cm，直径 0.2 ~ 0.4 cm，外表黄棕色。质坚硬而脆，易折断，断面白色。略有甘草气，味淡。

| 功能主治 | 苦、甘，凉；有毒。清热利咽，凉血散瘀，解毒消肿。用于咽喉肿痛，白喉，吐血，血淋，赤白下痢，跌打损伤，痈疮肿毒，毒蛇咬伤及烫火伤。

| 用法用量 | 内服煎汤，10 ~ 20 g，鲜品 30 ~ 60 g。外用适量，捣敷；或煎汤洗。

菊科 Asteraceae 泽兰属 *Eupatorium*

佩兰 *Eupatorium fortunei* Turcz.

| 药 材 名 | 佩兰（药用部位：全草。别名：兰草、泽兰省头草）。

| 形态特征 | 多年生草本，高 40 ~ 100 cm。根茎横走，淡红褐色。茎直立，绿色或红紫色。全部茎枝被稀疏的短柔毛。中部茎叶较大，3 全裂或 3 深裂；全部茎叶两面光滑，无毛，无腺点，羽状脉，边缘有粗齿或不规则的细齿；中部以下茎叶渐小，基部叶花期枯萎。头状花序多数在茎顶及枝端排成复伞房花序，花序直径 3 ~ 6（~ 10）cm；总苞钟状，长 6 ~ 7 mm；总苞片 2 ~ 3 层，覆瓦状排列，外层短，卵状披针形，中内层苞片渐长，长约 7 mm，长椭圆形；全部苞片紫红色，外面无毛，无腺点，先端钝；花白色或带微红色；花冠长约 5 mm，外面无腺点。瘦果黑褐色，长椭圆形，5 棱，长 3 ~ 4 mm，无毛，无腺点；冠毛白色，长约 5 mm。花果期 7 ~ 11 月。

生境分布 生于海拔 900 m 以下的溪边或原野湿地。湖南各地均有分布。

资源情况 野生资源一般。药材主要来源于栽培。

采收加工 采集全草地上部分，除去杂质，洗净，稍润，切段，晒干。

药材性状 本品茎呈圆柱形，长 30 ~ 100 cm，直径 0.2 ~ 0.5 cm；表面黄棕色或黄绿色，有的带紫色，有明显的节及纵棱线；质脆，断面髓部白色或中空。叶对生，有柄，叶片多皱缩、破碎，绿褐色；完整叶片 3 裂或不分裂，分裂者中间裂片较大，展平后呈披针形或长圆状披针形，基部狭窄，边缘有锯齿；不分裂者展平后呈卵圆形、卵状披针形或椭圆形。气芳香，味微苦。

功能主治 辛，平。归脾、胃、肺经。芳香化湿，醒脾开胃，发表解暑。用于湿浊中阻，脘痞呕恶，口中甜腻，口臭，多涎，暑湿表证，头胀，胸闷。

用法用量 内服煎汤，3 ~ 9 g。

附　　注 本种为《中华人民共和国药典》（2020 版）佩兰的基原植物。

菊科 Asteraceae 泽兰属 *Eupatorium*

异叶泽兰 *Eupatorium heterophyllum* DC.

药材名

红升麻（药用部位：全草。别名：红梗草、泽兰、接骨草）。

形态特征

多年生草本，高 1 ～ 2 m。茎直立，圆柱形，被长毛，上部有散生的细红色斑纹，基部淡褐色或紫色。叶对生，有时上部叶互生；叶片 3 全裂，少有浅裂或半裂，花序下的叶不分裂，裂片长椭圆形、椭圆状披针形或披针形，两面被柔毛及腺点，上面的毛少稀呈绿色，下面灰白色毛密呈淡白色，边缘有粗锯齿，具短柄；中裂片较大，长 4 ～ 9 cm，宽 1.5 ～ 3.5 cm，侧生裂片较短向上，叶柄较短，长约 1 cm；花序下的叶更小，不分裂，卵形或披针形，无柄或有短柄。头状花序在茎顶或分枝先端排成伞房或复伞房花序；总苞片先端圆钝。瘦果有腺点；冠毛与花冠等长。花果期 4 ～ 10 月。

生境分布

生于海拔 1 700 m 以上的坡林下、林缘、草地及河谷。分布于湖南株洲（醴陵）、衡阳（珠晖）、常德（石门）、郴州（桂东）、湘西州（凤凰）等。

资源情况 野生资源较少。药材主要来源于野生。

采收加工 夏、秋季采收，洗净，鲜用或晒干。

药材性状 本品茎圆柱形，直径 2 ～ 7 mm，下部木质，灰棕色，上部嫩茎灰淡绿色，被白色短毛；质脆，易断。叶多皱缩破碎，完整展平后呈椭圆形或披针形，边缘有圆锯齿，暗绿色或灰绿色，两面有黄色腺点，有短白毛。微臭，味微苦。

功能主治 甘、苦，微温。归肝经。活血调经，祛瘀止痛，除湿行水。用于月经不调，经闭，癥瘕，腹痛，产后恶露不行，小便淋漓，水肿，跌打损伤，骨折。

用法用量 内服煎汤，9 ～ 15 g。外用适量，捣敷。

菊科 Asteraceae 泽兰属 *Eupatorium*

白头婆 *Eupatorium japonicum* Thunb.

药材名

白头婆（药用部位：全草。别名：山佩兰、泽兰、秤杆草）。

形态特征

多年生草本，高 0.5 ~ 2 m。地下根茎匍匐，木质化。根细长，多弯曲。茎直立，常丛生，基部木质化，上部绿色，有紫色斑点，被柔毛。单叶对生；叶柄长 1 ~ 2 cm；叶片卵圆形、卵状椭圆形或披针形，长 7 ~ 16 cm，宽 3 ~ 8 cm，基部渐狭，边缘有锯齿，上面深绿色，近无毛，下面淡绿色，被疏毛，脉上较多，有腺点。头状花序多数，在茎端或分枝先端排列成伞房状，花序基部有 1 小苞叶，总苞钟状；总苞片约 9，先端钝，覆瓦状排列；头状花序含 5 白色两性管状花，先端 5 裂。瘦果具 5 棱，有毛或有腺点；冠毛白色羽毛状。花果期 6 ~ 11 月。

生境分布

生于海拔 120 m 以上的山坡草地、密疏林、灌丛、水湿地及河岸水旁。湖南各地均有分布。

资源情况 野生资源较丰富。药材主要来源于野生。

采收加工 夏、秋季采收，洗净，鲜用或晒干。

药材性状 本品茎圆柱形，长 40 ~ 80 cm。表面棕色或暗紫红色，具纵皱纹及散在紫色斑点，被白色茸毛；质坚硬，折断面黄白色，纤维状，中央具白色疏松的髓。叶对生，多破碎，皱缩卷曲，完整叶片展平后常 3 裂，裂片呈卵状长椭圆形，先端渐尖或锐尖，基部楔形，边缘具粗锯齿，上面深绿色，下面淡绿色，质膜易脱落。花序着生于枝端；管状花多存在；外有膜质总苞残存，有的还带有瘦果。气芳香，味微涩。以色绿、叶多、质嫩、香气浓者为佳。

功能主治 辛、苦，平。祛暑发表，化湿和中，理气活血，解毒。用于百般伤暑湿，发热头痛，胸闷，腹胀，消化不良，胃肠炎，感冒，咳嗽，咽喉炎，扁桃体炎，月经不调，跌打损伤，痈肿，蛇咬伤。

用法用量 内服煎汤，9 ~ 15 g；或研末，每次 6 ~ 9 g，每日 2 次。外用适量，捣敷。

附　　注 本种 *Eupatorium japonicum* Thunb. 与变异种三裂叶白头婆 *Eupatorium japonicum* Thunb. var. *tripartitum* Makino 的区别在于，其变异种叶 3 全裂，中裂片大，椭圆形或椭圆状披针形。

菊科 Asteraceae 泽兰属 *Eupatorium*

林泽兰 *Eupatorium lindleyanum* DC.

| 药 材 名 | 野马追（药用部位：全草。别名：白鼓钉、化食草、毛泽兰）。

| 形态特征 | 多年生草本，高 30 ~ 150 cm。地下具短根茎、四周丛生须状根，支根纤细，淡黄白色。茎直立，上部分枝，淡褐色或带紫色，散生紫色斑点，被粗毛，幼时尤密。叶对生；无柄或几无柄；叶片条状披针形，长 5 ~ 12 cm，宽 1 ~ 2 cm，不分裂或基部 3 裂，边缘有疏锯齿，两面粗糙，无毛，或下面仅沿脉有细柔毛，但下面有黄色腺点，基出 3 脉，脉在下面隆起。头状花序排成伞房花序；头状花序含 5 筒状两性花。总苞钟状；总苞片淡绿色或带紫红色，先端急尖；瘦果长 2 ~ 3 mm，有腺点，无毛；冠毛污白色，比花冠筒短。花果期 5 ~ 12 月。

| 生境分布 | 生于海拔 300 ～ 1 600 m 的山谷阴处水湿地、林下湿地或草原。湖南各地均有分布。

| 资源情况 | 野生资源一般。药材主要来源于野生。

| 采收加工 | 秋季采收，拣净，晒干。

| 药材性状 | 本品茎呈圆柱形，长 30 ～ 90 cm，直径可达 0.5 cm。表面黄绿色或紫褐色，具纵棱，被密灰白色茸毛，嫩枝尤甚；质硬，易折断，断面纤维性，髓部白色，有的老枝中空。叶对生，无柄，叶片皱缩，完整叶片展平后 3 全裂，似轮生，裂片条状披针形，中间裂片较长，边缘具疏锯齿，上表面绿褐色，下表面黄绿色，两面被毛，具黄色腺点。头状花序顶生，常再排列成紧密的伞房花序或大型的复伞房花序。气微，味微苦、涩。以叶多、色绿、带初开的花者为佳。

| 功能主治 | 苦，平。宣肺止咳，化痰平喘，降血压。用于支气管炎，咳嗽痰多，高血压。

| 用法用量 | 内服煎汤，30 ～ 60 g。

菊科 Asteraceae 大吴风草属 *Farfugium*

大吴风草 *Farfugium japonicum* (L.) Kitam.

| 药材名 | 八角乌（药用部位：全草。别名：活血莲、金杯盂、一叶莲）。

| 形态特征 | 多年生葶状草本。根茎粗壮。花葶高，幼时被密的淡黄色柔毛，后多少脱毛，基部直径 5 ~ 6 mm，被极密的柔毛。叶全部基生，莲座状，有长柄，幼时被与花葶上一样的毛，后多脱毛，叶质厚，近革质；茎生叶 1 ~ 3，苞叶状，长圆形或线状披针形，长 1 ~ 2 cm。头状花序辐状，排列成伞房状花序；花序梗长 2 ~ 13 cm，被毛；总苞钟形或宽陀螺形，长 12 ~ 15 mm，口部宽达 15 mm；总苞片 12 ~ 14，2 层，长圆形，先端渐尖，背部被毛，内层边缘褐色宽膜质；舌状花 8 ~ 12，黄色，舌片长圆形或匙状长圆形，长 15 ~ 22 mm，宽 3 ~ 4 mm，先端圆形或急尖，管部长 6 ~ 9 mm；管状花多数，长 10 ~ 12 mm，管部长约 6 mm；花药基部有尾，冠

毛白色与花冠等长。瘦果圆柱形，长达 7 mm，有纵肋，被成行的短毛。花果期 8 月至翌年 3 月。

| 生境分布 | 生于海拔 300 ~ 1500 m 的林下、山谷及草丛。湖南各地有栽培。分布于湖南株洲（茶陵、醴陵）、湘潭（雨湖）、衡阳（石鼓、衡南、常宁）、岳阳（华容、临湘）、常德（津市、临澧）、益阳（资阳、安化）、郴州（桂阳、嘉禾、临武）、永州（蓝山）、怀化（新晃、靖州、溆浦）等。湖南各地有栽培。

| 资源情况 | 野生资源一般。药材来源于野生和栽培。

| 采收加工 | 夏、秋季采收，鲜用或晒干。

| 功能主治 | 辛、甘、微苦，凉。活血止血、散结消肿。用于咳嗽咯血，便血，月经不调，跌打损伤，乳腺炎，痈疖肿毒。

| 用法用量 | 内服煎汤，25 ~ 50 g。外用适量，鲜品捣敷。

菊科 Asteraceae 牛膝菊属 *Galinsoga*

牛膝菊 *Galinsoga parviflora* Cav.

| 药 材 名 | 辣子草（药用部位：全草。别名：兔儿草、铜锤草、珍珠草）。

| 形态特征 | 一年生草本，高 10 ~ 80 cm。茎直立，圆形，分枝，有细条纹，节膨大，略被毛或近无毛。单叶对生，叶柄长 1 ~ 2 cm；叶片草质，卵圆形至披针形，长 3 ~ 6.5 cm，宽 1.5 ~ 4 cm，先端渐尖，基部圆形至宽楔形，边缘有浅圆齿或近全缘，上面绿色，下面淡绿色，基出 3 脉，或不明显五出脉，叶脉在上面凹下，下面凸起，稍被毛。头状花序小，直径 3 ~ 4 mm，顶生或腋生，有细长的梗；总苞半球形；总苞片 2 层，宽卵形，绿色，近膜质；花异型，全部结实；舌状花 4 ~ 5，白色，1 层，雌性；筒状花黄色，两性；花托凸起，有披针形托片。瘦果有棱角，先端具睫毛状鳞片。花果期 7 ~ 10 月。

| 生境分布 | 生于海拔 200 ~ 1 400 m 的林下、河谷地、荒野、河边、田间、溪边或市郊路旁。湖南各地均有分布。

| 资源情况 | 野生资源较丰富。药材主要来源于野生。

| 采收加工 | 夏、秋季采收，洗净，鲜用或晒干。

| 功能主治 | 淡，平。清热解毒，止咳平喘，止血。用于扁桃体炎，咽喉炎，黄疸性肝炎，咳喘，肺结核，七星疮，外伤出血。

| 用法用量 | 内服煎汤，30 ~ 60 g。外用适量，研末敷。

菊科 Asteraceae 牛膝菊属 *Galinsoga*

粗毛牛膝菊 *Galinsoga quadriradiata* Ruiz et Pav.

| 药 材 名 | 粗毛牛膝菊（药用部位：全草。别名：睫毛牛膝菊）。

| 形态特征 | 茎基部稍粗壮，不分枝或自基部分枝；枝被长柔毛和腺毛；叶对生，卵形或长椭圆状卵形，基部类圆形或狭楔形，先端渐尖或钝，全部茎生叶两面被白色柔毛，边缘有粗锯齿或犬齿。头状花序半球形，总苞半球形或宽钟状，托片倒披针形或长倒披针形，舌状花白色，管状花黄色。瘦果黑褐色。花果期 7 ~ 10 月。

| 生境分布 | 生于林下路旁。分布于湖南张家界（武陵源）等。

| 资源情况 | 野生资源稀少。药材来源于野生。

| 采收加工 | 秋、冬季采收，洗净，晒干。

功能主治 淡，平。清热解毒，消炎，止咳平喘，止血。用于扁桃体炎，咽喉炎，急性黄胆性肝炎，外伤出血等。

用法用量 外用榨汁涂患处或泡水，鲜品 50 ~ 100 g。

菊科 Asteraceae 大丁草属 *Leibnitzia*

大丁草 *Leibnitzia anandria* (L.) Turcz.

药材名 大丁草（药用部位：全草。别名：小火草、臁草）。

形态特征 多年生草本。叶基生，莲座状，多倒披针形或倒卵状长圆形，长 2 ~ 6 cm，边缘具齿，深波状或琴状羽裂，上面被蛛丝状毛或近无毛，下面密被蛛丝状绵毛，侧脉 4 ~ 6 对，纤细；叶柄长 2 ~ 4 cm，被白色绵毛。花葶单生或丛生，高 5 ~ 20 cm。头状花序单生于花葶之顶，倒卵圆形，直径 1 ~ 1.5 cm；总苞稍短于冠毛，总苞片约 3 层，外层线形，长约 4 mm，内层线状披针形，长达 8 mm，先端均带紫红色，被绵毛；雌花花冠舌状，长 1 ~ 1.2 cm，舌片长圆形，长 6 ~ 8 mm，带紫红色，花冠管纤细，长 3 ~ 4 mm；两性花花冠管状二唇形，长 6 ~ 8 cm，外唇宽，长约 3 mm，内唇 2 裂，丝状。瘦果纺锤形，长约 5 mm，具纵棱，被白色粗毛，先端无喙；冠毛粗糙，污白色。秋

型植株花葶高达 30 cm；叶长 8 ~ 15 cm；头状花序外层雌花管状二唇形，无舌片。春、秋季开花。

| 生境分布 | 生于海拔 300 ~ 1 200 m 以上的山顶、山谷丛林、荒坡、沟边或风化岩石上。分布于湖南邵阳（新邵）、常德（鼎城、石门）、张家界（武陵源、慈利）、永州（蓝山）、怀化（通道）、湘潭（湘乡）、湘西州（吉首、永顺、龙山）、娄底（冷水江）等。

| 资源情况 | 野生资源一般。药材主要来源于野生。

| 采收加工 | 夏、秋季采收，洗净，鲜用或晒干。

| 药材性状 | 本品卷缩成团，枯绿色。根茎短，下生多数细须根。基生叶丛生，莲座状，叶片椭圆状宽卵形，长 2 ~ 5.5 cm，先端钝圆，基部心形，边缘浅齿状。花葶长 8 ~ 19 cm，有的具白色蛛丝状毛，有条形苞叶。头状花序单生，直径 1 ~ 1.5 cm；小植株花序边缘为舌状花，淡紫红色，中央为管状花，黄色；大植株仅有管状花。瘦果纺锤形，两端收缩。气微，味辛辣、苦。

| 功能主治 | 苦，寒。清热利湿，解毒消肿。用于肺热咳嗽，湿热泻痢，热淋，风湿关节痛，痈疖肿毒，臁疮，虫蛇咬伤，烫火伤，外伤出血。

| 用法用量 | 内服煎汤，15 ~ 30 g；或浸酒。外用适量，捣敷。

菊科 Asteraceae 大丁草属 *Gerbera*

毛大丁草 *Gerbera piloselloides* (L.) Cass.

药材名

毛大丁草（药用部位：全草。别名：四皮香、满地香、伏地老）。

形态特征

根茎肥厚，有绵毛。叶基生，多少具柄，矩圆形至卵形，长 5 ~ 8 cm，先端圆，基部楔形，全缘，幼时上面被毛，而老时常变秃净，下面密被绵毛。花茎长 15 ~ 30 cm，有时竟达 40 cm，被绵毛，尤以先端为甚。头状花序顶生；总苞长 16 ~ 18 mm，基部狭；苞片线状披针形，2 层，被绵毛；花杂性；边缘舌状花，雌性，白色，二唇形，外唇伸长，3 齿裂，内唇细小，2 深裂，柱头 2 裂；中央为管状花，两性，花冠上部也为二唇形，外唇 3 裂，内唇 2 深裂。瘦果线状披针形，具细肋；冠毛淡红色。花期 5 ~ 6 月，果期 8 ~ 9 月。

生境分布

生于海拔 200 ~ 900 m 的向阳地、山坡、路边、田边。湖南各地有栽培。分布于湖南郴州（临武、桂东）、常德（石门）、怀化（通道）、湘西州（保靖）等。

资源情况 野生资源较少。药材来源于野生和栽培。

采收加工 夏季采收，洗净，晒干或鲜用。

药材性状 本品根茎丛生多数须根，长可达 11 cm；表面棕褐色；质脆，断面黄白色。叶丛生，多皱缩，完整叶片展平后矩圆形或卵形，上面黑褐色，下面棕褐色，被黄白色绒毛；质脆，叶片中留有 1 棕黄色花；花梗中空。气微，味涩。以叶多、少破碎者为佳。

功能主治 苦、辛，凉。清热解毒，宣肺止咳，行气活血。用于伤风咳嗽，胃脘胀痛，泄泻，痢疾，水肿，淋浊，疮疖肿毒，跌打肿痛，毒蛇咬伤。

用法用量 内服煎汤，6 ~ 15 g，鲜品 30 ~ 60 g。外用适量，捣敷。

菊科 Asteraceae 鼠麴草属 *Gnaphalium*

宽叶鼠麴草 *Gnaphalium adnatum* (Wall. ex DC.) Kitam.

| 药 材 名 | 宽叶鼠曲草（药用部位：叶。别名：老鸦绵、地膏药）。

| 形态特征 | 粗壮草本。茎直立，高 0.5 ~ 1 m，下部通常不分枝或罕有分枝，上部有伞房状分枝，密被紧贴的白色绵毛。基生叶花期凋落；中部及下部叶倒披针状长圆形或倒卵状长圆形，基部长渐狭，下延抱茎；上部花序枝的叶小，线形，长 1 ~ 3 cm，宽 2 ~ 5 mm，先端短尖，两面密被白色绵毛。头状花序少数或较多数，在枝端密集成球状，并在茎上部排成大的伞房花序；总苞近球形；总苞片 3 ~ 4 层，干膜质，淡黄色或黄白色，外层倒卵形或倒披针形，先端浑圆，长约 4 mm，内层长圆形或狭长圆形，长约 4 mm；雌花多数，结实，花冠丝状，长约 3 mm，顶部 3 ~ 4 齿裂，具腺点，花柱分枝纤细；两性花较少，通常 5 ~ 7，花冠管状，上部稍扩大，檐部 5 裂，裂片浑圆，

具腺点。瘦果圆柱形；冠毛白色。花期 8 ~ 10 月。

| 生境分布 | 生于海拔 1 900 m 以下的山坡、路旁或灌丛。分布于湖南邵阳（隆回、洞口、绥宁）、郴州（北湖、桂东）、永州（新田）、怀化（辰溪、靖州、通道）、益阳（安化）、湘西州（古丈）等。

| 资源情况 | 野生资源较少。药材主要来源于野生。

| 采收加工 | 开花时采收，晒干，去尽杂质，贮藏干燥处。

| 功能主治 | 苦，寒。消炎，散肿，止血。用于痈疮肿毒，刀伤出血。

| 用法用量 | 外用适量，捣烂外敷。

菊科 Asteraceae 鼠麴草属 *Gnaphalium*

鼠麴草 *Gnaphalium affine* D. Don

| 药 材 名 | 鼠曲草（药用部位：全草。别名：清明菜、黄花曲草、田艾、土茵陈）。

| 形态特征 | 二年生草本，高 10 ~ 50 cm。茎直立，簇生，不分枝或少有分枝，密被白色绵毛。叶无柄；基部叶花期时枯萎，下部和中部叶片倒披针形或匙形，长 2 ~ 7 cm，宽 4 ~ 12 mm，先端具小尖，基渐狭，下延，全缘，两面被灰白色绵毛。头状花序多数，通常在茎端密集成伞房状；总苞球状钟形，长约 3 mm，宽约 3.5 mm；总苞片 3 层，金黄色，干膜质，先端钝，外层总苞片较短，宽卵形，内层长圆形；花黄色；外围雌花花冠丝状；中央两性花花冠筒状，长约 2 mm，先端 5 裂。瘦果长圆形，长约 0.5 mm，有乳头状突起；冠毛黄白色。花期 4 ~ 6 月，果期 8 ~ 9 月。

| 生境分布 | 生于海拔 1 100 m 以下的低海拔的干地或湿润草地，尤以稻田最常见。湖南各地均有分布。

| 资源情况 | 野生资源较丰富。药材主要来源于野生。

| 采收加工 | 开花时采收，去尽杂质，晒干，贮藏干燥处。鲜品随采随用。

| 药材性状 | 本品密被灰白色绵毛。根纹细，灰棕色。茎常自基部分枝成丛，长 15 ~ 30 cm，直径 1 ~ 2 mm。叶皱缩卷曲，展平后叶片呈条状匙形或倒披针形，长 2 ~ 6 cm，宽 0.3 ~ 1 cm，全缘，两面均密被灰白色绵毛；质柔软。头状花序顶生，多数，金黄色或棕黄色；舌状花及管状花多已脱落；花托扁平，有花脱落后的痕迹。气微，味微甘。以色灰白、叶及花多者为佳。

| 功能主治 | 甘、微酸，平。归肺经。化痰止咳，祛风除湿，解毒。用于咳喘痰多，风湿痹痛，泄泻，水肿，蚕豆病，赤白带下，痈肿疔疮，阴囊湿痒，荨麻疹，高血压。

| 用法用量 | 内服煎汤，6 ~ 15 g；或研末；或浸酒。外用适量，煎汤洗；或捣敷。

| 附　　注 | 本种为湘西“蒿菜粑粑”主要基原植物之一。

菊科 Asteraceae 鼠麴草属 *Gnaphalium*

秋鼠麴草 *Gnaphalium hypoleucum* DC.

药材名

下白鼠曲草（药用部位：全草。别名：毛志药、黄火草）。

形态特征

粗壮草本。茎直立，高可达 70 cm，节间短，长 6 ~ 10 mm，上部的节间通常长不及 5 mm。下部叶线形，无柄，长约 8 cm，宽约 3 mm；中部和上部叶较小。头状花序多数，直径约 4 mm，无或有短梗，在枝端密集成伞房花序；花黄色；总苞球形，全部金黄色或黄色，有光泽，膜质或上半部膜质，外层倒卵形，先端尖或锐尖，背面通常无毛；雌花多数，花冠丝状，长约 3 mm，先端 3 齿裂，无毛；两性花较少数，花冠管状，长约 4 mm，两端向中部渐狭，檐部 5 浅裂，裂片卵状渐尖，无毛。瘦果卵形或卵状圆柱形，先端截平，无毛，长约 0.4 mm；冠毛绢毛状，粗糙，污黄色，易脱落，长 3 ~ 4 mm，基部分离。花期 8 ~ 12 月。

生境分布

生于海拔 200 ~ 800 m 的空旷砂土地或山地路旁及山坡。分布于湖南长沙（芙蓉、长沙、浏阳）、株洲（荷塘、渌口）、张家

界（武陵源）、邵阳（邵东）、永州（东安）、郴州（汝城）、衡阳（衡东）、湘西州（古丈、永顺）等。

资源情况 野生资源一般。药材主要来源于野生。

采收加工 开花时采收，去尽杂质，晒干，贮藏干燥处。

功能主治 甘、苦，凉。祛风止咳，清热利湿。用于感冒，肺热咳嗽，痢疾，瘰疬，下肢溃疡。

用法用量 内服煎汤，6 ~ 15 g。外用适量，煎汤洗；或捣敷。

菊科 Asteraceae 鼠麹草属 *Gnaphalium*

细叶鼠麹草 *Gnaphalium japonicum* Thunb.

药材名

天青地白（药用部位：全草。别名：毛女儿菜、清明草、日本鼠曲草）。

形态特征

一年生草本，开花时高 8 ~ 28 cm。茎纤细，多数，丛生，密被白色绵毛。基部叶莲座状，花期时宿存，条状倒披针形，长 2.5 ~ 10 cm，宽 4 ~ 7 mm，先端具小尖，基部渐狭，全缘，上面绿色，被疏绵毛或无毛，下面密被白色绒毛；茎生叶向上渐小，条形，长 2 ~ 3 cm，宽 2 ~ 3 mm，基部有极小的叶鞘。头状花序少数，在枝端密集成球状；总苞钟状，长约 5 mm，宽 4 ~ 5 mm；总苞片 3 层，红褐色，干膜质，先端钝，外层总苞片宽椭圆形，内层长圆形；花全部结实，外围雌性花花冠丝状，中央两性花花冠筒状，上部粉红色，5 齿裂。瘦果长圆形，长约 1 mm，有细点；冠毛 1 列，白色。花期 1 ~ 5 月。

生境分布

生于海拔 1 500 m 以下低海拔的草地或耕地，喜阳。湖南各地均有分布。

| 资源情况 | 野生资源一般。药材主要来源于野生。

| 采收加工 | 春季开花后采收，晒干或鲜用。

| 功能主治 | 甘，凉。归肝、肺、小肠、脾经。解表，清热，明目，利尿。用于咳嗽，头痛，喉痛，目赤翳障，小便热闭，淋浊，带下，痈肿，疔疮。

| 用法用量 | 内服煎汤，9 ~ 30 g。外用适量，捣敷。

菊科 Asteraceae 鼠麴草属 *Gnaphalium*

匙叶鼠麴草 *Gnaphalium pensylvanicum* Willd.

| 药 材 名 | 匙叶鼠曲草（药用部位：全草）。

| 形态特征 | 一年生草本。高 30 ~ 45 cm，基部直径 3 ~ 4 mm，节间长 2 ~ 3 cm。下部叶无柄，倒披针形或匙形，长 6 ~ 10 cm，宽 1 ~ 2 cm，基部长渐狭，下延，先端钝、圆；中部叶倒卵状长圆形或匙状长圆形，长 2.5 ~ 3.5 cm；上部叶小，与中部叶同形。头状花序多数，数个成束簇生；总苞卵形，直径约 3 mm；总苞片 2 层，污黄色或麦秆黄色，膜质；内层与外层近等长，稍狭，线形，先端钝、圆，背面疏被绵毛；花托干时除四周边缘外几完全凹入，无毛；雌花多数，花冠丝状，长约 3 mm，先端 3 齿裂，花柱分枝较两性花的长；两性花少数，花冠管状，向上渐扩大，檐部 5 浅裂，裂片三角形或有时先端近浑圆，无毛。瘦果长圆形，长约 0.5 mm，有乳头状突起；冠

毛绢毛状，污白色，易脱落，长约 2.5 mm，基部连合成环。花期 12 月至翌年 5 月。

生境分布 生于海拔 700 m 以下的荒地、田间及篱园。湖南各地均有分布。

资源情况 野生资源一般。药材主要来源于野生。

采收加工 开花后采收，晒干或鲜用。

功能主治 甘，平。清热解毒，宣肺平喘。用于感冒，风湿关节痛。

用法用量 内服煎汤，9 ~ 30 g。外用适量，捣敷。

附　　注 本种的拉丁学名在 FOC 中被修订为 *Gamochaeta pensylvanica* (Willdenow) Cabrera。

菊科 Asteraceae 鼠麴草属 *Gnaphalium*

多茎鼠麴草 *Gnaphalium polycaulon* Pers.

| 药 材 名 | 多茎鼠曲草（药用部位：全草。别名：田艾、狭叶鼠曲草、黄花艾）。

| 形态特征 | 一年生草本。茎多分枝，下部匍匐或斜升，具纵细纹，节间较短，长 1 ~ 1.5 cm。下部叶倒披针形，长 2 ~ 4 cm，宽 4 ~ 8 mm；中部和上部的叶较小，倒卵状长圆形或匙状长圆形。头状花序多数，在茎枝先端密集成穗状花序；总苞卵形，宽近 2 mm；总苞片 2 层，麦秆黄色或污黄色，膜质，外层长圆状披针形，长约 2 mm，先端短尖，背面中部以下沿脊处有淡红色条状增厚，被绵毛，内层线形，先端尖，基部稍弯曲，背面被疏毛或几无毛；花托干时平或仅于中央稍凹入，无毛；雌花多数，花冠丝状，长约 1.5 mm，先端 3 齿裂；两性花少数，花冠管状，长约 1.5 mm，向上渐扩大，檐部 5 浅裂，裂片先端尖，无毛。瘦果圆柱形，长约 0.5 mm，具乳头状突起；冠

毛绢毛状，污白色，基部分离，易脱落，长约 1.5 mm。花期 1 ~ 4 月。

| **生境分布** | 生于海拔 200 ~ 1 200 m 的耕地、草地或湿润山地。分布于湖南常德（临澧、武陵、澧县）、衡阳（祁东）、长沙（浏阳、长沙）、益阳（桃江）、永州（双牌）、郴州（宜章、汝城）、怀化（新晃）等。

| **资源情况** | 野生资源较少。药材主要来源于野生。

| **采收加工** | 开花后采收，晒干或鲜用。

| **功能主治** | 祛痰，止咳，平喘，祛风湿，止痢，利咽，消积。用于热痢，咽喉痛，小儿积食。

| **用法用量** | 内服煎汤，9 ~ 30 g。

菊科 Asteraceae 菊三七属 *Gynura*

红凤菜 *Gynura bicolor* (Willd.) DC.

| 药材名 | 紫背菜（药用部位：全草或茎、叶。别名：观音苋、红菜、血匹菜）。

| 形态特征 | 多年生草本，高 50 ~ 100 cm，全株无毛。茎直立，上部有伞房状分枝，干时有条棱。叶片倒卵形或倒披针形，长 5 ~ 10 cm，宽 2.5 ~ 4 cm，先端尖或渐尖，边缘有不规则的波状齿或小尖齿，稀近基部羽状浅裂，侧脉 7 ~ 9 对，弧状上弯，上面绿色，下面干时变紫色，两面无毛；上部和分枝上的叶小，披针形至线状披针形，具短柄或近无柄。头状花序多数直径 10 mm，在茎、枝端排列成疏伞房状；花序梗细；小花橙黄色至红色；花冠明显伸出总苞，长 13 ~ 15 mm，管部细，长 10 ~ 12 mm；裂片卵状三角形；花药基部圆形，或稍尖；花柱分枝钻形，被乳头状毛。瘦果圆柱形，淡褐色，长约 4 mm，具 10 ~ 15 肋，无毛；冠毛丰富，白色，绢毛状，易脱

落。花果期 5 ~ 10 月。

| 生境分布 | 生于海拔 600 ~ 1 500 m 的林下、岩石上或河边湿处。分布于湖南岳阳（华容）、常德（鼎城）、郴州（宜章、汝城）、永州（祁阳、冷水滩）、衡阳（常宁）、株洲（渌口）、长沙（浏阳）等。

| 资源情况 | 野生资源较少。药材主要来源于野生。

| 采收加工 | 全年均可采收，洗净，晒干或鲜用。

| 功能主治 | 甘、辛，凉。凉血止血，清热消肿。用于咯血，血崩，痛经，产后血气痛，支气管炎，盆腔炎，中暑，阿米巴痢疾；外用于创伤出血，溃疡久不收口，疔疮痈肿，甲沟炎。

| 用法用量 | 内服，干品 25 ~ 50 g，鲜品 100 ~ 200 g。外用适量，鲜品捣烂；或干品研末敷。

菊科 Asteraceae 菊三七属 *Gynura*

白子菜 *Gynura divaricata* (L.) DC.

药材名

白子菜（药用部位：全草。别名：鸡菜、白背三七、大肥牛、菊三七）。

形态特征

多年生草本，高 30 ~ 60 cm，茎直立。叶质厚，通常集中于下部；叶片卵形；叶柄长 0.5 ~ 4 cm，有短柔毛，基部有卵形或半月形具齿的耳；上部叶渐小，苞叶状。头状花序常呈叉状分枝；花序梗长 1 ~ 15 cm，被密短柔毛，具 1 ~ 3 线形苞片；总苞钟状，长 8 ~ 10 mm，宽 6 ~ 8 mm，基部有数个线状或丝状小苞片；总苞片 1 层，11 ~ 14，狭披针形，长 8 ~ 10 mm，宽 1 ~ 2 mm，先端渐尖，呈长三角形，边缘干膜质，背面具 3 脉，被疏短毛或近无毛；小花橙黄色，有香气，略伸出总苞；花冠长 11 ~ 15 mm，管部细，长 9 ~ 11 mm，上部扩大，裂片长圆状卵形，先端红色，尖；花药基部钝或微箭形；花柱分枝细，有锥形附器，被乳头状毛。瘦果圆柱形，长约 5 mm，褐色，具 10 肋，被微毛；冠毛白色，绢毛状，长 10 ~ 12 mm。花果期 8 ~ 10 月。

| 生境分布 | 生于海拔 200 ~ 700 m 的山坡，草地，荒坡和田边潮湿处。分布于湖南郴州（桂阳、嘉禾）、永州（江永）等。

| 资源情况 | 野生资源稀少。药材主要来源于野生。

| 采收加工 | 夏、秋季采集，洗净切片，鲜用或晒干。

| 功能主治 | 甘、淡，寒；有小毒。清热解毒，舒筋接骨，凉血止血，止咳，止痛。用于支气管肺炎，小儿高热，百日咳，目赤肿痛，风湿关节痛，崩漏；外用于跌打损伤，骨折，外伤出血，乳腺炎，疮疡疔肿，烫火伤。

| 用法用量 | 内服煎汤，15 ~ 25 g；或浸酒服。外用适量，鲜品捣敷。

| 附　　注 | 《海南植物志》将 *Gynura maclurei* Merr. 并入本种 *Gynura divancata* (L.) DC. 作为异名，认为其“叶片较薄、细脉，干时不显露而已”，但据张肇骞（1937）的记载，认为后者与本种近缘，叶两面被柔毛或疏短毛，叶脉不明显相区别。依据两者的毛被及细脉联结成黑色网的特征，应视为两个分立的种为宜。后者已被 F. Davies 并入山芥菊三七 *G. barbareifolia* Gagnep. 作为异名。

菊科 Asteraceae 菊三七属 *Gynura*

白凤菜 *Gynura formosana* Kitamura

| 药材名 | 白凤菜（药用部位：叶。别名：白红菜）。

| 形态特征 | 多年生草本，近葶状，高 25 ~ 50 cm。茎圆柱形下部平卧，上部直立，叶片椭圆形，匙形，稀提琴状浅裂，肉质，上部叶小，无柄，长圆形，羽状浅裂或披针形而具小齿，基部有假托叶，最上部叶极退化，线形或线状披针形，长 5 ~ 20 mm。头状花序 2 ~ 5，通常 3 花序在上端排成疏伞房状，直径 15 ~ 18 mm；花序梗细，长 5 ~ 7 cm，被短柔毛，有 1 ~ 3 苞片；总苞筒状，基部蛇螺形，基部有数个线形小苞片；总苞片 1 层，12 ~ 14，披针形，宽 1 ~ 1.5 mm，先端尖或渐尖，边缘干膜质，背面被疏短毛；花柱分枝先端有披针形附器，被乳头状微毛。瘦果圆柱形，长 4 ~ 4.5 mm，两端截形，具 10 肋，被微毛；冠毛多数，白色，绢毛状，长约

10 mm。花果期 5 ~ 7 月。

| **生境分布** | 栽培种，生于农田道路两侧及低山阴湿处。分布于湖南常德（澧县）、怀化（新晃）等。

| **资源情况** | 野生资源稀少。药材主要来源于野生。

| **采收加工** | 夏季采收，鲜用。

| **功能主治** | 用于蝎蜇伤。

| **用法用量** | 外用适量，鲜品捣烂；或干品研末敷。

菊科 Asteraceae 菊三七属 *Gynura*

菊三七 *Gynura japonica* (L. f.) Juel

药材名

菊三七（药用部位：根。别名：土三七、乌七、铁罗汉）、三七草（药用部位：全草或叶。别名：见肿消、散血草、白田七草）。

形态特征

多年生高大草本，高 60 ~ 150 cm，或更高。根粗大呈块状，直径 3 ~ 4 cm。基部叶在花期常枯萎。基部和下部叶较小，椭圆形，上面绿色，下面绿色或变紫色，两面被贴生短毛或近无毛；上部叶较小，羽状分裂，渐变成苞叶。头状花序多数，直径 1.5 ~ 1.8 cm，花茎枝端排列成伞房状圆锥花序；每 1 花序枝有 3 ~ 8 头状花序；花序梗细，被短柔毛；总苞狭钟状或钟状，长 10 ~ 15 mm，宽 8 ~ 15 mm；总苞片 1 层，13，线状披针形，长 10 ~ 15 mm，宽 1 ~ 1.5 mm，先端渐尖，边缘干膜质，背面无毛或被疏毛；小花 50 ~ 100；花冠黄色或橙黄色，长 13 ~ 15 mm，管部细，长 10 ~ 12 mm，上部扩大，裂片卵形，先端尖；花药基部钝；花柱分枝有钻形附器，被乳头状毛。瘦果圆柱形，棕褐色，长 4 ~ 5 mm，具 10 肋，肋间被微毛；冠毛丰富，白色，绢毛状，易脱落。花果期 8 ~ 10 月。

| 生境分布 | 生于海拔 1 200 m 以上的山谷、山坡草地、林下或林缘。湖南各地均有分布。

| 资源情况 | 野生资源一般。药材主要来源于野生。

| 采收加工 | **菊三七：**秋后地上部分枯萎时采挖，除尽残存的茎、叶及泥土，晒干或鲜用。

三七草：7 ~ 8 月间生长茂盛时采收，或随用随采。

| 功能主治 | **菊三七：**甘、苦，温。破血散瘀，止血，消肿。用于跌打损伤，创伤出血，吐血，产后血气痛。

三七草：甘，平。活血，止血，解毒。用于跌打损伤，衄血，咯血，吐血，乳痈，无名肿毒，毒虫蜇伤。

| 用法用量 | **菊三七：**内服煎汤，10 ~ 15 g；研末，2.5 ~ 5 g。外用捣敷。

三七草：内服煎汤，25 ~ 50 g；或捣汁。外用捣敷。

菊科 Asteraceae 菊三七属 *Gynura*

平卧菊三七 *Gynura procumbens* (Lour.) Merr.

| 药 材 名 | 蛇接骨（药用部位：全草。别名：平卧土三七、树三七、石三七）。

| 形态特征 | 多年生草本，高约 50 cm。茎下部倾斜，肉质，绿色或淡褐色，略具棱。叶互生，卵形或椭圆形，长 7 ~ 13 cm，宽 4.5 ~ 8 cm，先端渐尖，基部楔形，边缘有不规则浅锯齿，两面有短粗毛。头状花序排列成疏散的伞房花序式，顶生；总苞圆筒状，苞片 1 列，绿色，近基部附有数枚较小的短苞片；花全部管状，先端 5 裂，紫红色或鲜黄色；雄蕊 5；花柱基部小球状，柱头分叉，被毛。瘦果小，有棱线；冠毛多数。

| 生境分布 | 生于海拔 300 ~ 1 300 m 的林间溪旁坡地砂质土，攀缘于灌木或乔

木。分布于湖南株洲（芦淞）、永州（蓝山）等。

| 资源情况 | 野生资源稀少。药材主要来源于野生。

| 采收加工 | 全年均可采收，鲜用或晒干。

| 药材性状 | 本品长约 50 cm。茎下部弯曲，略肉质，绿褐色。叶片互生，多皱缩，完整叶片呈卵形或椭圆形，长 7 ~ 13 cm，宽 4.5 ~ 8 cm，先端渐尖，基部楔形，叶缘具不规则浅锯齿，两面具短粗毛。头状花序顶生。瘦果小。气微，味微辛。

| 功能主治 | 辛、苦，凉或平。散瘀消肿，消炎止咳。用于跌打挫伤，风湿关节痛，支气管肺炎，肺结核。

| 用法用量 | 内服煎汤，3 ~ 6 g。外用适量，捣敷。

菊科 Asteraceae 向日葵属 *Helianthus*

向日葵 *Helianthus annuus* L.

药材名 向日葵根（药用部位：根。别名：葵花根、向阳花根、朝阳花根）、向日葵茎髓（药用部位：茎髓。别名：向日葵茎心、向日葵瓤、葵花茎髓）、向日葵叶（药用部位：叶）、向日葵花（药用部位：花序。别名：葵花）、向日葵花托（药用部位：花托。别名：向日葵花盘）、向日葵壳（药用部位：果壳）、向日葵子（药用部位：种子。别名：天葵子、葵子）。

形态特征 一年生高大草本。茎直立，高1～3 m，粗壮，被白色粗硬毛，不分枝或有时上部分枝。叶互生，心状卵圆形或卵圆形，先端急尖或渐尖，有基出3脉，边缘有粗锯齿，两面被短糙毛，有长柄。头状花序极大，直径约10～30 cm，单生于茎端或枝端，常下倾；总苞片多层，叶质，覆瓦状排列，卵形至卵状披针形，先端尾状渐尖，

被长硬毛或纤毛；花托平或稍凸，有半膜质托片；舌状花多数，黄色，舌片开展，长圆状卵形或长圆形，不结实；管状花极多数，棕色或紫色，有披针形裂片，结果实。瘦果倒卵形或卵状长圆形，稍扁压，长 10 ~ 15 mm，有细肋，常被白色短柔毛，上端有 2 膜片状早落的冠毛。花期 7 ~ 9 月，果期 8 ~ 9 月。

| 生境分布 | 湖南各地广泛栽培。

| 资源情况 | 药材来源于栽培。

| 采收加工 | **向日葵根：**夏、秋季采挖，洗净，鲜用或晒干。

向日葵茎髓：秋季采收，鲜用或晒干。

向日葵叶：夏、秋季采收，鲜用或晒干。

向日葵花：夏季开花时采摘，鲜用或晒干。

向日葵花托：夏季开花时采摘，鲜用或晒干。

向日葵壳：全年剥取果仁，留壳用。

向日葵子：秋季果实成熟后，采摘花盘，晒干，打下果实，再晒干。

| 功能主治 | **向日葵根：**甘、淡，微寒。归胃、膀胱经。清热利湿，行气止痛。用于淋浊，水肿，带下，脘腹胀痛，跌打损伤。

向日葵茎髓：甘，平。归膀胱经。清热，利水，止咳，止带，透疹。用于小便涩痛，

带下，膏淋，疝气，百日咳，风疹。

向日葵叶：苦，凉。解毒，截疟，平肝。用于疟疾，疔疮。现代亦用于高血压。

向日葵花：苦，平。归肝经。祛风，平肝，利湿。用于头晕，耳鸣，小便淋沥。

向日葵花托：甘，温。清热，平肝，止痛，止血，除疮，透疹。用于头痛，眩晕，耳鸣，胃痛，痛经，崩漏，疮疹。

向日葵壳：苦，平。归肝经。清肝泻火。用于肝火上炎之耳鸣。

向日葵子：透疹，止痢，排脓。用于疹发不畅，血痢，现代亦用于慢性骨髓炎。

用法用量

向日葵根：内服煎汤，9 ~ 15 g，鲜者加量；或研末。外用适量，捣敷。

向日葵茎髓：内服煎汤，9 ~ 15 g。

向日葵叶：内服煎汤，25 ~ 30 g，鲜者加量。外用适量，捣敷。

向日葵花：内服煎汤，15 ~ 30 g。

向日葵花托：内服煎汤，40 ~ 50 g。

向日葵壳：内服煎汤，9 ~ 15 g。

向日葵子：内服煎汤，15 ~ 30 g。

菊科 Asteraceae 向日葵属 *Helianthus*

菊芋 *Helianthus tuberosus* L.

| 药 材 名 |

菊芋（药用部位：块茎、茎叶。别名：洋姜、洋芋头、番羌）。

| 形态特征 |

多年生草本，高 1 ~ 3 m，具块状地下茎。茎直立，上部分枝，被短糙毛或刚毛。基部叶对生，上部叶互生；叶柄上部有狭翅；叶片卵形至卵状椭圆形，长 10 ~ 15 cm，宽 3 ~ 9 cm，先端急尖或渐尖，基部宽楔形，边缘有锯齿，上面粗糙，下面被柔毛，具 3 脉。头状花序数个，生于枝端，直径 5 ~ 9 cm，有 1 ~ 2 线状披针形苞叶；总苞片披针形或线状披针形，开展；舌状花中性，淡黄色；管状花两性，花冠黄色、棕色或紫色，裂片 5。瘦果楔形；冠毛上端常有 2 ~ 4 具毛的扁芒。花期 8 ~ 10 月。

| 生境分布 |

湖生于路边、田野和草地、潮湿的河流和荒地。湖南各地均有栽培。

| 资源情况 |

野生资源稀少。药材主要来源于栽培。

| **采收加工** | 秋季采挖块茎，夏、秋季采收茎叶，鲜用或晒干。

| **功能主治** | 甘、微苦，凉。清热凉血，接骨。用于热病，肠热下血，跌打骨伤，消渴。

| **用法用量** | 内服煎汤，10 ~ 15 g；或块茎 1，生嚼服。

菊科 Asteraceae 泥胡菜属 *Hemisteptia*

泥胡菜 *Hemisteptia lyrata* (Bunge) Bunge

药材名

泥胡菜（药用部位：全草。别名：苦马菜、牛插鼻、猪兜菜）。

形态特征

二年生草本，高 30 ~ 80 cm。根圆锥形，肉质。茎直立，具纵沟纹，无毛或具白色蛛丝状毛。基生叶莲座状，具柄，倒披针形或倒披针状椭圆形，长 7 ~ 21 cm，提琴状羽状分裂，顶裂片三角形，较大，有时 3 裂，侧裂片 7 ~ 8 对，长椭圆状披针形，下面被白色蛛丝状毛；中部叶椭圆形，无柄，羽状分裂；上部叶条状披针形至条形。头状花序多数，有长梗；总苞球形，长 12 ~ 14 mm，宽 18 ~ 22 mm；总苞片 5 ~ 8 层，外层较短，卵形，中层椭圆形，内层条状披针形，各层总苞片背面先端具 1 紫红色鸡冠状附片；花紫色。瘦果椭圆形，长 2.5 mm，具 15 纵肋；冠毛白色，2 列，羽毛状。花期 5 ~ 6 月。

生境分布

生于海拔 1 500 m 以下的路旁、荒草丛中或水沟边。湖南各地均有分布。

| 资源情况 | 野生资源丰富。药材主要来源于野生。

| 采收加工 | 夏、秋季采集，洗净，鲜用或晒干。

| 药材性状 | 本品长 30 ~ 80 cm。茎具纵棱，光滑或略被绵毛。叶互生，多卷曲皱缩，完整叶片呈倒披针状卵圆形或倒披针形，羽状深裂。常有头状花序或球形总苞。瘦果圆柱形，长 2.5 mm，具纵棱及白色冠毛。气微，味微苦。

| 功能主治 | 苦，凉。清热解毒，消肿祛瘀，止血，活血。用于痔漏，痈肿疔疮，外伤出血。

| 用法用量 | 内服煎汤，9 ~ 15 g。外用适量，捣敷；或煎汤洗。

菊科 Asteraceae 狗娃花属 *Heteropappus*

狗娃花 *Heteropappus hispidus* (Thunb.) Less.

| 药 材 名 | 狗娃花（药用部位：根。别名：狗喳花、狗哇花、三十六样风）。

| 形态特征 | 一年生或二年生草本，高 30 ~ 150 cm。主根纺锤形。茎单生或数个丛生，被粗毛。叶互生；下部叶有长柄，倒卵形，长 4 ~ 13 cm，宽 0.5 ~ 1.5 cm，先端钝或圆形，基部渐狭，全缘或有疏齿，两面被疏毛或无毛，质薄；中部叶长圆状披针形或条形，较小，常全缘；上部叶小，条形。头状花序直径 3 ~ 5 cm，单生于枝端而排成伞房状；总苞半球形，长 7 ~ 10 mm，直径 10 ~ 20 mm；舌状花约 30，管部长约 2 mm，舌片浅红色或白色，条状长圆形；管状花有裂片 5，其中 1 裂片较长。瘦果倒卵形，扁，长 2.5 ~ 3 mm，宽约 1.5 mm，有细边肋，被密毛；冠毛在舌状花中极短，白色，膜片状，或部分带红色，糙毛状，在管状花中糙毛状，初白色，后带红色，与花冠

近等长。花果期 7 ~ 9 月。

| 生境分布 | 生于海拔 300 ~ 500 m 的荒地、路旁、林缘及草地。分布于湖南湘西州（吉首、永顺）等。

| 资源情况 | 野生资源稀少。药材主要来源于野生。

| 采收加工 | 夏、秋季采挖，洗净，鲜用或晒干。

| 功能主治 | 苦，凉。解毒消炎。用于疮肿，蛇咬伤。

| 用法用量 | 外用适量，捣敷。

| 附　　注 | 本种的拉丁学名在 FOC 中被修订为 *Aster hispidus* Thunb.。

菊科 Asteraceae 山柳菊属 *Hieracium*

山柳菊 *Hieracium umbellatum* L.

药材名

山柳菊（药用部位：全草或根。别名：伞花山柳菊、九里明、黄花母）。

形态特征

多年生草本，高 30 ~ 100 cm。茎直立，单生或少数簇生。基生叶及下部茎生叶花期脱落不存在；中上部茎生叶多数或极多数，互生，无柄，披针形至狭线形，基部狭楔形，上面无毛或被稀疏的蛛丝状柔毛，下面沿脉及边缘被硬刚毛；向上的叶渐小，与中上部茎生叶同形并具有相似的毛被。头状花序少数或多数，在茎枝先端排成伞房花序或伞房圆锥花序；总苞黑绿色，钟状，长 8 ~ 10 mm，总苞之下有或无小苞片，总苞片 3 ~ 4 层，向内渐长，外层及最外层披针形，长 3.5 ~ 4.5 mm，宽 0.8 ~ 1.2 mm，最内层线状长椭圆形，长 8 ~ 10 mm，宽 1 mm，全部总苞片先端急尖，外面无毛，有时基部被星状毛，极少沿中脉有单毛及具柄的头状腺毛；舌状小花黄色。瘦果黑紫色，长近 3 mm，圆柱形，向基部收窄，先端截形，有 10 高起的等粗的细肋，无毛；冠毛淡黄色，长约 6 mm，糙毛状。花果期 7 ~ 9 月。

| 生境分布 | 生于海拔 800 ~ 1 500 m 的山坡林缘、林下或草丛中、松林代木迹地及河滩沙地。分布于湖南怀化（通道）、湘西州（保靖）等。

| 资源情况 | 野生资源稀少。药材主要来源于野生。

| 采收加工 | 夏、秋季采收，洗净泥土，鲜用或晒干。

| 功能主治 | 苦，凉。清热解毒，利湿消积。用于痈肿疮疖，尿路感染，腹痛积块，痢疾。

| 用法用量 | 内服煎汤，9 ~ 15 g。外用适量，捣敷。

菊科 Asteraceae 旋覆花属 *Inula*

欧亚旋覆花 *Inula britannica* L.

| 药 材 名 |

旋覆花（药用部位：花序。别名：六月菊、金钱花、驴儿菜）、旋覆花根（药用部位：根）、金佛草（药用部位：茎、叶。别名：金沸草、白芷胡、毛柴胡）。

| 形态特征 |

多年生直立草本。茎高 20 ~ 60 cm，上部有伞房状分枝，稀不分枝，有平伏毛。基生叶及下部叶较小，中部叶披针形、长椭圆状披针形或长圆形，长 5 ~ 10 cm，宽 1 ~ 3 cm，先端锐尖，基部急狭，无柄或半抱茎，全缘，两面有疏毛。头状花序直径 2.5 ~ 3 cm，多个排成伞房花序；总苞半球形，绿黄色；舌状花 1 层，黄色；管状花多数，密集。花期 7 ~ 10 月，果期 8 ~ 11 月。

| 生境分布 |

生于海拔 1 000 ~ 1 100 m 的山野、草甸、河岸、阴湿山坡、田埂或路旁。分布于湖南株洲（渌口）等。湖南各地偶见栽培。

| 资源情况 |

野生资源稀少。药材来源于野生和栽培。

| 采收加工 | **旋覆花：**夏、秋季采摘即将开放的花序，晒干。

旋覆花根：秋季采挖，洗净，晒干。

金佛草：夏、秋季采收，鲜用或晒干。

| 功能主治 | **旋覆花：**苦、辛、咸，微温。归肺、脾、胃、大肠经。降气，消痰，行水，止呕。用于风寒咳嗽，痰饮蓄结，胸膈痞满，咳喘痰多，呕吐嗳气，心下痞硬。

旋覆花根：咸，温。祛风湿，平喘咳，解毒生肌。用于风湿痹痛，喘咳，疔疮。

金佛草：咸，温。归肺、大肠经。散风寒，化痰饮，消肿毒，祛风湿。用于风寒咳嗽，伏饮痰喘，胁下胀痛，疔疮肿毒，风湿疼痛。

| 用法用量 | **旋覆花：**内服煎汤，3 ~ 9 g。

旋覆花根：内服煎汤，9 ~ 15 g。外用适量，捣敷。

金佛草：内服煎汤，3 ~ 9 g；或鲜品捣汁。外用适量，捣敷；或煎汤洗。

菊科 Asteraceae 旋覆花属 *Inula*

羊耳菊 *Inula cappa* (Buch.-Ham.) DC.

药材名

白牛胆（药用部位：全草。别名：毛柴胡、白面风、土蒙花）、白牛胆根（药用部位：根。别名：山白芷、铁杆香、白面风根）。

形态特征

亚灌木，高 70 ~ 200 cm。根茎粗壮，多分枝。茎直立，粗壮，被污白色或浅褐色绢状或绵状密茸毛，上部或从中部起有分枝，下部有花期叶脱落后残留的被白色或污白色绵毛的腋芽。叶互生；中部叶有长约 0.5 cm 的柄；叶片长圆形或长圆状披针形，中部叶长 10 ~ 16 cm，先端钝或急尖，基部圆形或近楔形，边缘有具小尖头的细齿或浅齿，上面被基部疣状的密糙毛，中脉毛较密，下面被白色或污白色绢状厚茸毛。头状花序倒卵形，直径 5 ~ 8 mm，多数密集于茎和枝端，呈聚伞圆锥状；总苞片 5 层，外层较内层短 3 ~ 4 倍，被白色或带褐色茸毛；小花黄色，长 4 ~ 5.5 mm，外围花舌片短小或无舌片，中央管状花狭漏斗状。瘦果长圆柱形，被白色长绢毛，冠毛褐黄色，与管状花近等长，有约 50 糙毛。花期 6 ~ 10 月，果期 8 ~ 12 月。

| 生境分布 | 生于海拔 500 m 以上的亚热带和热带的低山、亚高山的湿润或干燥丘陵地、荒地、灌丛、草地。湖南各地均有分布。

| 资源情况 | 野生资源丰富。药材主要来源于野生。

| 采收加工 | **白牛胆：**全年均可采收，鲜用或晒干。

白牛胆根：立夏后采挖，洗净，鲜用或晒干。

| 药材性状 | **白牛胆：**本品长 90 ~ 150 cm。茎圆柱形，少分枝，直径 0.3 ~ 1 cm，表面灰褐色至暗褐色，有细纵纹及凸起的椭圆形皮孔，叶痕明显，半月形，皮层易剥离；质硬，易折断，断面不平坦。叶片易脱落，常卷曲，展开后呈狭短圆形或近倒卵形，长 7 ~ 9 cm，宽 1.5 ~ 2 cm，边缘有小锯齿，先端渐尖或钝形，基部浑圆形或广楔形，上表面黄绿色，具黄色粗毛，下表面黄白色，被白色绢毛。偶带顶生或腋生的由头状花序组成的伞房花序；花小，为舌状花和管状花。瘦果具棱，有冠毛。气香，味辛、微苦。以茎粗壮、叶多者为佳。

白牛胆根：本品头部常残留短小地上茎，呈圆柱形，有分枝，长 2 ~ 5 cm，直径 0.3 ~ 1.5 cm。表面灰黑色或黑褐色，有稀疏须根或须根脱落残痕。根皮薄，刮去表皮呈灰褐色，有油性。质坚硬，切面木质部灰黄色，散在黄色油点，根头部中央有髓，呈海绵状。有特殊香气，用物刮擦根部嗅之气更香。味辛、微苦。以根条粗壮、残茎短小、气芳香者为佳。

功能主治

白牛胆：辛、微苦，温。祛风，利湿，行气，化滞。用于风湿关节疼痛，胸膈痞闷，疟疾，痢疾，泄泻，产后感冒，肝炎，痔疮，疥癣。

白牛胆根：辛、甘，温。祛风散寒，止咳定喘，行气止痛。用于风寒感冒，咳嗽，哮喘，头痛，牙痛，胃痛，疝气，风湿痹痛，跌打损伤，月经不调，带下，肾炎性水肿。

用法用量

白牛胆：内服煎汤，15 ~ 30 g。外用适量，捣敷；或煎汤洗。

白牛胆根：内服煎汤，15 ~ 30 g。外用适量，研末撒敷。

菊科 Asteraceae 旋覆花属 *Inula*

土木香 *Inula helenium* L.

| 药材名 | 土木香（药用部位：根。别名：青木香、祁木香）。

| 形态特征 | 多年生草本，高 60 ~ 250 cm。根茎块状。茎直立，粗壮。茎基部叶较疏，叶片椭圆状披针形，长 10 ~ 40 cm，宽 10 ~ 25 cm，先端尖，边缘有不规则的齿或重齿，叶脉在下面稍隆起，网脉明显；中部叶卵圆状披针形或长圆形，较小，基部心形，半抱茎；上部叶披针形，小。头状花序少数，直径 6 ~ 8 cm，排列成伞房状花序或总状花序；花序梗从极短到长达 12 cm，为多数苞叶围裹；总苞片 5 ~ 6 层，外层草质，宽卵圆形，先端钝，常反折，被茸毛，宽 6 ~ 9 mm，内层长圆形，先端扩大成卵圆状三角形，干膜质，背面具疏毛，有缘毛，较外层长达 3 倍，最内层线形，先端稍扩大或狭尖；舌状花黄色，舌片线形，长 2 ~ 3 cm，宽 2 ~ 2.5 mm；管状花长 9 ~ 10 mm，有

披针形裂片。瘦果四面形或五面形，长 3 ~ 4 mm，无毛。花期 6 ~ 9 月。

| 生境分布 | 湖南各地均有栽培。

| 资源情况 | 野生资源稀少。药材主要来源于栽培。

| 采收加工 | 霜降后叶枯时采挖，除去茎叶、须根及泥土，切段，较粗的纵切成瓣，晒干。

| 药材性状 | 本品呈圆锥形，略弯曲，长 5 ~ 20 cm。表面黄棕色或暗棕色，有纵皱纹及须根痕。根头粗大，先端有凹陷的茎痕及叶鞘残基，周围有圆柱形支根。质坚硬，不易折断，断面略平坦，黄白色至浅灰黄色，有凹点状油室。气微香，味苦、辛。

| 功能主治 | 辛、苦，温。归肝、脾经。健脾和胃，调气解郁，止痛安胎。用于胸胁、脘腹胀痛，呕吐泻痢，胸胁挫伤，岔气作痛，胎动不安。

| 用法用量 | 内服入丸、散剂，3 ~ 9 g。

| 附　　注 | 本种为《中华人民共和国药典》（2020 年版）土木香的基原植物。

菊科 Asteraceae 旋覆花属 *Inula*

旋覆花 *Inula japonica* Thunb.

|药 材 名|

旋覆花（药用部位：花序。别名：六月菊、金钱花、驴儿菜）、旋覆花根（药用部位：根）、金佛草（药用部位：茎、叶。别名：金沸草、白芷胡、毛柴胡）。

|形态特征|

多年生草本。根茎短，横走或斜升，有多少粗壮的须根。茎单生；节间长 2 ~ 4 cm。基部叶常较小，在花期枯萎；中部叶长圆形、长圆状披针形或披针形，长 4 ~ 13 cm，宽 1.5 ~ 3.5 cm，稀达 4 cm；上部叶渐狭小，线状披针形。头状花序直径 3 ~ 4 cm，多数或少数排列成疏散的伞房花序；花序梗细长；总苞半球形，直径 13 ~ 17 mm，长 7 ~ 8 mm，总苞片约 6 层，线状披针形，近等长，但最外层常叶质而较长，外层基部革质，上部叶质，背面有伏毛或近无毛，有缘毛，内层除绿色中脉外干膜质，渐尖，有腺点和缘毛；舌状花黄色，较总苞长 2 ~ 2.5 倍，舌片线形，长 10 ~ 13 mm；管状花花冠长约 5 mm，有三角状披针形裂片；冠毛 1 层，白色，有超过 20 微糙毛，与管状花近等长。瘦果长 1 ~ 1.2 mm，圆柱形，有 10 沟，先端截形，被疏短毛。花期 6 ~ 10

月，果期 9 ~ 11 月。

| 生境分布 | 生于海拔 150 ~ 1 200 m 的山坡路旁、湿润草地、河岸和田埂上。湖南各地均有分布。

| 资源情况 | 野生资源较丰富。药材来源于野生和栽培。

| 采收加工 | **旋覆花：**夏、秋季采摘即将开放的花序，晒干。

旋覆花根：秋季采挖，洗净，晒干。

金佛草：夏、秋季采收，鲜用或晒干。

| 药材性状 | 本品呈扁球形或类球形，直径 1 ~ 2 cm。总苞由多数苞片组成，呈覆瓦状排列，苞片披针形或条形，灰黄色，长 4 ~ 11 mm；总苞基部有时残留花梗，苞片及花梗表面被白色茸毛。舌状花 1 列，黄色，长约 1 cm，多卷曲，常脱落，先端 3 齿裂；管状花多数，棕黄色，长约 5 mm，先端 5 齿裂；子房先端有多数白色冠毛，长 5 ~ 6 mm。有的可见椭圆形小瘦果。体轻，易散碎。气微，味微苦。

| 功能主治 | **旋覆花：**苦、辛、咸，微温。归肺、脾、胃、大肠经。降气，消痰，行水，止呕。用于风寒咳嗽，痰饮蓄结，胸膈痞满，咳喘痰多，呕吐嗳气，心下痞硬。

旋覆花根：咸，温。祛风湿，平喘咳，解毒生肌。用于风湿痹痛，喘咳，疔疮。

金佛草：咸，温。归肺、大肠经。散风寒，化痰饮，消肿毒，祛风湿。用于风寒咳嗽，伏饮痰喘，胁下胀痛，疔疮肿毒，风湿疼痛。

| 用法用量 | **旋覆花：**内服煎汤，3 ~ 9 g。

旋覆花根：内服煎汤，9 ~ 15 g。外用适量，捣敷。

金佛草：内服煎汤，3 ~ 9 g；或鲜品捣汁。外用适量，捣敷；或煎汤洗。

| 附　　注 | 本种为《中华人民共和国药典》（2020 年版）旋覆花的基原植物。

菊科 Asteraceae 旋覆花属 *Inula*

线叶旋覆花 *Inula linariifolia* Turcz.

| 药材名 |

旋覆花（药用部位：花序。别名：六月菊、金钱花、驴儿菜）、金佛草（药用部位：茎、叶。别名：金沸草、白芷胡、毛柴胡）。

| 形态特征 |

多年生草本。茎被柔毛，上部常被长毛，兼有腺体。基部叶和下部叶线状披针形，有时椭圆状披针形，长 5 ~ 15 cm，下部渐窄成长柄，边缘常反卷，有不明显小齿，上面无毛，下面有腺点，被蛛丝状柔毛或长伏毛；中部叶渐无柄；上部叶线状披针形或线形。头状花序直径 1.5 ~ 2.5 cm，单生于枝端或 3 ~ 5 排成伞房状；总苞半球形，长 5 ~ 6 mm，总苞片约 4 层，线状披针形，上部叶质，下部革质，被腺和柔毛，有时最外层叶状，较总苞稍长，内层较窄，干膜质，有缘毛；舌状花较总苞长 2 倍，舌片黄色，长圆状线形；管状花有尖三角形裂片；冠毛白色，与管状花花冠等长，有多数微糙毛。瘦果圆柱形，有细沟，被粗毛。花果期 7 ~ 10 月。

| 生境分布 |

生于海拔 150 ~ 500 m 的山坡、荒地、路旁、河岸。分布于湖南娄底（冷水江）、湘西州

（保靖）等。

| 资源情况 | 野生资源稀少。药材主要来源于野生。

| 采收加工 | **旋覆花：**夏、秋季采摘即将开放的花序，晒干。

金佛草：夏、秋季采收，鲜用或晒干。

| 药材性状 | **旋覆花：**本品呈扁球形或类球形，总苞由多数苞片组成，苞片呈覆瓦状排列，披针形或条形，灰黄色，总苞基部有时残留花梗，苞片及花梗表面被白色茸毛。舌状花 1 列，黄色，长约 1 cm，多卷曲，常脱落，先端 3 齿裂；管状花多数，棕黄色，长约 5 mm，先端 5 齿裂；子房先端有多数白色冠毛，长 5 ~ 6 mm。有的可见椭圆形小瘦果。体轻，易散碎。气微，味微苦。

金佛草：本品茎呈圆柱形，长 30 ~ 60 cm，直径 2 ~ 5 mm，表面绿褐色或暗棕色，有多数细纵纹；质脆，断面黄白色，纤维状，髓部中空。叶互生，叶片披针形或长圆形，多破碎，绿黑色或绿灰色，基部渐狭，全缘或有疏齿；叶脉在背面隆起，中脉 1，侧脉 8 ~ 13 对。有时可见茎端生有扁球形的干燥头状花序，直径 1 ~ 1.5 cm。气微，味苦。

| 功能主治 | **旋覆花：**苦、辛、咸，微温。归肺、脾、胃、大肠经。降气，消痰，行水，止呕。用于风寒咳嗽，痰饮蓄结，胸膈痞满，咳喘痰多，呕吐嗳气，心下痞硬。

金佛草：咸，温。归肺、大肠经。散风寒，化痰饮，消肿毒，祛风湿。用于风寒咳嗽，伏饮痰喘，胁下胀痛，疔疮肿毒，风湿疼痛。

| 用法用量 | **旋覆花：**内服煎汤，3 ~ 9 g。

金佛草：内服煎汤，3 ~ 9 g；或鲜品捣汁。外用适量，捣敷；或煎汤洗。

菊科 Asteraceae 小苦荬属 *Ixeridium*

中华小苦荬 *Ixeridium chinense* (Thunb.) Tzvel.

| 药 材 名 | 中华苦荬菜（药用部位：全草。别名：苦菜、山苦荬、小苦苣）。

| 形态特征 | 多年生草本，高 5 ~ 47 cm。茎直立单生或少数簇生。基生叶长椭圆形、倒披针形、线形或舌形，先端钝、急尖或向上渐窄，基部渐狭成有翼的短柄或长柄；茎生叶 2 ~ 4，极少 1 或无，两面无毛。头状花序通常在茎枝先端排成伞房花序，有舌状小花 21 ~ 25；总苞圆柱状，长 8 ~ 9 mm，总苞片 3 ~ 4 层，外层及最外层宽卵形，长 1.5 mm，宽 0.8 mm，先端急尖，内层长椭圆状倒披针形，长 8 ~ 9 mm，宽 1 ~ 1.5 mm，先端急尖；舌状小花黄色，干时带红色。瘦果褐色，长椭圆形，长 2. 2 mm，宽 0.3 mm，有 10 高起的钝肋，肋上有上指的小刺毛，先端急尖成细喙，喙细丝状，长 2.8 mm；冠毛白色，微糙，长 5 mm。花果期 1 ~ 10 月。

生境分布 生于海拔 1 000 m 以下的山坡路旁、田野、河边灌丛或岩石缝隙中。分布于湖南长沙（芙蓉、天心）、永州（冷水滩）等。

资源情况 野生资源稀少。药材主要来源于野生。

采收加工 7 ~ 8 月采收，洗净，鲜用或晒干。

功能主治 清热解毒，泻火，凉血止血，调经，活血，去腐排脓生肌。用于无名肿毒，阴囊湿疹，风热咳嗽，泄泻，痢疾，吐血，衄血，黄水疮，跌打损伤，骨折。

用法用量 内服煎汤，10 ~ 15 g；或研末，3 g。外用适量，捣敷；或研末调涂；或煎汤熏洗。

菊科 Asteraceae 小苦荬属 *Ixeridium*

小苦荬 *Ixeridium dentatum* (Thunb.) Tzvel.

| 药 材 名 | 小苦荬（药用部位：全草。别名：齿缘苦荬菜）。

| 形态特征 | 多年生草本，高 10 ~ 50 cm。茎直立，单生，全部茎枝无毛。基生叶长倒披针形、长椭圆形、椭圆形，长 1.5 ~ 15 cm，宽不足 1.5 cm，不分裂，先端急尖或钝，有小尖头，全缘，但通常中下部边缘或仅基部边缘有稀疏的缘毛状或长尖头状锯齿；全部叶两面无毛。头状花序多数，在茎枝先端排成伞房状花序，花序梗细；总苞圆柱状，长 7 ~ 8 mm，总苞片 2 层，外层宽卵形，长 1.5 mm，宽不足 1 mm，内层长椭圆形，长 7 ~ 8 mm，宽不超过 1 mm，先端急尖；舌状小花 5 ~ 7，黄色，少白色。瘦果纺锤形，长 3 mm，宽 0.6 ~ 0.7 mm，稍压扁，褐色，有 10 细肋或细脉，先端渐狭成长 1 mm 的细喙，喙细丝状，上部沿脉有微刺毛；冠毛麦秆黄色或黄褐

色，长 4 mm，微糙毛状。花果期 4 ~ 8 月。

| 生境分布 | 生于海拔 380 ~ 1 050 m 的山坡、山坡林下、潮湿处或田边。分布于湖南常德（临澧、汉寿）、株洲（荷塘）、邵阳（大祥、新宁）、张家界（武陵源）、郴州、北湖、桂阳、嘉禾、汝城）、益阳（沅江）、怀化（鹤城）、湘西州（泸溪）等。

| 资源情况 | 野生资源一般。药材主要来源于野生。

| 采收加工 | 7 ~ 8 月采收，洗净，鲜用或晒干。

| 功能主治 | 活血止血，排脓祛瘀。用于痈肿疮毒。

| 用法用量 | 内服煎汤，10 ~ 15 g。外用适量，捣敷；或研末调涂；或煎汤熏洗。

菊科 Asteraceae 小苦荬属 *Ixeridium*

细叶小苦荬 *Ixeridium gracile* (DC.) Shih

| 药 材 名 |

粉苞苣（药用部位：全草。别名：细叶苦菜）。

| 形态特征 |

多年生草本，高 10 ~ 70 cm。根茎极短。茎直立，上部伞房花序状分枝或自基部分枝，全部茎枝无毛。基生叶长椭圆形、线状长椭圆形、线形或狭线形，长 4 ~ 15 cm，宽 0.4 ~ 1 cm，向两端渐狭，基部有长或短的狭翼柄；茎生叶少数，狭披针形、线状披针形或狭线形，上部渐狭，基部无柄；全部叶两面无毛，全缘。头状花序多数在茎枝先端排成伞房花序或伞房圆锥花序，含舌状小花 6，花序梗极纤细；总苞极小，圆柱状，长 6 mm，总苞片 2 层，外层 2 ~ 3，极小，卵形，长不足 1 mm，宽不足 0.5 mm，内层长，线状长椭圆形，长 6 mm，宽 0.8 mm。瘦果褐色，长圆锥状，长 3 mm，有细肋或细脉 10，向先端渐成细丝状的喙，喙弯曲，长 1 mm；冠毛褐色或淡黄色，微糙毛状，长 3 mm。花果期 3 ~ 10 月。

| 生境分布 |

生于海拔 500 ~ 1 500 m 的山坡或山谷林缘、

林下、田间、荒地或草甸。分布于湖南永州（零陵）、怀化（洪江）、衡阳（珠晖）、娄底（新化）、湘西州（泸溪、永顺、保靖）、岳阳（平江）、常德（石门）等。

| 资源情况 | 野生资源较少。药材主要来源于野生。

| 采收加工 | 7 ~ 8 月采收，洗净，鲜用或晒干。

| 药材性状 | 本品长 10 ~ 30 cm。茎单一或基部分枝。叶互生，皱缩，完整叶展平后呈条状披针形或长条形，长 4 ~ 15 cm，宽 5 ~ 9 mm，全缘，几无柄。头状花序排列成聚伞状。瘦果纺锤形，棕褐色，具棱，喙短，长约 1 mm。气微，味苦。

| 功能主治 | 苦，微寒。清热解毒，止痛。用于黄疸性肝炎，结膜炎，疖肿。

| 用法用量 | 内服煎汤，6 ~ 12 g。外用适量，捣敷。

菊科 Asteraceae 小苦荬属 *Ixeridium*

抱茎小苦荬 *Ixeridium sonchifolium* (Maxim.) Shih

| 药 材 名 |

苦碟子（药用部位：全草。别名：苦荬菜、满天星）。

| 形态特征 |

多年生草本。茎上部分枝，茎枝无毛。基生叶莲座状，匙形、长倒披针形或长椭圆形，连基部渐窄的宽翼柄长 3 ~ 15 cm，不裂或大头羽状深裂，顶裂片近圆形、椭圆形或卵状椭圆形，侧裂片 3 ~ 7 对，半椭圆形、三角形或线形；中下部茎生叶长椭圆形、匙状椭圆形、倒披针形或披针形，羽状浅裂或半裂，基部心形或耳状抱茎；上部叶心状披针形，多全缘，基部心形或圆耳状抱茎；叶两面无毛。头状花序排成伞房花序或伞房圆锥花序；总苞圆柱形，长 5 ~ 6 mm，总苞片背面无毛；舌状小花黄色。瘦果黑色，纺锤形，有钝肋 10，上部沿肋有小刺毛，细丝状喙长 0.8 mm；冠毛白色。花果期 3 ~ 5 月。

| 生境分布 |

生于海拔 100 ~ 1 200 m 的山坡、平原路旁、林下、河滩或岩缝中。湖南各地均有分布。

资源情况 野生资源一般。药材主要来源于野生。

采收加工 5 ~ 7 月采收，洗净，鲜用或晒干。

药材性状 本品长短不一。根呈倒圆锥形，具少数分枝。茎呈细长圆柱形，上部具分枝，直径 1.5 ~ 4 mm，表面绿色、深绿色至黄棕色，有纵棱，无毛，节明显；质较脆，易折断，折断时有粉末飞出，断面略呈纤维性，外圈黄绿色，髓部白色。叶互生，多皱缩、破碎，完整叶展平后呈卵状长圆形，长 2 ~ 5 cm，宽 0.5 ~ 2 cm，先端急尖，基部耳状抱茎。头状花序密集成伞房状，有细梗；总苞片 2 层；舌状花黄色，雄蕊 5，雌蕊 1，柱头 2 裂，子房上端具多数白色丝状冠毛。瘦果黑色，类纺锤形。气微，味微甘、苦。

功能主治 苦、辛，平。止痛消肿，清热解毒。用于头痛，牙痛，胃痛，术后疼痛，跌打伤痛，阑尾炎，肠炎，肺脓肿，咽喉肿痛，痈肿疮疖。

用法用量 内服煎汤，9 ~ 15 g；或研末。外用适量，煎汤熏洗；或研末调敷；或捣敷。

菊科 Asteraceae 苦荬菜属 *Ixeris*

黄瓜菜 *Ixeris denticulata* (Houtt.) Stebb.

| 药 材 名 | 秋苦荬菜（药用部位：全草。别名：盘儿草、土蒲公英、苦荬）。

| 形态特征 | 一年生或二年生草本，高 30 ~ 80 cm，无毛。茎直立，多分枝，紫红色。基生叶丛生，花期枯萎，卵形、长圆形或披针形，长 5 ~ 10 cm，宽 2 ~ 4 cm，先端急尖，基部渐窄成柄，边缘波状齿裂或羽状分裂，裂片边缘具细锯齿；茎生叶互生，舌状卵形，无柄，长 4 ~ 8 cm，宽 1 ~ 4 cm，先端急尖，基部微抱茎，耳状，边缘具不规则锯齿。头状花序排成伞房状，具细梗；总苞长约 7 mm，外层总苞片小，长约 1 mm，内层总苞片 5，条状披针形；花全为舌状花，黄色，长 6 ~ 9 mm，舌片长 4 ~ 6 mm，先端 5 齿裂。瘦果黑褐色，纺锤形，稍扁平，长 1 ~ 2 mm，喙长约 0.8 mm；冠毛白色。花期 4 ~ 6 月，果期 7 ~ 10 月。

| 生境分布 | 生于海拔 1 200m 以下的山坡、田野、路旁。分布于湘西南、湘南等。

| 资源情况 | 野生资源一般。药材主要来源于野生。

| 采收加工 | 春季采收，鲜用或阴干。

| 药材性状 | 本品长约 50 cm。茎呈圆柱形，直径 1 ~ 4 mm，多分枝，光滑无毛，有纵棱，表面紫红色至青紫色；质硬而脆，断面髓部呈白色。叶皱缩，完整者展开后呈舌状卵形，长 4 ~ 8 cm，宽 1 ~ 4 cm，先端急尖，基部耳状，微抱茎，边缘具不规则锯齿，无毛，表面黄绿色。头状花序着生于枝顶，黄色，冠毛白色，总苞圆筒形。果实纺锤形或圆形，稍扁平。气微，味苦、微酸、涩。

| 功能主治 | 苦，凉。清热解毒，消肿止痛。用于痈疖肿毒，乳痈，咽喉肿痛，黄疸，痢疾，淋证，带下，跌打损伤。

| 用法用量 | 内服煎汤，9 ~ 15 g，鲜品 30 ~ 60 g。外用适量，捣敷；或研末调搽；或煎汤洗或含漱。

| 附　　注 | 本种的拉丁学名在 FOC 中被修订为 *Crepidiastrum denticulatum* (Houttuyn) Pak & Kawano，本种的中文名在 FOC 中被修订为黄瓜假还阳参。

菊科 Asteraceae 苦荬菜属 *Ixeris*

剪刀股 *Ixeris japonica* (Burm. f.) Nakai

| 药 材 名 | 剪刀股（药用部位：全草。别名：鸭舌草、假蒲公英、鹅公英）。

| 形态特征 | 多年生草本，高 10 ~ 30 cm，无毛，具匍匐茎。基生叶莲座状，叶基部下延成叶柄，叶片匙状倒披针形至倒卵形，长 5 ~ 25 cm，宽 1 ~ 3 cm，先端钝，基部下延，全缘或具疏锯齿，或下部羽状分裂；茎生叶仅 1 ~ 2，全缘，无叶柄。头状花序 1 ~ 6，有梗；总苞片长 1 ~ 1.5 cm，外层总苞片卵形，内层总苞片约 8，长圆状披针形，先端钝；舌状花黄色，长约 5 mm。瘦果成熟后红棕色，长 5 ~ 6 mm，喙长 2 ~ 3 mm；冠毛白色，长 5 ~ 7 mm。花期 4 ~ 5 月。

| 生境分布 | 生于路旁、田边、河边及荒地上。分布于湖南株洲（石峰、渌口）、湘潭（雨湖）、衡阳（祁东）、邵阳（新宁）、岳阳（云溪）、常德（汉

寿、澧县）、郴州（苏仙、临武）、永州（祁阳、东安、蓝山）、怀化（新晃）、娄底（娄星）等。

| 资源情况 | 野生资源一般。药材主要来源于野生。

| 采收加工 | 春季采收，洗净，鲜用或晒干。

| 药材性状 | 本品主根圆柱形或纺锤形，表面灰黄色至棕黄色。叶基生，多破碎或皱缩卷曲，完整者展平后呈匙状倒披针形，长 5 ~ 15 cm，宽 1.5 ~ 3 cm，先端钝，基部下延成叶柄，全缘或具稀疏的锯齿，或羽状深裂。茎上常有不完整的头状花序或总苞。长圆形瘦果偶见，扁平。气微，味苦。

| 功能主治 | 苦，寒。归胃、肾经。清热解毒，利水消肿。用于肺脓肿，咽痛，目赤，乳腺炎，痈疽疮疡，水肿，小便不利。

| 用法用量 | 内服煎汤，10 ~ 15 g。外用适量，捣敷。

菊科 Asteraceae 苦荬菜属 *Ixeris*

苦荬菜 *Ixeris polycephala* Cass.

| 药 材 名 | 多头苦荬（药用部位：全草。别名：黄花山鸭舌草）。

| 形态特征 | 一年生草本。根垂直直伸，生多数须根。茎直立，高 10 ~ 80 cm，上部伞房花序状分枝，全部茎枝无毛。基生叶花期生存，线形或线状披针形；中下部茎生叶披针形或线形，先端急尖；全部叶两面无毛，全缘，极少下部叶边缘有稀疏的小尖头。头状花序多数，在茎枝先端排成伞房状花序；总苞圆柱状，长 5 ~ 7 mm，果期扩大成卵球形，总苞片 3 层，外层及最外层极小，卵形，长 0.5 mm，宽 0.2 mm，先端急尖，内层卵状披针形，长 7 mm，宽 2 ~ 3 mm，先端急尖或钝，外面近先端有鸡冠状突起；舌状小花 10 ~ 25，黄色，极少白色。瘦果扁平，褐色，长椭圆形，长 2.5 mm，宽 0.8 mm，无毛，有 10 高起的尖翅肋，先端急尖成长 1.5 mm 的喙，喙细丝状；冠毛白色，

纤细，微糙，不等长，长达 4 mm。花果期 3 ~ 6 月。

| 生境分布 | 生于海拔 900 m 以下的山坡林缘、灌丛、草地、田野路旁。湖南各地均有分布。

| 资源情况 | 野生资源较丰富。药材主要来源于野生。

| 采收加工 | 夏季采收，洗净，鲜用或晒干。

| 药材性状 | 本品长 15 ~ 30 cm。完整基生叶展平后呈线状披针形，长 8 ~ 20 cm，宽 5 ~ 13 cm，全缘或具短尖齿，稀羽状分裂；茎生叶椭圆状披针形或披针形，长 5 ~ 15 cm，宽 7 ~ 14 mm。瘦果有翅肋；喙长约 1 mm。气微，味苦。

| 功能主治 | 苦、甘，凉。清热，解毒，利湿。用于咽痛，目赤肿痛，阑尾炎，疔疮肿毒。

| 用法用量 | 内服煎汤，9 ~ 15 g，鲜品 30 ~ 45 g。外用适量，鲜品捣敷。

菊科 Asteraceae 马兰属 *Kalimeris*

马兰 *Kalimeris indica* (L.) Sch.-Bip.

药材名 马兰（药用部位：全草或根。别名：路边菊、蓑衣莲、田边菊）。

形态特征 多年生草本，高 30 ~ 70 cm。根茎有匍枝。茎直立，上部有短毛，上部或从下部起有分枝。叶互生，基部渐狭成具翅的长柄，叶片倒披针形或倒卵状长圆形，先端钝或尖，边缘从中部以上具有小尖头的钝齿或尖齿，或有羽状裂片，两面或上面具疏微毛或近无毛，薄质，上面叶小，无柄，全缘。头状花序单生于枝端并排列成疏伞房状；总苞半球形，直径 6 ~ 9 mm，长 4 ~ 5 mm，总苞片 2 ~ 3 层，覆瓦状排列，外层倒披针形，长约 2 mm，内层倒披针状长圆形，长达 4 mm，先端钝或稍尖，上部草质，有疏短毛，边缘膜质，具缘毛；舌状花 15 ~ 20，管部长 1.5 ~ 1.7 mm，舌片浅紫色；管状花长 3.5 mm，管部长约 1.5 mm，被短毛。瘦果倒卵状长圆形，极扁，

长 1.5 ~ 2 mm，直径约 1 mm；冠毛长 0.1 ~ 0.8 mm，易脱落，不等长。花期 5 ~ 9 月，果期 8 ~ 10 月。

| 生境分布 | 生于海拔 80 ~ 1 800 m 的山坡、林缘、草丛、山谷、山沟、河谷两岸、路旁及田边。湖南各地均有分布。

| 资源情况 | 野生资源丰富。药材主要来源于野生。

| 采收加工 | 夏、秋季采收，鲜用或晒干。

| 药材性状 | 本品根茎呈细长圆柱形，着生多数浅细纵纹，直径 2 ~ 3 mm；表面黄绿色，有细纵纹；质脆，易折断，断面中央有白色髓。叶互生，叶片皱缩卷曲，多破碎，完整者展平后呈倒卵形、椭圆形或披针形，被短毛，有的于枝顶可见头状花序，花淡紫色或已结果。瘦果倒卵状长圆形，扁平，有冠毛。气微，味淡、微涩。

| 功能主治 | 辛，凉。归肺、肝、胃、大肠经。清热解毒，散瘀止血，消积。用于感冒发热，咳嗽，急性咽炎，扁桃体炎，流行性腮腺炎，病毒性肝炎，复合性胃和十二指肠溃疡，疳积，肠炎，痢疾，吐血，崩漏，月经不调；外用于疮疖肿痛，乳腺炎，外伤出血。

| 用法用量 | 内服煎汤，25 ~ 50 g。外用适量，鲜品捣敷。

| 附　　注 | 本种的拉丁学名在 FOC 中被修订为 *Aster indicus* L.。

菊科 Asteraceae 马兰属 *Kalimeris*

全叶马兰 *Kalimeris integrifolia* Turcz. ex DC.

药材名

全叶马兰（药用部位：全草。别名：黄花三草、野白菊、全叶鸡儿肠）。

形态特征

多年生草本，高 30 ~ 70 cm。直根长纺锤形。茎直立，单生或数个丛生，中部以上有近直立的帚状分枝，被细硬毛。叶互生；中部叶多而密，无柄，叶片条状披针形、倒披针形或长圆形；上部叶较小，条形。头状花序单生于枝端并排成疏伞房状；总苞半球形，直径 7 ~ 8 mm，长约 4 mm，总苞片 3 层，外层近条形，长约 1.5 mm，内层长圆状披针形，长达 4 mm，上部草质，具粗短毛及腺点；舌状花 1 层，管部长约 1 mm，具毛，舌片淡紫色，长约 11 mm，宽约 2.5 mm；管状花花冠长约 3 mm，管部长约 1 mm，有毛。瘦果倒卵形，长约 2 mm，宽约 1.5 mm，浅褐色，扁平，有浅色边肋，或一面有肋而呈三棱形，上部有短毛及腺；冠毛带褐色，长 0.3 ~ 0.5 mm，不等长，易脱落。花期 6 ~ 10 月，果期 7 ~ 11 月。

生境分布

生于海拔 300 m 的山坡、林缘、灌丛、路旁。

分布于湖南株洲（茶陵）、常德（安乡）、郴州（嘉禾）、湘西州（凤凰）等。

| 资源情况 | 野生资源稀少。药材主要来源于野生。

| 采收加工 | 8 ~ 9 月采收，洗净，晒干。

| 功能主治 | 苦，寒。清热解毒，化痰止咳。用于感冒发热，咳嗽，咽炎。

| 用法用量 | 内服煎汤，15 ~ 30 g。

| 附　　注 | 本种的拉丁学名在 FOC 中被修订为 *Aster pekinensis* (Hance) F. H. Chen.。

菊科 Asteraceae 马兰属 *Kalimeris*

毡毛马兰 *Kalimeris shimadai* (Kitam.) Kitam.

| 药 材 名 | 毡毛马兰（药用部位：全草。别名：岛田鸡儿肠）。

| 形态特征 | 多年生草本，有根茎。茎直立，高约 70 cm，被密短粗毛，多分枝。下部叶在花期枯落；中部叶倒卵形、倒披针形或椭圆形，长 2.5 ~ 4 cm，宽 1.2 ~ 2 cm，基部渐狭，近无柄，全缘或中部以上有 1 ~ 2 对浅齿；上部叶渐小，倒披针形或条形；全部叶质厚，两面被毡状密毛，下面沿脉及边缘被密糙毛。头状花序单生于枝端且排成疏散的伞房状；总苞半球形，总苞片 3 层，覆瓦状排列，外层狭矩圆形，长 2 ~ 3 mm，上部草质，内层倒披针状矩圆形，长约 5 mm，先端圆形而草质，边缘膜质，全部背面被密毛，有缘毛；舌状花 10，管部长 1.5 mm，有毛，舌片浅紫色，长 11 ~ 12 mm，宽 2 ~ 3 mm；管状花长 4 ~ 4.5 mm，管部长 1.5 mm，有毛。瘦果倒

卵圆形，极扁，灰褐色，边缘有肋，被短贴毛；冠毛膜片状，锈褐色，不脱落，近等长。

| 生境分布 | 生于海拔 1 000 m 以下的林缘、草坡、溪岸。分布于湖南衡阳（祁东）、郴州（宜章、汝城）、常德（临澧）、长沙（浏阳）等。

| 资源情况 | 野生资源稀少。药材主要来源于野生。

| 采收加工 | 8 ~ 9 月采收，洗净，鲜用或晒干。

| 功能主治 | 辛、苦，凉。清热解毒，利尿，凉血止血。用于目赤。

| 用法用量 | 内服煎汤，5 ~ 15 g。外用适量，捣敷。

菊科 Asteraceae 莴苣属 *Lactuca*

莴苣 *Lactuca sativa* L.

| 药材名 | 莴苣（药用部位：茎、叶。别名：莴笋、莴苣菜、千金菜）、莴苣子（药用部位：种子。别名：苣胜子、白苣子、生菜子）。

| 形态特征 | 一年生或二年生草本，高 30 ~ 100 cm。茎粗，厚肉质。基生叶丛生，向上渐小，长圆状倒卵形，长 10 ~ 30 cm，全缘或皱波状；茎生叶互生，椭圆形或三角状卵形，基部心形，抱茎。头状花序多数，在茎枝先端排成伞房状圆锥花序；舌状花 15，黄色。瘦果狭或长椭圆状倒卵形，灰色、肉红色或褐色，微压扁，每面有纵肋 7 ~ 8，上部有开展的柔毛，喙细长，淡白色或褐红色，与果身等长或稍长于果身；冠毛白色。花果期 2 ~ 9 月。

| 生境分布 | 生于海拔 500 m 以下的山坡疏林下。

资源情况 野生资源稀少。药材主要来源于栽培。

采收加工 **莴苣：**春季嫩茎肥大时采收，多为鲜用。

莴苣子：秋季果实成熟后，割取地上部分，晒干，打下种子，簸净杂质，贮藏于干燥通风处。

功能主治 **莴苣：**苦、甘，凉。归胃、小肠经。利尿，通乳，清热解毒。用于小便不利，尿血，乳汁不通，蛇虫咬伤，肿毒。

莴苣子：辛、苦，微温。归胃、肝经。通乳汁，利小便，活血行瘀。用于乳汁不通，小便不利，跌打损伤，瘀肿疼痛，阴囊肿痛。

用法用量 **莴苣：**内服煎汤，30 ~ 60 g。外用适量，捣敷。

莴苣子：内服煎汤，6 ~ 15 g；或研末，3 g。外用适量，研末涂擦；或煎汤熏洗。

菊科 Asteraceae 六棱菊属 *Laggera*

六棱菊 *Laggera alata* (D. Don) Sch.-Bip. ex Oliv.

药材名

六棱菊（药用部位：全草。别名：鹿耳翎、羊毛草）、鹿耳翎根（药用部位：根。别名：羊毛草根）。

形态特征

多年生草本，高 40 ~ 100 cm，全株除花冠外几乎都被腺毛。茎直立，多分枝。叶互生，无柄，叶片椭圆状倒披针形，长 2.5 ~ 10 cm，宽 2 ~ 7.5 cm，先端钝或短尖，基部渐窄下延于茎成翅状，边缘有疏细齿。头状花序多数，直径 1 ~ 1.5 cm，呈圆锥状，果时稍下垂；总苞片约 6 层，条状披针形，质坚硬，被短腺毛，外层短，长常为最内层的 1/5 ~ 1/3；花多数，花冠淡紫色，杂性，雌花丝状，两性花筒状。瘦果圆柱形，长约 1 mm，有 10 棱，被疏白色柔毛；冠毛白色，易脱落，长约 7 mm。花果期 10 月至翌年 2 月。

生境分布

生于海拔 500 m 以下的旷野、路旁以及山坡向阳处。分布于湖南常德（鼎城）、怀化（沅陵、溆浦）等。

资源情况 生资源较少。药材主要来源于野生。

采收加工 **六棱菊、鹿耳翎根**：夏、秋季采收，洗净，鲜用或晒干。

功能主治 **六棱菊**：苦、辛，微温。祛风利湿，活血解毒。用于风湿性关节炎，闭经，肾炎性水肿；外用于痈疖肿毒，跌打损伤，烫火伤，毒蛇咬伤，湿疹。

鹿耳翎根：辛，凉。祛风，解毒，散瘀。用于头痛，毒蛇咬伤，肝硬化，闭经。

用法用量 **六棱菊**：内服煎汤，9 ~ 15 g，鲜品 30 ~ 60 g；或捣汁服。外用适量，捣敷；或煎汤洗。

鹿耳翎根：内服煎汤，15 ~ 30 g，鲜品可用 60 g。外用适量，捣敷。

菊科 Asteraceae 稻槎菜属 *Lapsana*

稻槎菜 *Lapsana apogonoides* Maxim.

| 药 材 名 | 稻槎菜（药用部位：全草。别名：鹅里腌、回荠）。

| 形态特征 | 一年生矮小草本，高 7 ~ 20 cm。茎细，自基部发出多数或少数簇生分枝及莲座状叶丛，全部茎枝柔软，被细柔毛或无毛。茎生叶少数，与基生叶同形并等样分裂，向上茎生叶渐小，不裂；全部叶质柔软，两面同色，几无毛。头状花序小，果期下垂或歪斜，少数（6 ~ 8）在茎枝先端排列成疏松的伞房状圆锥花序，花序梗纤细；总苞椭圆形或长圆形，长约 5 mm，总苞片 2 层，外层卵状披针形，全部总苞片草质，外面无毛；舌状小花黄色，两性。瘦果淡黄色，稍压扁，长椭圆形或长椭圆状倒披针形，有 12 粗细不等的细纵肋，肋上有微粗毛，先端两侧各有一下垂的长钩刺，无冠毛。花果期 1 ~ 6 月。

| **生境分布** | 生于海拔 500 m 以下的田野、荒地及路边。湖南各地均有分布。

| **资源情况** | 野生资源较丰富。药材主要来源于野生。

| **采收加工** | 春、夏季采收，洗净，鲜用或晒干。

| **功能主治** | 苦，平。清热解毒，透疹。用于咽喉肿痛，痢疾，疮疡肿毒，蛇咬伤，麻疹透发不畅。

| **用法用量** | 内服煎汤，15 ~ 30 g；或捣汁。外用适量，鲜品捣敷。

| **附　　注** | 本种的拉丁学名在 FOC 中被修订为 *Lapsanastrum apogonoides* (Maximowicz) Pak & K. Bremer。

菊科 Asteraceae 火绒草属 *Leontopodium*

薄雪火绒草 *Leontopodium japonicum* Miq.

| 药 材 名 | 薄雪草（药用部位：花。别名：火艾）。

| 形态特征 | 多年生草本。根茎有数个簇生花茎和幼茎。茎上部被白色薄茸毛，下部旋即脱毛。叶窄披针形或下部叶倒卵状披针形，长 2.5 ~ 5.5 cm，基部骤窄，无鞘部，边缘平或稍波状反折，上面有疏蛛丝状毛或脱毛，下面被银白色或灰白色薄层密茸毛，具 3 ~ 5 基出脉，侧脉在上面明显；苞叶多数，卵圆形或长圆形，两面被灰白色密茸毛或上面被珠丝状毛，成苞叶群，或有长花序梗成复苞叶群。头状花序直径 3.5 ~ 4.5 mm，多数，较疏散；总苞钟形或半球形，被白色或灰白色密茸毛，总苞片 3 层，露出毛茸，先端无毛；小花异形或雌雄异株；花冠长约 3 mm；雄花花冠窄漏斗状，裂片披针形；雌花花冠细管状。瘦果常有乳突或粗毛；冠毛白色，基部稍浅红色。花期 6 ~ 9

月，果期 9 ~ 10 月。

生境分布 生于海拔 1 000 ~ 2 000 m 的山地灌丛、草坡和林下。分布于湖南常德（石门）、张家界（桑植）等。

资源情况 野生资源稀少。药材来源于野生。

采收加工 秋季采收，洗净，晾干。

功能主治 淡、微甘，平。润肺止咳。用于肺燥咳嗽。

用法用量 内服煎汤，9 ~ 15 g。

菊科 Asteraceae 橐吾属 *Ligularia*

齿叶橐吾 *Ligularia dentata* (A. Gray) Hara

| 药 材 名 |

齿叶橐吾（药用部位：根。别名：大救驾、葫芦七）。

| 形态特征 |

多年生草本。根肉质，多数，粗壮。茎直立，高 30 ~ 120 cm。丛生叶肾形，长 7 ~ 30 cm，宽 12 ~ 38 cm，先端圆形，边缘具整齐的齿；茎中部叶与下部叶同形，较小；茎上部叶肾形，近无柄，具膨大的鞘。伞房状或复伞房状花序开展，分枝叉开，花序梗长达 9 cm；苞片及小苞片卵形至线状披针形，头状花序多数，辐射状；总苞半球形，宽大于长，长 1.5 ~ 2.5 cm，宽 1.8 ~ 3 cm，总苞片 8 ~ 14，2 层，排列紧密，背部隆起，两侧有脊，长圆形，宽至 1 cm，先端三角状急尖，具长尖头，有褐色睫毛，背部被密的白色蛛丝状柔毛，内层具宽的褐色膜质边缘；舌状花黄色，舌片狭长圆形，长达 5 cm，宽 0.4 ~ 0.7 cm，管部长 0.7 ~ 1.2 cm，先端急尖；管状花多数，长 1 ~ 1.8 cm，管部长 0.3 ~ 0.7 cm；冠毛红褐色，与花冠等长。花果期 7 ~ 10 月。

| 生境分布 |

生于海拔 500 ~ 1 500 m 的山坡、水边、林缘和林中。分布于湖南常德（澧县）、怀化（洪江、通道）、娄底（新化、涟源）、益阳（安化）、湘西州（永顺）、郴州（桂东）、张家界（慈利）等。湖南各地均有栽培。

| 资源情况 | 野生资源一般。药材来源于野生和栽培。

| 采收加工 | 夏、秋季采挖，晒干。

| 功能主治 | 辛，微温。舒筋活血，散瘀止痛。用于跌打损伤，疼痛。

| 用法用量 | 内服煎汤，5 ~ 15 g；或研末。

菊科 Asteraceae 橐吾属 *Ligularia*

蹄叶橐吾 *Ligularia fischeri* (Ledeb.) Turcz.

药材名 山紫菀（药用部位：根及根茎。别名：水荷叶）。

形态特征 多年生草本。茎上部被黄褐色柔毛。丛生叶与茎下部叶肾形，长 10 ~ 30 cm，宽 13 ~ 40 cm，基部心形，边缘具锯齿，两面光滑，叶脉掌状，叶柄长 18 ~ 59 cm，基部具鞘；茎中、上部叶较小，具短柄，鞘膨大，全缘。总状花序长 25 ~ 75 cm；头状花序辐射状；苞片卵形或卵状披针形，下部者长达 6 cm，边缘有齿，小苞片窄披针形或线形丝状，总苞钟形，长 0.7 ~ 2 cm，直径 0.5 ~ 1.4 cm，总苞片 8 ~ 9，2 层，长圆形，先端尖，背部光滑，内层具膜质边缘；舌状花 5 ~ 6（~ 9），黄色，舌片长圆形，长 1.5 ~ 2 cm；管状花多数，黄色，长 1 ~ 1.7 cm，冠毛红褐色，短于花冠管部。

| 生境分布 | 生于海拔 100 ~ 2 000 m 的水边、草甸子、山坡、灌丛、林缘及林下。分布于湖南邵阳（武冈）、湘西州（古丈）等。

| 资源情况 | 野生资源稀少。药材来源于野生。

| 采收加工 | 夏、秋季采挖，除去茎叶，洗净，晾干。

| 药材性状 | 本品根茎为不规则块状，上方有茎基痕及残存叶柄，下方密生多数细长的须根。根长 3 ~ 10 cm，直径 0.1 ~ 0.15 cm，集成马尾状或扭曲成团块状；表面黄棕色或棕褐色，密生黄色或黄棕色短绒毛，有纵皱纹。体轻，质脆，易折断。断面中央有浅黄色木心。有特殊香气，味辛、辣。

| 功能主治 | 辛，微温。祛痰，止咳，理气活血，止痛。用于气喘，百日咳，腰腿痛，劳伤，跌打损伤。

| 用法用量 | 内服煎汤，8 ~ 15 g；或研末。

菊科 Asteraceae 橐吾属 *Ligularia*

鹿蹄橐吾 *Ligularia hodgsonii* Hook.

|药 材 名| 滇紫菀（药用部位：根。别名：南瓜七、一块瓦、马蹄当归）。

|形态特征| 多年生草本。根肉质，多数。茎直立，高达 100 cm。丛生叶及茎下部叶具柄；茎中上部叶少，具短柄或近无柄，鞘膨大，宽约 1 cm，叶片肾形，较下部叶小。头状花序辐射状，单生或多数排列成伞房状或复伞房状花序，分枝长 6 ~ 12 cm，丛生或紧缩；苞片舟形，小苞片线状钻形，极短；总苞宽钟形，基部近平截或圆形，总苞片 8 ~ 9，2 层，排列紧密，背部隆起，两侧有脊，长圆形，宽 3 ~ 4 mm，先端宽三角形，有时具短尖头，紫红色，被褐色睫毛，背部光滑或有白色蛛丝状柔毛，内层具宽膜质边缘；舌状花黄色，舌片长圆形，长 15 ~ 25 mm，宽达 6 mm，先端钝，有小齿，管部长约

4 mm；管状花多数，伸出总苞外，长 9 ~ 10 mm，管部长 2 ~ 3 mm；冠毛红褐色，与花冠等长。瘦果圆柱形，长 7 ~ 8 mm，光滑，具肋。花果期 7 ~ 10 月。

| 生境分布 | 生于海拔 800 ~ 1 200 m 的河边、山坡草地及林中。分布于湖南张家界（武陵源、桑植）、怀化（洪江）、湘西州（泸溪、凤凰）等。

| 资源情况 | 野生资源稀少。药材主要来源于野生。

| 采收加工 | 秋季采挖，除去泥土、杂质，晒干。

| 功能主治 | 淡、微辛，温。活血行瘀，润肺降气，止咳。用于劳伤咳嗽，吐血，跌打损伤。

| 用法用量 | 内服煎汤，8 ~ 15 g；或研末。

菊科 Asteraceae 橐吾属 *Ligularia*

狭苞橐吾 *Ligularia intermedia* Nakai

| 药 材 名 | 光紫菀（药用部位：根。别名：紫菀、山紫菀）。

| 形态特征 | 多年生草本。根肉质，多数。茎直立，高达 100 cm。丛生叶与茎下部叶具柄，柄长 16 ~ 43 cm，光滑，基部具狭鞘，叶肾形或心形，长 8 ~ 16 cm，宽 12 ~ 23.5 cm；茎中上部叶与下部叶同形，较小，具短柄或无柄，鞘略膨大；茎最上部叶卵状披针形，苞叶状。总状花序长 22 ~ 25 cm，苞片线形或线状披针形，下部者长达 3 cm，向上渐短，花序梗长 3 ~ 10 mm，近光滑；头状花序多数，辐射状；小苞片线形，总苞钟形，长 8 ~ 11 mm，宽 4 ~ 5 mm，总苞片 6 ~ 8，长圆形，宽约 3 mm，先端三角状，急尖，背部光滑，边缘膜质；舌状花 4 ~ 6，黄色，舌片长圆形，长 17 ~ 20 mm，宽约 3 mm，先

端钝，管部长达 7 mm；管状花 7 ~ 12，伸出总苞，长 10 ~ 11 mm，管部长约 6 mm，基部稍粗；冠毛紫褐色，有时白色，比花冠管部短。瘦果圆柱形，长约 5 mm。花果期 7 ~ 10 月。

| 生境分布 | 生于海拔 500 ~ 1 600 m 的水边、山坡、林缘、林下及高山草原。分布于湖南张家界（桑植）、湘西州（龙山）、长沙（浏阳）等。

| 资源情况 | 野生资源稀少。药材主要来源于野生。

| 采收加工 | 夏、秋季采挖，除去茎叶，洗净，晾干。

| 功能主治 | 苦，温。润肺化痰，止咳，平喘。用于支气管炎，咳喘，肺结核，咯血。

| 用法用量 | 内服煎汤，10 ~ 15 g。

菊科 Asteraceae 橐吾属 *Ligularia*

大头橐吾 *Ligularia japonica* (Thunb.) Less.

|药材名| 大头橐吾（药用部位：全草或根。别名：兔打伞、猴巴掌、望江南）。

|形态特征| 多年生草本。根肉质，多数，粗壮。茎直立，高 50 ~ 100 cm。丛生叶与茎下部叶具柄，叶柄长 20 ~ 100 cm；茎中上部叶较小，具短柄，鞘状抱茎；最上部叶无鞘，掌状分裂。头状花序辐射状，2 ~ 8，排列成伞房状花序，常无苞片及小苞片，花序梗长达 20 cm，被卷曲的白色柔毛；总苞半球形，长 10 ~ 25 mm，宽 15 ~ 24 mm，总苞片 9 ~ 12，2 层，排列紧密，背部隆起，两侧有脊，宽长圆形，宽达 8 mm，先端三角形，具尖头，背部被白色柔毛，内层具宽膜质边缘；舌状花黄色，舌片长圆形，长 4 ~ 6.5 cm，宽约 1 cm，管部长 10 ~ 13 mm；管状花多数，长约 2 cm，管部长约 1 cm，檐部筒形；冠毛红褐色，与花冠管部等长。瘦果细圆柱形，

长达 1 cm，具纵肋，光滑。花果期 4 ~ 9 月。

| 生境分布 | 生于海拔 700 ~ 1 500 m 的水边、山坡草地及林下。分布于湖南永州（双牌）、郴州（北湖、宜章、汝城、桂东）等。

| 资源情况 | 野生资源稀少。药材主要来源于野生。

| 采收加工 | 夏、秋季采收，洗净，晾干。

| 功能主治 | 辛，微温。舒筋活血，解毒消肿。用于跌打损伤，无名肿毒，毒蛇咬伤。

| 用法用量 | 内服煎汤，25 ~ 50 g。外用适量，加白糖捣敷。

菊科 Asteraceae 橐吾属 *Ligularia*

橐吾 *Ligularia sibirica* (L.) Cass.

| 药材名 | 橐吾（药用部位：根及根茎。别名：土紫菀）。

| 形态特征 | 多年生草本。根肉质，细而多。茎直立，高 52 ~ 110 cm。丛生叶和茎下部叶具柄，光滑，基部鞘状，叶卵状心形、三角状心形、肾状心形或宽心形；茎中部叶与下部叶同形，具短柄，柄长 3 ~ 14 cm，鞘膨大，长 3 ~ 6 cm；最上部叶仅有叶鞘，鞘缘有时具齿。总状花序长 4.5 ~ 42 cm，常密集，苞片卵形或卵状披针形，下部者长达 3 cm，宽 0.8 ~ 2 cm，向上渐小，全缘或有齿，花序梗长 4 ~ 12 mm，稀下部者长达 8 cm；头状花序多数，辐射状，小苞片狭披针形，全缘，光滑，近膜质，总苞宽钟形、钟形或钟状陀螺形，基部圆形；舌状花 6 ~ 10，黄色，舌片倒披针形或长圆形，长 10 ~ 22 mm，宽 3 ~ 5 mm，先端钝，管部长 5 ~ 10 mm；管状花多数，长 8 ~ 13 mm，

管部长 4 ～ 7 mm，冠毛白色，与花冠等长。瘦果长圆形，长达 10 mm，光滑。花果期 7 ～ 10 月。

| 生境分布 | 生于海拔 1 000 ～ 1 800 m 的沼地、湿草地、河边、山坡及林缘。分布于湖南郴州（北湖）等。

| 资源情况 | 野生资源稀少。药材主要来源于野生。

| 采收加工 | 夏、秋季采挖，洗净，晾干。

| 功能主治 | 润肺，化痰，定喘，止咳，止血，止痛。用于肺痨。

| 用法用量 | 内服煎汤，10 ～ 15 g。

菊科 Asteraceae 橐吾属 *Ligularia*

窄头橐吾 *Ligularia stenocephala* (Maxim.) Matsum. et Koidz.

| 药材名 | 窄头橐吾（药用部位：根）。

| 形态特征 | 多年生草本。根肉质，细而长。茎直立，高 40 ~ 170 cm。总状花序长达 90 cm，近光滑，苞片卵状披针形至线形，下部苞片长达 5 cm，宽至 0.7 cm，上部苞片线形，短而窄，花序梗短，长 1 ~ 7 mm，有时下部花序梗可长达 30 mm；头状花序多数，辐射状，小苞片线形，总苞狭筒形至宽筒形，长 8 ~ 12 mm，有时长 17 ~ 18 mm，宽 2.5 ~ 4 mm，有时宽达 8 mm，总苞片 5（6 ~ 7），2 层，长圆形，宽 1.5 ~ 3（4 ~ 6）mm，先端三角状，急尖，背部光滑，内层边缘膜质；舌状花 1 ~ 4（~ 5），黄色，舌片线状长圆形或倒披针形，长 10 ~ 17 mm，宽 2 ~ 4 mm，先端钝，管部长 5 ~ 13 mm；

管状花 5 ~ 10，长 10 ~ 19 mm，管部长 6 ~ 13 mm，冠毛白色、黄白色或褐色，长 5 ~ 8 mm，比管部短。瘦果倒披针形，长 5 ~ 10 mm，光滑。花果期 7 ~ 12 月。

｜生境分布｜ 生于海拔 850 m 以上的山坡、水边、林中及岩石下。分布于湖南张家界（慈利）、益阳（安化）、郴州（桂东）、湘西州（保靖）、长沙（浏阳）等。

｜资源情况｜ 野生资源稀少。药材主要来源于野生。

｜采收加工｜ 夏、秋季采挖，洗净，晾干。

｜功能主治｜ 苦，平。清热、解毒、散结、利尿。用于乳痈，水肿，瘰疬，河豚鱼中毒。

｜用法用量｜ 内服煎汤，10 ~ 15 g。

菊科 Asteraceae 橐吾属 *Ligularia*

离舌橐吾 *Ligularia veitchiana* (Hemsl.) Greenm.

| 药材名 | 离舌橐吾（药用部位：根及根茎）。

| 形态特征 | 多年生草本。根肉质，多数。茎直立，高 60 ~ 120 cm。茎中上部叶与下部叶同形，较小，具短柄或无柄，鞘膨大，全缘。总状花序长 13 ~ 40 cm，苞片常位于花序梗的中部，包被总苞，宽卵形至卵状披针形，长 0.8 ~ 3 cm，宽达 24 cm，向上渐小，先端渐尖，全缘或上半部有齿，近膜质，干时浅红褐色，花序梗长 0.5 ~ 3.5 cm，向上渐短；头状花序多数，辐射状，小苞片狭披针形至线形，总苞钟形或筒状钟形，长 8 ~ 10（~ 15）mm，宽 5 ~ 8 mm，总苞片 7 ~ 9，2 层，长圆形，宽 2 ~ 3 mm，先端急尖，背部被有节短柔毛，内层边缘膜质；舌状花 6 ~ 10，黄色，疏离，舌片狭倒披针形，长

13 ~ 22 mm，宽约 2 mm，先端圆形；管状花多数，檐部裂片先端被密的乳突，冠毛黄白色，有时污白色，与管部等长或长为管部的 1/2。瘦果（未成熟）光滑。花期 7 ~ 9 月。

| 生境分布 | 生于海拔 1 000 ~ 1 800 m 的河边、山坡及林下。分布于湖南邵阳（隆回）、张家界（慈利）、益阳（安化）、怀化（溆浦）、湘西州（龙山）等。湖南各地偶见栽培。

| 资源情况 | 野生资源稀少。药材来源于野生和栽培。

| 采收加工 | 夏、秋季采挖，洗净，晾干。

| 功能主治 | 甘，凉。润肺降气，祛痰止咳，活血祛瘀。

| 用法用量 | 内服煎汤，10 ~ 15 g。

菊科 Asteraceae 橐吾属 *Ligularia*

川鄂橐吾 *Ligularia wilsoniana* (Hemsl.) Greenm.

药材名

川紫菀（药用部位：根及根茎。别名：山紫菀）。

形态特征

多年生草本。茎直径 0.6 ~ 1 cm，被柔毛。丛生叶与茎下部叶肾形，长 6.5 ~ 13.5 cm，宽 11 ~ 24 cm，边缘具密生尖齿，上面被柔毛，下面光滑，叶脉掌状，叶柄长 19 ~ 51 cm，基部具鞘；茎中部叶与下部叶同形，向上减缩。总状花序长 15 ~ 34 cm；苞片丝状，长达 2.5 cm，小苞片丝状钻形；头状花序多数，辐射状，总宽钟状陀螺形，长 7 ~ 8 mm，直径 6 ~ 7 mm；总苞片 7 ~ 9，2 层，长圆形或披针形，先端尖或三角形，背部无毛，内层具膜质边缘；舌状花 5 ~ 6，黄色，舌片长圆形，长 7 ~ 9 mm；管状花多数，黄色，长 6 ~ 7 mm。瘦果长圆形，长约 5 mm，光滑；冠毛白，与花冠等长。

生境分布

生于海拔 1 600 ~ 2 000 m 的草坡及林下。分布于湖南邵阳（城步）等。

资源情况 野生资源稀少。药材来源于野生。

采收加工 春、秋季采挖，去除杂质，洗净泥土，晒干，切段或切片。

功能主治 苦、辛，温。用于风寒感冒，咳嗽痰多，肺痈咯吐脓血，慢性咳喘，跌打损伤，腰腿痛。

用法用量 内服煎汤，3 ~ 10 g；或研末。

菊科 Asteraceae 母菊属 *Matricaria*

母菊 *Matricaria recutita* L.

| 药 材 名 | 母菊（药用部位：全草或花。别名：洋甘菊、欧药菊）。

| 形态特征 | 一年生草本，无毛。茎高 30 ~ 40 cm，有沟纹，上部多分枝。下部叶矩圆形或倒披针形，长 3 ~ 4 cm，宽 1.5 ~ 2 cm，二回羽状全裂，无柄，基部稍扩大，裂片条形，先端具短尖头；上部叶卵形或长卵形。头状花序异型，直径 1 ~ 1.5 cm，在茎枝先端排成伞房状，花序梗长 3 ~ 6 cm；总苞片 2 层，苍绿色，先端钝，边缘白色，宽膜质，全缘，花托长圆锥状，中空；舌状花 1 列，舌片白色，反折，长约 6 mm，宽 2.5 ~ 3 mm；管状花多数，花冠黄色，长约 1.5 mm，中部以上扩大，冠檐 5 裂。瘦果小，长 0.8 ~ 1 mm，宽约 0.3 mm，淡绿褐色，侧扁，略弯，先端斜截形，背面圆形凸起，腹面及两侧有 5 白色细肋，无冠状冠毛。花果期 5 ~ 7 月。

生境分布 生于河谷旷野、田边。分布于湖南衡阳（衡南）、益阳（南县）等。湖南各地均有栽培。

资源情况 野生资源稀少。药材来源于野生和栽培。

采收加工 5 ~ 7 月采收，晒干。

功能主治 甘，平。祛风解表。用于感冒，风湿疼痛。

用法用量 内服煎汤，10 ~ 15 g。

菊科 Asteraceae 粘冠草属 *Myriactis*

圆舌粘冠草 *Myriactis nepalensis* Less.

| 药 材 名 | 油头草（药用部位：全草。别名：大鱼眼草、无喙齿冠草、山羊梅）。

| 形态特征 | 多年生草本，通常粗壮，高达 1 m。根茎短而横走。茎直立，无毛，分枝斜升。基生叶及茎下部叶较大，间或浅裂或深裂，两侧裂片 1 ~ 2 对，极少 3 对，叶柄长达 10 cm；中部茎生叶长椭圆形或卵状长椭圆形，长 4 ~ 10 cm，宽 2.5 ~ 4.5 cm，边缘有大锯齿或圆锯齿，下部沿叶柄下延成具翅的叶柄，柄基扩大贴茎；上部茎生叶渐小，渐无柄；全部叶上面无毛，下面沿脉有极稀疏的短柔毛。头状花序球形或半球形，直径 1 ~ 1.5 cm，单生于茎顶或枝端，多数头状花序排列成伞房状花序或伞房状圆锥花序；总苞片 2 ~ 3 层，几等长，外面被微柔毛；外围舌状雌花多层，舌片圆形，长宽相当，中央有少数两性管状花，檐部宽钟状，先端 4 齿裂。瘦果压扁，无喙，边

缘脉状加厚，先端有黏质分泌物，无冠毛。花果期 4 ~ 11 月。

| 生境分布 | 生于海拔 700 ~ 1 500 m 的山坡、山谷林缘、林下、灌丛中。分布于湖南邵阳（邵东）、怀化（通道）等。

| 资源情况 | 野生资源稀少。药材主要来源于野生。

| 采收加工 | 夏、秋季采收，洗净，晾干。

| 功能主治 | 微辛，平、凉。消炎，止痛。用于痢疾，肠炎，慢性中耳炎，牙痛，关节肿痛。

| 用法用量 | 内服煎汤，9 ~ 15 g。

菊科 Asteraceae 假福王草属 *Paraprenanthes*

假福王草 *Paraprenanthes sororia* (Miq.) Shih

| 药 材 名 | 假福王草（药用部位：全草。别名：堆莴苣）。

| 形态特征 | 一年生草本，高 50 ~ 150 cm。茎直立，无毛。基生叶花期枯萎；下部及中部茎生叶大头羽状半裂、深裂或几全裂，极少羽状深裂或几全裂，有长 4 ~ 7 cm、狭或宽的翼柄，顶裂片大，先端急尖，边缘有大或小的锯齿或重锯齿，齿顶及齿缘有小尖头，基部戟形或心形或平截，顶裂片极少与侧裂片等大或几等大，披针形或不规则菱状披针形，侧裂片 1 ~ 2（~ 3）对，椭圆形，下方的侧裂片更小，三角状锯齿形，全部侧裂片先端圆形或急尖，有小尖头，边缘有小尖头状锯齿，羽轴有宽或狭的翼；上部茎生叶小，不裂，戟形；全部叶两面无毛。头状花序多数，沿茎枝先端排成圆锥状花序；总苞圆柱状，全部苞片外面无毛，有时淡紫红色；舌状小花粉红色。瘦

果黑色，稍粗厚，压扁，纺锤状，先端窄，淡黄白色，每面有 5 高起纵肋，冠毛 2 层，白色，长 7 mm，微糙毛状。花果期 5 ～ 8 月。

| 生境分布 | 生于海拔 300 ～ 1 000 m 的山坡、山谷灌丛、林下。湖南各地均有分布。

| 资源情况 | 野生资源一般。药材主要来源于野生。

| 采收加工 | 夏、秋季采收，洗净，鲜用或晾干。

| 功能主治 | 甘，平。清热解毒，止泻，止咳润肺。用于疮疖肿毒，骨关节结核，肺痨，外伤出血。

| 用法用量 | 内服煎汤，9 ～ 15 g。外用适量，鲜品捣敷。

菊科 Asteraceae 假福王草属 *Paraprenanthes*

林生假福王草 *Paraprenanthes sylvicola* Shih

药材名

林生假福王草（药用部位：全草）。

形态特征

一年生草本，高 50 ~ 150 cm。茎直立，单生，无毛，上部总状圆锥花序状或狭圆锥花序状分枝，分枝纤细。基生叶及中下部茎生叶三角状戟形或卵状戟形，先端急尖或渐尖，边缘具波状浅锯齿，有小尖头；上部茎生叶或花序下部的叶与基生叶及中下部茎生叶同形；全部叶两面光滑无毛。头状花序多数或少数，在茎枝先端排列成总状圆锥花序或狭圆锥花序；总苞片 4 层，外层及最外层最短，内层及最内层长，线状长椭圆形或宽线形，先端急尖或钝，全部总苞片绿色，极少为红紫色，外面光滑无毛；舌状小花约 11，紫红色或紫蓝色。瘦果粗厚，纺锤状，微压扁，向先端渐窄，先端白色，无喙，每面有 5 ~ 6 不等粗的细肋；冠毛 2 层，白色，长约 6 mm，糙毛状。花果期 2 ~ 8 月。

生境分布

生于海拔 500 ~ 1 000 m 的山谷、山坡林下的潮湿地。分布于湖南岳阳（临湘）、永州（双牌）、怀化（会同）、常德（石门）等。

| 资源情况 | 野生资源稀少。药材主要来源于野生。

| 采收加工 | 春、夏季采收，洗净，鲜用。

| 功能主治 | 清热解毒。用于疮疖肿毒，外伤出血，蝮蛇咬伤。

| 用法用量 | 外用适量，鲜品捣敷。

菊科 Asteraceae 蟹甲草属 *Parasenecio*

兔儿风蟹甲草 *Parasenecio ainsliiflorus* (Franch.) Y. L. Chen

药材名

八角香（药用部位：块茎。别名：蜘蛛草、白花蟹甲草）。

形态特征

多年生草本。根茎粗壮，有多数纤维状须根。茎单生，高 60 ~ 100 cm，直立，具纵条棱，下部无毛，上部和花序分枝被黄褐色短毛。叶柄长 5 ~ 10 cm，无翅，上部叶与中部叶同形，但较小，宽卵形，3 ~ 5 浅裂。头状花序小，多数在茎端或上部叶腋处排列成总状或复总状花序，花序分枝开展，花序梗短或极短，长 1 ~ 4 mm，具 1 ~ 3 线形或线状钻形小苞片，花序轴和花序梗被黄褐色密短毛；总苞圆柱形，长 6 ~ 8 mm，宽 1.5 ~ 2 mm，总苞片 5，线形或线状披针形，先端钝或圆形，被微毛，边缘膜质，外面无毛；小花 5，花冠白色，裂片三角状披针形，花药伸出花冠，基部具长尾，花柱分枝外卷，先端截形，被乳头状微毛。瘦果圆柱形，长 3 ~ 4 mm，无毛，具肋；冠毛白色或污白色，长 5 ~ 6 mm。花期 7 ~ 8 月，果期 9 ~ 10 月。

生境分布

生于海拔 1 200 ~ 1 600 m 的山坡林缘、林下、

灌丛或草坪。分布于湖南常德（石门）、益阳（安化）等。

| 资源情况 | 野生资源稀少。药材主要来源于野生。

| 采收加工 | 秋季采挖，洗净，鲜用，或切片晒干。

| 功能主治 | 辛，温。散瘀，解毒，杀虫。用于风湿浮肿，无名肿毒，癞癣。

| 用法用量 | 内服煎汤，10 ~ 15 g。外用适量，捣敷；或磨汁涂。

菊科 Asteraceae 蟹甲草属 *Parasenecio*

珠芽蟹甲草 *Parasenecio bulbiferoides* (Hand.-Mazz.) Y. L. Chen

| 药 材 名 |

珠芽蟹甲草（药用部位：全草）。

| 形态特征 |

多年生草本。茎单生，具束生的须根，直立，高 85 cm。叶疏生，具叶柄，叶片宽三角状卵形或宽卵状心形，上部的叶柄渐短；叶腋有卵圆形、长达 7 mm 的鳞芽，芽被褐色短茸毛。头状花序多数，在茎端排列成总状或复总状花序，花序长达 40 cm，下部的苞片仅有极疏的小芽，最上部的苞片长达 8 cm，苞片披针形，长约 6 mm，近膜质，花序梗长 1 ~ 2 mm，被茸毛，具 1 小苞片；头状花序开展，总苞圆柱状钟形；总苞片 5 ~ 6，披针形，长 11 ~ 13 mm，先端钝，边缘狭膜质，外面无毛；小花 8 ~ 10，花冠黄色，长 10 mm，管部长 4 mm，丝状，檐部圆柱形，较宽，长约 6 mm，裂片线形，长 1 mm，卷曲，花药伸出花冠，干时紫色，基部具尾，花柱分枝先端截形，被乳头状微毛，子房无毛，圆柱形，冠毛白色，短于花冠。花期 8 ~ 10 月，果期 10 ~ 12 月。

| 生境分布 |

生于海拔 1 000 m 以上的山坡、山谷湿地。

分布于湖南衡阳（衡山）等。

| 资源情况 | 野生资源稀少。药材主要来源于野生。

| 采收加工 | 秋季采收，洗净，晒干。

| 功能主治 | 祛风散寒，利咽。用于风寒感冒，咽喉肿痛。

| 用法用量 | 内服煎汤，9 ~ 15 g。

菊科 Asteraceae 蟹甲草属 *Parasenecio*

耳翼蟹甲草 *Parasenecio otopteryx* (Hand.-Mazz.) Y. L. Chen

药 材 名 耳翼蟹甲草（药用部位：全草。别名：耳翼兔儿伞）。

形态特征 多年生草本。茎下部常紫色，无毛。茎生叶 4 ~ 6，叶宽卵状心形或宽心形，长 10 ~ 16 cm，宽 11 ~ 19 cm，边缘有波状锯齿，基出 3 脉，侧脉 3 ~ 4 对，上面疏被褐色腺毛，下面疏被蛛丝状毛或近无毛；叶柄翅宽 0.5 ~ 1 cm，基部有抱茎大耳。头状花序在茎端排成复总状，花序轴和花序梗被腺毛，花序梗基部有 1 ~ 2 披针状钻形小苞片；总苞圆柱形或窄钟状，长 5 ~ 7 mm，总苞片（3 ~）5，长圆状披针形，长 6 ~ 7 mm，边缘膜质，外面被糠状短毛；小花 3 ~ 4（~ 5），花冠黄白色。瘦果圆柱形，长 4 ~ 5 mm，褐色，无毛，具肋；冠毛白色。

生境分布 生于海拔 1 400 ~ 2 000 m 的山坡林下、林缘或灌丛中阴湿处。分布于湖南张家界（桑植）、湘西州（古丈）等。

资源情况 野生资源稀少。药材来源于野生。

采收加工 夏、秋季采收，鲜用或切段，晒干。

功能主治 辛，温。解毒散瘀，杀虫。用于疮疖肿毒，头癣。

用法用量 外用适量，鲜品捣敷；或浸酒、醋摩擦患处。

菊科 Asteraceae 蜂斗菜属 *Petasites*

蜂斗菜 *Petasites japonicus* (Sieb. et Zucc.) F. Schmidt (Maxim)

| 药 材 名 | 蜂斗菜（药用部位：全草或根茎。别名：蛇头草、南瓜三七）。

| 形态特征 | 多年生草本。根茎短粗，周围抽生横走的分枝，多少被白色茸毛或绵毛。叶基生，心形或肾形，于花后出现，长 2.8 ~ 8.6 cm，宽 12 ~ 15 cm，下面灰绿色，有蛛丝状毛，边缘有重复锯齿，叶柄长达 23 cm，初时表面有毛。花雌雄异株，花茎从根茎部抽出，茎上互生鳞片状大苞片，有平行脉；头状花序排列成伞房状；雌花白色，雄花黄白色，均有冠毛。瘦果线形，有 5 ~ 10 棱。花期 4 ~ 5 月，果期 6 月。

| 生境分布 | 生于海拔 460 ~ 1 200 m 的向阳山坡林下、溪谷旁潮湿草丛中。分布于湖南邵阳（大祥）、永州（冷水滩）、怀化（新晃）等。湖南

各地偶见栽培。

| 资源情况 | 野生资源稀少。药材主要来源于野生。

| 采收加工 | 夏、秋季采收，鲜用或晒干。

| 功能主治 | 苦、辛，凉。清热解毒，散瘀消肿。用于咽喉肿痛，痈肿疔毒，毒蛇咬伤，跌打损伤。

| 用法用量 | 内服煎汤，9 ~ 15 g。外用适量，鲜品捣敷；或煎汤含漱。

菊科 Asteraceae 蜂斗菜属 *Petasites*

毛裂蜂斗菜 *Petasites tricholobus* Franch.

| 药 材 名 | 毛裂蜂斗菜（药用部位：花蕾。别名：旱荷叶）。

| 形态特征 | 多年生草本，全草被薄蛛丝状白色绵毛。根茎短，有多数纤维状根。近雌雄异株，雌株茎高 27 ~ 60 cm。叶鳞片状排列，苞叶卵状披针形，长 3 ~ 4 cm；基生叶具长柄，叶片宽肾状心形，长 2 ~ 8 cm，边缘有细齿，齿端具软骨质小尖，叶脉掌状，两面被白色绵毛，或脱毛。雌株头状花序在茎先端排成密集的聚伞状圆锥花序，直径 8 ~ 12 mm，花序梗长 1 ~ 2.5 cm，有 1 或多数披针形苞叶；总苞钟状，总苞片 10 ~ 12，1 层，披针形或披针状长圆形，长约 7 mm，外面有小苞片；雌花花冠先端 4 ~ 5 裂，裂片不等长，丝状或钻形，花柱伸出花冠，柱头 2 裂，冠毛丰富，白色。雄株头状花序在茎先端排成伞房状或圆锥状；花冠管状，裂片披针形，花柱伸

出花冠外，柱头头状，略分枝，冠毛较少，短于花冠。瘦果圆柱形，无毛。

| 生境分布 | 生于海拔 700 ~ 1 000 m 的山谷路旁或水旁。分布于湖南怀化（麻阳）、湘西州（吉首、永顺、花垣）等。

| 资源情况 | 野生资源稀少。药材主要来源于野生。

| 采收加工 | 春季花开时采收，晾干。

| 功能主治 | 辛、甘，平。化痰止咳。用于咳嗽痰多。

| 用法用量 | 内服煎汤，9 ~ 15 g；或煎汤含漱。

菊科 Asteraceae 毛连菜属 *Picris*

毛连菜 *Picris hieracioides* L.

| 药 材 名 |

毛连菜（药用部位：花序）、枪刀菜（药用部位：全草）、枪刀菜根（药用部位：根）。

| 形态特征 |

二年生草本，高 16 ~ 120 cm，被钩状分叉刚毛。茎上部常分枝。基部叶和茎下部叶长圆状倒披针形或长圆状披针形，长 6 ~ 22 cm，宽 1.5 ~ 4 cm，基部渐狭成具翅的叶柄，边缘具疏齿，基生叶在花期枯萎；中部叶披针形，无柄；上部叶条状披针形。头状花序多数，在枝顶排成伞房状，苞叶条形；总苞片 3 层，背面被硬毛和短柔毛，外层短，条形，内层较长，条状披针形；小花舌状，黄色，先端具 5 小齿。瘦果无喙，长 3.5 ~ 4.5 mm，微弯曲，红褐色，有 5 纵棱及横皱纹；冠毛污白色。花果期 7 ~ 9 月。

| 生境分布 |

生于海拔 500 ~ 1 800 m 的山坡、田边、林缘、林下及沟谷中。分布于湖南常德（桃源）、张家界（慈利）、怀化（麻阳、洪江）、湘西州（吉首、花垣、永顺、凤凰、保靖）等。

资源情况 野生资源一般。药材主要来源于野生。

采收加工 **毛连菜**：夏季花开时采收，洗净，晒干。

枪刀菜：夏、秋季采收，洗净，晒干。

枪刀菜根：夏、秋季采收，洗净，晒干。

功能主治 **毛连菜**：苦、咸，微温。宣肺止咳，化痰平喘。

枪刀菜：辛，凉。泻火，解毒，祛瘀止痛。

枪刀菜根：利小便。用于腹部胀满；外用于跌打损伤。

用法用量 **毛连菜**：内服煎汤，3 ~ 9 g。

枪刀菜：内服煎汤，9 ~ 15 g。外用适量，捣敷。

枪刀菜根：内服煎汤，9 ~ 15 g；或煨酒服。外用适量，取煨酒的药渣外搽。

菊科 Asteraceae 翅果菊属 *Pterocypsela*

高大翅果菊 *Pterocypsela elata* (Hemsl.) Shih

药材名

水紫菀（药用部位：根。别名：山苦菜）。

形态特征

多年生草本。根有时分枝呈粗厚的萝卜状。茎直立，单生，高 80 ~ 200 cm，通常紫红色或带紫红色斑纹。中下部茎生叶卵形、宽卵形、三角状卵形、椭圆形、长椭圆形或三角形，上部的叶与中下部茎生叶同形或披针形，有短宽的翼柄或几无翼柄，全部叶两面粗糙，沿脉有稀疏或稠密的多细胞节毛，边缘有锯齿或无齿。头状花序多数，沿茎枝先端排成狭圆锥花序或总状圆锥花序，果期卵球形，长 1.1 cm，宽 5 mm；总苞片 4 层，外层卵形，长 1.5 ~ 3.5 mm，宽 1 ~ 2 mm，中内层长 1 ~ 1. 1 cm，宽 1 ~ 1.8 mm；舌状小花约 20，黄色。瘦果椭圆形或长椭圆形，压扁，黑褐色，有棕色斑纹，边缘有宽厚翅，每面有 3 高起的细脉纹，先端急尖成长 0.5 mm 的粗喙；冠毛纤细，白色，微锯齿状，2 层，长 5 mm。花果期 6 ~ 10 月。

生境分布

生于海拔 500 ~ 1 200 m 的山谷或山坡林缘、林下、灌丛中或路边。分布于湖南株洲（茶

陵）、邵阳（邵阳）、常德（安乡）、怀化（靖州、辰溪、新晃）、张家界（慈利）、湘西州（吉首、泸溪、花垣、古丈）等。

资源情况 野生资源一般。药材主要来源于野生。

采收加工 6 月采挖，洗净，晒干。

功能主治 辛，平。止咳化痰，祛风。用于风寒咳嗽，肺结核。

用法用量 内服煎汤，6 ~ 9 g。

菊科 Asteraceae 翅果菊属 *Pterocypsela*

台湾翅果菊 *Pterocypsela formosana* (Maxim.) Shih

| 药 材 名 | 丁萝卜（药用部位：全草或根。别名：八楞麻、九刀参、乳浆草）。

| 形态特征 | 一年生草本，高约 60 cm。茎单生，直立，上部伞房花序状分枝，全部茎枝无毛。基部叶及下部茎生叶长椭圆形或倒披针形，上部茎生叶及花序分枝下部的叶较小或更小，披针形或长披针形，先端急尖或长渐尖；全部叶边缘有锯齿，但最上部及花序分枝下部的叶全缘。头状花序多数，沿茎枝先端排成伞房状花序；总苞果期卵球形，长 1.4 cm，宽 0.8 cm，总苞片 5 层，外层卵形，长 3 ~ 5 mm，宽 1.3 ~ 2 mm，中层椭圆形，长约 7 mm，宽约 2.8 mm，内层披针形，长 1.2 cm，宽约 4 mm，全部总苞片先端急尖，有时红紫色；舌状小花约 21，黄色。瘦果椭圆形或倒卵形，长 4 mm，宽 2 mm，棕红色或黑色，压扁，边缘有宽翅，每面有一高起的细脉纹，先端突然收

缩成长 2 mm 的细丝状的；冠毛白色，2 层，细，微锯齿状。花果期 4 ~ 9 月。

| 生境分布 | 生于海拔 500 ~ 1 000 m 的山坡灌丛、林下或山谷草地。分布于湖南长沙（岳麓）、邵阳（邵阳）、岳阳（岳阳）、怀化（辰溪）、湘西州（吉首、泸溪、花垣、古丈）、张家界（桑植）等。

| 资源情况 | 野生资源较少。药材主要来源于野生。

| 采收加工 | 春、夏、秋季均可采收，洗净，晒干。

| 功能主治 | 苦，凉；有小毒。清热解毒，祛风活血。用于口腔溃疡，咽喉肿痛，慢性阑尾炎，阑尾周围炎，瘀血腹痛，带下；外用于乳腺炎，疮痈肿毒，毒蛇咬伤，痔疮。

| 用法用量 | 内服煎汤，根 5 ~ 10 g，全草（鲜品）25 ~ 50 g。外用适量，捣敷；或煎汤洗。

| 附 注 | 本种的拉丁学名在 FOC 中被修订为 *Lactuca formosana* Maxim.。

菊科 Asteraceae 翅果菊属 *Pterocypsela*

翅果菊 *Pterocypsela indica* (L.) Shih

药材名 山莴苣（药用部位：全草。别名：鸭子食、野生菜、土莴苣）、白龙头（药用部位：根）。

形态特征 一年生或二年生草本。茎直立，高 80 ~ 150 cm，无毛，上部分枝。叶互生，长椭圆状披针形，长 10 ~ 30 cm，宽 1.5 ~ 5 cm，不裂，或边缘齿裂或羽裂，上面绿色，下面白绿色，边缘略带暗紫色，无柄，基部抱茎，茎上部的叶呈长披针形。头状花序顶生，排列成圆锥状；总苞下部膨大，苞片多列，呈覆瓦状排列；舌状花淡黄色，正午开放，傍晚闭合；雄蕊 5；子房下位，花柱纤细，柱头 2 裂。瘦果卵形而扁，黑色，喙短，喙先端有白色冠毛 2 层。花果期 4 ~ 11 月。

生境分布 生于海拔 400 ~ 1 000 m 的山谷、山坡林缘、林下、灌丛中或水沟边、

山坡草地或田间。湖南各地均有分布。

| 资源情况 | 野生资源丰富。药材主要来源于野生。

| 采收加工 | **山莴苣：**春、夏季采收，洗净，鲜用或晒干。

白龙头：春、夏季采挖。

| 功能主治 | **山莴苣：**苦，寒。清热解毒，活血，止血。用于咽喉肿痛，肠痈，疮疖肿毒，子宫颈炎，产后瘀血腹痛，疣瘤，崩漏，痔疮出血。

白龙头：苦，寒；有小毒。清热凉血，消肿解毒。用于扁桃体炎，妇女血崩，疖肿，乳痈。

| 用法用量 | **山莴苣：**内服煎汤，9 ~ 15 g。外用适量，鲜品捣敷。

白龙头：内服煎汤，25 ~ 50 g。外用适量，捣敷。

| 附　　注 | 本种的拉丁学名在 FOC 中被修订为 *Lactuca indica* Maxim.。

菊科 Asteraceae 翅果菊属 *Pterocypsela*

多裂翅果菊 *Pterocypsela laciniata* (Houtt.) Shih

药材名

多裂翅果菊（药用部位：全草或根）。

形态特征

多年生草本。根粗厚，分枝呈萝卜状。茎单生，直立。中下部茎生叶全形倒披针形、椭圆形或长椭圆形，规则或不规则2回羽状深裂，长达30 cm，宽达17 cm，无柄，基部宽大，顶裂片狭线形，1回侧裂片5对或更多，中上部茎生叶的侧裂片较大，向下的侧裂片渐小，2回侧裂片线形或三角形，长短不等，全部茎生叶或中下部茎生叶极少1回羽状深裂，向上的茎生叶渐小，与中下部茎生叶同形并等样分裂或不裂而为线形。头状花序多数，在茎枝先端排成圆锥花序；舌状小花21，黄色。瘦果椭圆形，压扁，棕黑色，长5 mm，宽2 mm，边缘有宽翅，每面有一高起的细脉纹，先端急尖成长0.5 mm的粗喙；冠毛2层，白色，几为单毛状。花果期7～10月。

生境分布

生于海拔500～1 200 m的山谷、山坡林缘、灌丛、草地及荒地。分布于湖南长沙（天心、长沙）等。

| 资源情况 | 野生资源稀少。药材主要来源于野生。

| 采收加工 | 春、夏季采收，洗净，晒干。

| 功能主治 | 清热解毒，理气止血。用于暑热痧气，腹胀疼痛，带下。

| 用法用量 | 内服煎汤，9 ~ 15 g。

菊科 Asteraceae 翅果菊属 *Pterocypsela*

毛脉翅果菊 *Pterocypsela raddeana* (Maxim.) Shih

| 药材名 |

山苦菜（药用部位：全草或根。别名：野洋烟、老蛇药）。

| 形态特征 |

二年生草本，高 65 ~ 120 cm，具乳汁。茎淡红色，常密被长柔毛，上部无毛。叶互生，茎下部叶叶柄长，上部叶叶柄渐短，有翅，叶片卵形、椭圆形或三角状长卵形，大头羽状全裂或深裂，边缘有不等大的锯齿，下面沿脉有较多的长柔毛。头状花序圆柱状，直径约 1 cm，有 15 舌状小花，多个头状花序在茎枝先端排成窄圆锥花序；舌状花，黄色；总苞片 3 ~ 4 层。瘦果倒卵形，压扁，每面有 5 ~ 6 高起的纵肋，有宽边，果颈喙部极短；冠毛白色，粗糙。花果期 5 ~ 9 月。

| 生境分布 |

生于海拔 500 ~ 1 600 m 的山坡林缘、灌丛中、潮湿处及田间。分布于湖南岳阳（云溪、君山）、益阳（桃江）、郴州（临武、永兴）、永州（蓝山、双牌）、怀化（芷江、靖州）等。

| 资源情况 |

野生资源稀少。药材主要来源于野生。

| 采收加工 | 夏、秋季采收，切段，鲜用或晒干。

| 功能主治 | 苦，寒。清热解毒，祛风除湿。用于风湿痹痛，发痧腹痛，疮疡疖肿，蛇咬伤。

| 用法用量 | 内服煎汤，15 ~ 30 g。外用适量，嫩叶捣膏。

| 附　　注 | 本种的拉丁学名在 FOC 中被修订为 *Lactuca raddeana* Maxim.。

菊科 Asteraceae 秋分草属 *Rhynchospermum*

秋分草 *Rhynchospermum verticillatum* Reinw.

| 药 材 名 | 大鱼鳅串（药用部位：全草。别名：白鱼鳅串、调羹菜）。

| 形态特征 | 多年生草本，高 25 ~ 100 cm。茎常单生，中部以上有叉状分枝，被尘状微柔毛。叶互生，下部茎生叶倒披针形或长椭圆形，长 4.5 ~ 14 cm，宽 2.5 ~ 4 cm，先端长渐尖或钝，边缘自中部以上有波状粗齿，基部狭楔形，叶柄长，具翅；上部叶渐小。头状花序，顶生、腋生、单生或 3 ~ 5 呈总状排列，直径约 5 mm，果期增大，花序梗密被锈色尖状短柔毛；总苞宽钟状，总苞片不等长，边缘撕裂；边缘花 2 ~ 3 列，雌花花冠舌状，白色，舌片先端 2 ~ 3 裂；中央花为管状，两性。雌花瘦果扁平，果有长喙；两性花瘦果无喙，冠毛 3 ~ 5，易脱落。花果期 8 ~ 11 月。

| 生境分布 | 生于海拔 400 ～ 1 200 m 的沟边、水旁、林缘、林下以及杂木林下阴湿处。分布于湖南岳阳（汨罗）、湘西州（花垣、保靖）等。

| 资源情况 | 野生资源稀少。药材主要来源于野生。

| 采收加工 | 夏、秋季采收，洗净，晒干。

| 功能主治 | 淡，平。清湿热，利水消肿。用于湿热带下，急、慢性肝炎，肝硬化腹水。

| 用法用量 | 内服煎汤，15 ～ 30 g。

| 附　　注 | 本种的拉丁学名在 FOC 中被修订为 *Aster verticillatus* (Reinwardt) Brouillet。

菊科 Asteraceae 金光菊属 *Rudbeckia*

黑心金光菊 *Rudbeckia hirta* L.

| 药 材 名 |

黑心金光菊（药用部位：花序）。

| 形态特征 |

一年生或二年生草本，高 30 ~ 100 cm，全株被粗刺毛。茎不分枝或上部分枝。下部叶长卵圆形、长圆形或匙形，先端尖或渐尖，基部楔状下延，有三出脉，边缘有细锯齿，有具翅的柄，长 8 ~ 12 cm；上部叶长圆状披针形，先端渐尖，边缘有细至粗的疏锯齿或全缘，无柄或具短柄，长 3 ~ 5 cm，宽 1 ~ 1.5 cm，两面被白色密刺毛。头状花序直径 5 ~ 7 cm，有长花序梗；总苞片外层长圆形，长 12 ~ 17 mm，内层较短，披针状线形，先端钝，全部被白色刺毛；花托圆锥形，托片线形，对折，呈龙骨瓣状，长约 5 mm，边缘有纤毛；舌状花鲜黄色，舌片长圆形，通常 10 ~ 14，长 20 ~ 40 mm，先端有 2 ~ 3 不整齐的短齿；管状花暗褐色或暗紫色。瘦果四棱形，黑褐色，长近 2 mm，无冠毛。花期 7 ~ 8 月，果期 8 ~ 9 月。

| 生境分布 |

生于林缘、路旁、荒地、农田及住宅附近，常成片生长。分布于湖南长沙（望城、雨花、

长沙）、株洲（天元、醴陵）、衡阳（衡山）、岳阳（云溪、湘阴、临湘）、张家界（武陵源）、怀化（辰溪）、娄底（冷水江）等。

| 资源情况 | 野生资源一般。药材主要来源于野生。

| 采收加工 | 夏季开花时采摘，鲜用或晒干。

| 功能主治 | 苦，寒。清热解毒。用于瘟疫，温毒，多种热毒，疮疡疔毒。

| 用法用量 | 内服煎汤，9 ~ 15 g。

菊科 Asteraceae 金光菊属 *Rudbeckia*

金光菊 *Rudbeckia laciniata* L.

|药材名|

金光菊（药用部位：叶。别名：太阳菊）。

|形态特征|

多年生草本，高 1 ~ 2 m。茎上部分枝。叶互生，无毛或被疏短毛；下部叶具柄，不裂或 5 ~ 7 深裂，裂片长圆状披针形，先端尖，基部楔形，边缘浅裂或有不等的疏锯齿；中部叶 3 ~ 5 深裂；上部叶不裂，卵形，先端尖，全缘或有少数粗齿，背面边缘被短糙毛。头状花序，直径 7 ~ 12 cm，单生于枝顶；总苞半球形，总苞片 2 层，被短毛；花托球形，托片先端截形，被毛，与瘦果等长；舌状花金黄色，舌片倒披针形，先端具 2 短齿；管状花黄色或黄绿色。瘦果，压扁，稍有 4 棱，先端有具 4 齿的小冠。花果期 7 ~ 10 月。

|生境分布|

生于排水良好、疏松的沙壤土中。

|资源情况|

野生资源稀少。药材来源于栽培。

|采收加工|

夏、秋季采集，洗净，鲜用或晒干。

| 功能主治 | 苦，寒。清湿热，解毒消痈。用于湿热吐泻，腹痛，痈疽疮毒。

| 用法用量 | 内服煎汤，9 ~ 12 g。外用适量，鲜品捣敷。

菊科 Asteraceae 风毛菊属 *Saussurea*

心叶风毛菊 *Saussurea cordifolia* Hemsl.

| 药材名 |

心叶风毛菊（药用部位：根）。

| 形态特征 |

多年生草本，高 70 ~ 100 cm。根茎木质，地上茎光滑。基生叶在花期常枯萎；茎生叶互生，叶柄长达 15 cm，基部扩大抱茎，下部叶大，圆心形，长、宽各 10 ~ 18 cm，先端渐尖，基部深心形，边缘有粗锯齿，上面被粗柔毛，下面无毛，上部叶渐小，卵形，无柄。头状花序，直径 2.5 cm，排成伞房状；总苞宽钟状，长 1.5 ~ 2.5 cm，总苞片先端常反折，边缘具睫毛；舌状小花粉紫色，长 1.2 cm。瘦果圆柱状，褐色，长 6 mm；冠毛白色，外层糙毛状，易落，内层羽毛状。花果期 8 ~ 10 月。

| 生境分布 |

生于海拔 700 ~ 1 500 m 的林缘、山谷、山坡、灌木林中及石崖下。分布于湖南湘西州（龙山）。

| 资源情况 |

野生资源稀少。药材来源于野生。

采收加工 夏、秋季采收，洗净，晾干。

功能主治 辛，温。祛风，散寒，止痛。用于风湿痹痛，跌打损伤。

用法用量 内服煎汤，6 ~ 15 g；或浸酒。

菊科 Asteraceae 风毛菊属 *Saussurea*

云木香 *Saussurea costus* (Falc.) Lipsch.

| 药 材 名 | 木香（药用部位：根。别名：云木香、广木香、青木香）。

| 形态特征 | 多年生高大草本，高 1.5 ~ 2 m。主根粗壮，直径 5 cm。茎直立，有棱。基生叶有长翼柄，翼柄圆齿状浅裂，叶片卵形或三角状卵形，长 30 ~ 50 cm，宽 10 ~ 30 cm，边缘有不规则的大或小锯齿。头状花序单生于茎端或枝端，或 3 ~ 5 在茎端集成稠密的束生伞房花序；总苞直径 3 ~ 4 cm，半球形，黑色，初时被蛛丝状毛，后变无毛，总苞片 7 层，直立，外层长三角形，长 8 mm，宽 1.5 ~ 2 mm，先端短针刺状，软骨质，渐尖，中层披针形或椭圆形，长 1.4 ~ 1.6 cm，宽 3 mm，先端针刺状，软骨质，渐尖，内层线状长椭圆形，长 2 cm，宽 3 mm，先端软骨质，针刺状，短渐尖。小花暗紫色，长 1.5 cm，细管部长 7 mm，檐部长 8 mm。瘦果浅褐色，三棱状，

长 8 mm，有黑色色斑，先端截形，具有锯齿的小冠；冠毛 1 层，浅褐色，羽毛状，长 1.3 cm。花果期 7 月。

| 生境分布 | 栽培种。栽培于湖南湘西州（龙山）等。

| 资源情况 | 栽培资源较少。药材来源于栽培。

| 采收加工 | 9 月下旬至 10 月下旬采挖，除去残茎，洗净，晒干（不宜久烘）。

| 药材性状 | 本品呈圆柱形或枯骨形，长 5 ~ 15 cm，直径 0.5 ~ 6 cm。表面黄棕色至灰棕色，大部分无栓皮，有明显的纵沟及侧根痕，有时可见网状皱纹。质坚硬，难折断，断面略平坦，黄棕色、暗棕色或黄白色，可见散在的棕色、光亮、大的油室；形成层环状，棕色，有放射状纹理，皮部直径约为断面的 1/3；老根有髓，幼根无髓。气芳香浓烈而特异，味苦。以色黄白、质坚实、香浓者为佳。

| 功能主治 | 辛、苦，温。归脾、胃、大肠、三焦、胆经。行气止痛，温中和胃。用于中寒气滞，胸腹胀痛，呕吐，泄泻，里急后重，寒疝。

| 用法用量 | 内服煎汤，5 ~ 15 g；磨汁；或入丸、散剂。外用适量，研末调敷；或磨汁涂。

| 附　　注 | 本种的拉丁学名在 FOC 中被修订为 *Aucklandia costus* Falc.。与本种功效相同的物种还有：膜缘川木香 *Dolomiaea forrestii* (Diels) Shih、川木香 *Dolomiaea souliei* (Franch.) Shih。

菊科 Asteraceae 风毛菊属 *Saussurea*

三角叶风毛菊 *Saussurea deltoidea* (DC.) Sch.-Bip.

药材名

三角叶风毛菊（药用部位：根。别名：白牛蒡根、翻白叶、毛叶威灵仙）。

形态特征

二年生草本，高 40 ~ 200 cm。茎直立，被稠密的锈色多细胞节毛及蛛丝状毛或蛛丝状绵毛。叶互生，叶片长圆形、卵状心形或三角状心形，长 20 ~ 25 cm，不裂或提琴状羽裂，侧裂片 1 ~ 2 对，顶部裂片大，先端渐尖，基部下延成楔形的翼，边缘有粗锯齿，上部叶渐小，全部叶上面有糠秕状毛，下面灰白色，密被柔毛，上部叶柄具翅。头状花序单生于枝顶，直径 1 ~ 4 cm；总苞宽钟状，长约 1.5 cm，总苞片外面被蛛丝状绵毛；管状小花，多数，长 2 ~ 4 mm，具 4 棱。瘦果先端有具齿的小冠；冠毛白色，羽毛状。花果期 5 ~ 11 月。

生境分布

生于海拔 500 ~ 1 400 m 的山坡、草地、林下、灌丛、荒地、牧场、杂木林中及河谷林缘。湖南各地均有分布。

资源情况 野生资源一般。药材主要来源于野生。

采收加工 夏、秋季采挖，洗净，晒干。

功能主治 甘、苦，温。祛风湿，通经络，健脾消疳。用于风湿痹痛，带下，腹泻，痢疾，疳积，胃寒疼痛。

用法用量 内服煎汤，9 ~ 15 g。外用适量，捣敷。

菊科 Asteraceae 风毛菊属 *Saussurea*

长梗风毛菊 *Saussurea dolichopoda* Diels

| 药 材 名 | 长梗风毛菊（药用部位：根茎。别名：空桐菜）。

| 形态特征 | 多年生草本。茎无毛。中部茎生叶长圆状披针形、卵状披针形或长圆形，长 12 ~ 14 cm，先端渐尖或尾尖，有细锯齿，叶柄长 1.5 ~ 2 cm；上部茎生叶长圆状披针形或长椭圆形；叶两面无毛。头状花序具粗梗，梗长 1.5 ~ 5 cm，排成伞房状或伞房圆锥花序；总苞钟状或圆形，直径 5 ~ 7 mm，总苞片 4 ~ 6 层，背面无毛，外层卵形，长 2 mm，中层长圆形，长 4 mm，内层长椭圆形或宽线形，长 0.9 ~ 1.1 cm。瘦果褐色，长 4 mm，无毛；冠毛 2 层，淡褐色。

| 生境分布 | 生于海拔 1 400 ~ 1 800 m 的山谷林下及山坡。分布于湖南湘西州（保靖）等。

资源情况 野生资源稀少。药材来源于野生。

采收加工 秋、冬季采收，除去杂质，摊开，晒干。

功能主治 苦、辛，温。祛风活血，散瘀止痛。用于牙龈炎，风湿痹痛，跌打损伤，麻风，感冒头痛，腰腿痛。

用法用量 内服煎汤，15 ~ 25 g；或浸酒。

菊科 Asteraceae 风毛菊属 *Saussurea*

风毛菊 *Saussurea japonica* (Thunb.) DC.

| 药 材 名 |

风毛菊（药用部位：全草。别名：八棱麻、八楞麻、三棱草）。

| 形态特征 |

二年生草本，高 50 ~ 200 cm。根倒圆锥状或纺锤形，黑褐色，生多数须根。茎直立，基部直径 1 cm，通常无翼，极少有翼，被稀疏的短柔毛及金黄色的小腺点。头状花序多数，在茎枝先端排成伞房状或伞房圆锥花序，有小花梗；总苞圆柱状，直径 5 ~ 8 mm，被白色稀疏的蛛丝状毛，总苞片 6 层，外层长卵形，长 2.8 mm，宽 1 mm，先端微扩大，紫红色，中层与内层倒披针形或线形，长 4 ~ 9 mm，先端有扁圆形的、紫红色的膜质附片，附片边缘有锯齿；小花紫色，长 10 ~ 12 mm，细管部长 6 mm，檐部长 4 ~ 6 mm。瘦果深褐色，圆柱形，长 4 ~ 5 mm；冠毛白色，2 层，外层短，糙毛状，长 2 mm，内层长，羽毛状，长 8 mm。花果期 6 ~ 11 月。

| 生境分布 |

生于海拔 700 ~ 1 500 m 的山坡、山谷、林下、

山坡路旁、山坡灌丛、荒坡、水旁、田中。分布于湖南常德（澧县）、郴州（临武）、永州（江永、新田、江华）、怀化（会同、新晃、通道、洪江、溆浦）、湘西州（吉首、泸溪、永顺、龙山、保靖）、益阳（安化）等。

|资源情况| 野生资源一般。药材主要来源于野生。

|采收加工| 夏、秋季采收，鲜用或晒干。

|功能主治| 苦、辛，温。祛风活络，散瘀止痛。用于风湿关节痛，腰腿痛，跌打损伤。

|用法用量| 煎汤内服，15 ~ 25 g；或浸酒。

菊科 Asteraceae 鸦葱属 *Scorzonera*

华北鸦葱 *Scorzonera albicaulis* Bunge

药材名

丝茅七（药用部位：根。别名：猪尾巴、独脚茅草）。

形态特征

多年生草本。茎枝被白色绒毛，茎基被棕色残鞘。基生叶与茎生叶线形、宽线形或线状长椭圆形，宽 0.3 ~ 2 cm，全缘，稀有浅波状微齿，两面无毛，基生叶基部抱茎。头状花序在茎枝先端排成伞房花序，花序分枝长或排成聚伞花序；总苞圆柱状，直径 1 cm，总苞片约 5 层，被薄柔毛，果期毛稀或无毛，外层三角状卵形或卵状披针形，长 5 ~ 8 mm，中、内层椭圆状披针形、长椭圆形或宽线形；舌状小花黄色。瘦果圆柱状，无毛，先端喙状；冠毛污黄色，其中 3 ~ 5 根超长，长达 2.4 cm，冠毛大部分羽毛状。

生境分布

生于海拔 500 ~ 800 m 的山坡、草地、路旁、灌丛或林下。分布于湖南常德（澧县）、湘西州（永顺）、益阳（安化）等。

资源情况

野生资源稀少。药材来源于野生。

采收加工 夏、秋季采挖，洗净，鲜用或晒干，或蒸后晒干。

药材性状 本品长圆形，肉质，长 5 ~ 10 cm，直径 1 ~ 1.5 cm。鲜品横切面白色，并有乳汁流出。干品表面褐色或棕黑色，纵横皱缩不平，有时呈剥裂状，先端常有茎叶残基。气微，味微甘。

功能主治 苦，凉。归肺、胃、心、肝经。清热解毒，凉血散瘀。用于风热感冒，痈肿疔毒，带状疱疹，月经不调，乳少不畅，跌打损伤。

用法用量 内服煎汤，6 ~ 15 g。外用适量，鲜品捣敷；或取茎中白汁涂。

菊科 Asteraceae 千里光属 *Senecio*

湖南千里光 *Senecio actinotus* Hand.-Mazz.

| 药材名 |

红菠菜（药用部位：全草。别名：血见草、肺痨草、土参叶）。

| 形态特征 |

多年生草本。茎高达 1 m，疏被柔毛。基生叶和下部茎生叶花期宿存，具长柄，叶柄长达 19 cm，叶三角形，长 13 ~ 15 cm，基部深心形，有粗钝的三角形齿，两面无毛，侧脉 6 ~ 9 对；中部茎生叶长达 18 cm，叶柄长 12 ~ 13 cm，基部具耳，叶耳圆形或肾形，直径 1.5 ~ 4 cm，具粗齿，抱茎；上部叶椭圆形、卵形或披针形，有短柄或无柄，具耳，羽状分裂；最上部叶披针形，近全缘，无柄，具耳。头状花序极多数，排成复伞房花序；花序枝和花序梗被柔毛，花序梗细；基部通常有苞片，小苞片 2 ~ 3；苞片和小苞片线形；舌状花 3，舌片黄色，长圆形，长 4 mm；管状花 7 ~ 9，花冠黄色，长 5 ~ 5.5 mm。瘦果圆柱形，无毛；冠毛白色。

| 生境分布 |

生于海拔 1 200 ~ 1 260 m 的山坡阴湿处及沟谷土质较疏松肥沃的黄壤疏林内或溪涧两旁的灌丛中。分布于湖南邵阳（绥宁、新宁）等。

| 资源情况 | 野生资源稀少。药材来源于野生。

| 采收加工 | 夏、秋季采收，洗净，晒干。

| 功能主治 | 微甘、酸，平。归肺、心、胃经。清热，生津，止渴。用于热病津伤口渴，流行性出血热。

| 用法用量 | 内服煎汤，15 ~ 30 g。

菊科 Asteraceae 千里光属 *Senecio*

菊状千里光 *Senecio laetus* Edgew.

| 药 材 名 | 大红青菜（药用部位：全草或根。别名：天青地红、野青菜）。

| 形态特征 | 多年生草本。茎疏被蛛丝状毛，或无毛。基生叶和最下部茎生叶卵状椭圆形、卵状披针形或倒披针形，长 8 ~ 10 cm，基部微心形或楔形，具齿，不裂或大头羽状分裂，顶裂片较大而宽，具齿，侧裂片 1 ~ 4 对，上面无毛，下面有疏蛛丝状毛至无毛，侧脉 8 ~ 9 对，叶柄长达 10 cm，基部扩大；中部茎生叶长圆形或倒披针状长圆形，长 5 ~ 22 cm，大头羽状浅裂或羽状浅裂，耳具齿或细裂，半抱茎；上部叶渐小，长圆状披针形或长圆状线形，具粗羽状齿。头状花序排成顶生伞房花序或复伞房花序，花序梗被蛛丝状绒毛或黄褐色柔毛，或无毛，有线形苞片和 2 ~ 3 线状钻形小苞片；总苞钟状，直径 3 ~ 7 mm，外层 8 ~ 10，线状钻形，总苞片 10 ~ 13，长圆状披

针形；舌状花 10 ~ 13，舌片黄色，长圆形，长约 6.5 mm；管状花多数，花冠黄色，长 5 ~ 5.5 mm。瘦果圆柱形，被疏柔毛，或舌状花或全部小花的瘦果无毛；瘦果有冠毛，或舌状花的瘦果无冠毛，冠毛污白色或禾秆色，稀淡红色。

| 生境分布 | 生于海拔 500 ~ 1 200 m 的山坡、沟谷、草地或灌丛边缘、路旁沟边及杂草丛中。分布于湖南益阳（资阳）等。

| 资源情况 | 野生资源稀少。药材来源于野生。

| 采收加工 | 6 ~ 9 月采收，切段，鲜用或晒干。

| 功能主治 | 微苦、辛，凉。清热解毒，散瘀消肿。用于疮疡肿毒，跌打肿痛。

| 用法用量 | 内服煎汤，10 ~ 15 g，大剂量可用至 30 g。外用适量，鲜根捣敷。

菊科 Asteraceae 千里光属 *Senecio*

林荫千里光 *Senecio nemorensis* L.

药材名

林荫千里光（药用部位：全草）。

形态特征

多年生草本。茎疏被柔毛或近无毛。基生叶和下部茎生叶花期凋萎；中部茎生叶披针形或长圆状披针形，基部楔状渐窄或稍半抱茎，边缘具密锯齿；上部叶渐小，线状披针形或线形。头状花序排成复伞房花序，花序梗细，具 3 ~ 4 小苞片，小苞片线形，长 0.5 ~ 1 cm，疏被柔毛；总苞近圆柱形，长 6 ~ 7 mm，外层 4 ~ 5，线形，短于总苞，总苞片 12 ~ 18，长圆形，长 6 ~ 7 mm，先端三角状，渐尖，被褐色柔毛，边缘宽干膜质，背面被柔毛；舌状花 8 ~ 10，舌片黄色，线状长圆形，长 1.1 ~ 1.3 cm；管状花 15 ~ 16，花冠黄色，长 8 ~ 9 mm。瘦果圆柱形；冠毛白色。

生境分布

生于海拔 500 ~ 1 500 m 的河谷草甸、林缘、林下阴湿处。分布于湖南邵阳（隆回）、怀化（洪江）、娄底（新化）、益阳（安化）、怀化（溆浦）、长沙（浏阳）等。

资源情况 野生资源稀少。药材来源于野生。

采收加工 8 ~ 9 月采收，洗净，鲜用或晒干。

功能主治 苦、辛，寒。归心、肝、胃、大肠经。清热解毒。用于热痢，眼肿，痈疖疔毒。

用法用量 内服煎汤，6 ~ 12 g。

菊科 Asteraceae 千里光属 *Senecio*

千里光 *Senecio scandens* Buch.-Ham. ex D. Don

药材名

千里光（药用部位：地上部分。别名：千里急、九里明）。

形态特征

多年生攀缘草本。茎长 2 ~ 5 m，多分枝，被柔毛或无毛。叶卵状披针形或长三角形，长 2.5 ~ 12 cm，基部宽楔形、平截、戟形，稀心形，边缘常具齿，稀全缘，有时具细裂或羽状浅裂，近基部具 1 ~ 3 对较小侧裂片，两面被柔毛至无毛，侧脉 7 ~ 9 对，叶柄被柔毛或近无毛，无耳或基部有小耳；上部叶变小，披针形或线状披针形。头状花序排成复聚伞圆锥花序，花序梗被柔毛，花序梗具苞片，小苞片 1 ~ 10，线状钻形；总苞圆柱状钟形，长 5 ~ 8 mm，外层约 8，线状钻形，长 2 ~ 3 mm，总苞片 12 ~ 13，线状披针形；舌状花 8 ~ 10，管部长 4.5 mm，舌片黄色，长圆形，长 0.9 ~ 1 cm；管状花多数，花冠黄色，长 7.5 mm。瘦果圆柱形，被柔毛；冠毛白色。

生境分布

生于海拔 50 ~ 1 300 m 的山坡、山脚疏林下、林边、路旁、沟边草丛中。湖南有广泛分布。

| 资源情况 | 野生资源丰富。药材来源于野生。

| 采收加工 | 9 ~ 10 月收割，鲜用或晒干。

| 药材性状 | 本品茎呈细圆柱形，稍弯曲，上部有分枝；表面灰绿色、黄棕色或紫褐色，具纵棱，密被灰白色柔毛。叶互生，多皱缩破碎，完整者展平后呈卵状披针形或长三角形，有时具 1 ~ 6 侧裂片，边缘有不规则的锯齿，基部戟形或截形，两面有细柔毛。花序头状；总苞钟形；花黄色至棕色，冠毛白色。气微，味苦。

| 功能主治 | 苦，寒。归肺、肝经。清热解毒，明目，利湿。用于痈肿疮毒，感冒发热，目赤肿痛，泄泻，痢疾，湿疹。

| 用法用量 | 内服煎汤，15 ~ 30 g。外用适量，煎汤熏洗。

| 附　　注 | 本种为《中华人民共和国药典》（2020 年版）千里光的基原植物。

菊科 Asteraceae 千里光属 *Senecio*

闽粤千里光 *Senecio stauntonii* DC.

药材名 闽粤千里光（药用部位：全草。别名：狭叶千里光）。

形态特征 多年生草本。根茎微直立或半攀缘。基生叶在花期迅速枯萎；茎生叶多数，无柄，卵状披针形至狭长圆状披针形，长 1 ~ 4 cm，先端渐尖或狭，宽 5 ~ 12 cm 基部具圆耳，半抱茎，边缘内卷，具疏生细齿，革质，上面有贴生毛，下面沿脉有疏短毛至无毛，侧脉 7 ~ 9 对，耳全缘至有齿，或具短撕裂，抱茎；上部叶较窄。头状花序排成疏伞房花序，花序梗无毛或疏被柔毛，有基生苞片及多数线状钻形小苞片；总苞钟状，长 7 mm，外层 6 ~ 8，线状钻形，有柔毛，总苞片 13，线状披针形，边缘窄干膜质，背面无毛或疏生柔毛；舌状花 8 ~ 13，近上部有微毛，舌片黄色，长圆形，长 8 mm；管状花多数，花冠黄色，长 7 mm。瘦果圆柱形，被柔毛；冠毛白色。

| **生境分布** | 生于海拔1 000 m以下的山坡、田野、水边及疏林中。分布于湖南郴州（北湖）等。

| **资源情况** | 野生资源较丰富。药材来源于野生。

| **采收加工** | 夏、秋季采收，洗净，扎把晒干。

| **功能主治** | 苦、微辛，凉。归心、胃经。清热解毒，祛风止痒。用于痈肿疮疖，湿疹，疥癣，皮肤瘙痒。

| **用法用量** | 内服煎汤，9 ~ 15 g。外用适量，煎汤洗；或熬膏涂；或研末调搽。

菊科 Asteraceae 麻花头属 *Serratula*

华麻花头 *Serratula chinensis* S. Moore

| 药 材 名 | 广东升麻（药用部位：根。别名：升麻、土升麻）。

| 形态特征 | 多年生草本，高 60 ~ 120 cm。根茎短，生多数纺锤状直根，纺锤状直根直径 8 ~ 12 mm。茎直立，上部分枝，全部茎枝被稀疏蛛丝毛至脱毛或无毛。中部茎生叶椭圆形、卵状椭圆形或长椭圆形，少为倒卵形，长 9.3 ~ 13 cm，宽 3.5 ~ 7 cm，极少长达 22 cm，宽达 8 cm，基部楔形，叶柄长 1.5 ~ 2.5（~ 4.5）cm；上部叶小，无柄或几无柄，与中部茎生叶同形；全部叶边缘有锯齿，两面粗糙，两面被多细胞短节毛及棕黄色小腺点。头状花序少数，单生于茎枝先端，不呈明显的伞房花序式排列；总苞碗状，上部无收缢，直径约 3 cm，总苞片 6 ~ 7 层，外层卵形至长椭圆形，长 5 ~ 13 mm，宽 3 ~ 5 mm，内层至最内层长椭圆形至线状长椭圆形，长 2 ~ 2.6 cm，

宽 3 ～ 5 mm，全部总苞片质地薄，无毛，先端圆形或钝，无针刺，紫红色；花为两性花，花冠紫红色，长 3 cm，细管部长 1.3 cm，檐部长 1.7 cm，花冠裂片线形，长 9 mm。瘦果长椭圆形，深褐色，长 7 mm，宽 2 mm；冠毛褐色，多层，不等长，长达 1.6 cm，冠毛刚毛微锯齿状，分散脱落。花果期 7 ～ 10 月。

｜生境分布｜ 生于山坡草地或林缘、林下、灌丛中。湖南各地均有分布。

｜资源情况｜ 野生资源较丰富。药材来源于野生。

｜采收加工｜ 秋季采挖，去掉泥土，洗净，晒干。

｜药材性状｜ 本品呈圆柱形，稍扭曲，长 5 ～ 15 cm，直径 0.5 ～ 1 cm。表面灰黄色或浅灰色，有纵皱纹或纵沟，可见少数须根痕。质脆，易折断，断面浅棕色或灰白色。味淡，微苦。

｜功能主治｜ 辛、苦，寒。归肺、胃、大肠经。透疹解毒，升阳举陷。用于风热头痛，麻疹透发不畅，斑疹，肺热咳喘，咽喉肿痛，胃火牙痛，久泻脱肛，子宫脱垂。

｜用法用量｜ 内服煎汤，3 ～ 9 g。外用适量，煎汤洗。

菊科 Asteraceae 虾须草属 *Sheareria*

虾须草 *Sheareria nana* S. Moore

| 药 材 名 | 虾须草（药用部位：全草。别名：绿绿草、草麻黄）。

| 形态特征 | 一年生草本，高 15 ~ 40 cm。茎直立，自下部分枝，下部直径 2 ~ 3 mm，绿色或有时稍带紫色，无毛或稍被细毛。叶稀疏，线形或倒披针形，长 1 ~ 3 cm，宽 3 ~ 4 mm，无柄，先端尖，全缘，中脉明显，下面凸起；上部叶小，鳞片状。头状花序顶生或腋生，直径 2 ~ 4 mm，花序梗长 3 ~ 5 mm；总苞片 4 ~ 5，2 层，宽卵形，长约 2 cm，稍被细毛，外层较内层小；雌花舌状，白色或有时淡红色，舌片宽卵状长圆形，长 1.5 mm，宽 1 mm，近全缘或先端有小钝齿；两性花管状，上部钟状，有 5 齿，长 1.5 ~ 2 mm。瘦果长椭圆形，褐色，长 3.5 ~ 4 mm，无冠毛。

| 生境分布 | 生于海拔 500 m 以下的山坡、田边、湖边、河边草地或沙滩上。分布于湖南长沙（岳麓）、衡阳（衡南）、常德（安乡、汉寿、津市）、益阳（资阳）、湘西州（古丈、永顺）、张家界（慈利）等。

| 资源情况 | 野生资源较少。药材来源于野生。

| 采收加工 | 夏、秋季采收，鲜用或晒干。

| 功能主治 | 苦，平。归肺、肝、胃、脾经。清热解毒，利水消肿。用于疮疡肿毒，水肿，风热头痛。

| 用法用量 | 内服煎汤，15 ~ 30 g。外用适量，捣敷。

Asteraceae *Siegesbeckia*

豨莶 *Siegesbeckia orientalis* L.

| 药材名 | 豨莶草（药用部位：全草。别名：毛大菜、肥猪苗）、豨莶果（药用部位：果实）、豨莶根（药用部位：根）。

| 形态特征 | 一年生草本。茎直立，高 30 ~ 100 cm，分枝斜升，上部的分枝常呈复二歧状；全部分枝被灰白色短柔毛。基部叶花期枯萎；中部叶三角状卵圆形或卵状披针形，长 4 ~ 10 cm，宽 1.8 ~ 6.5 cm，基部阔楔形，下延成具翼的柄，先端渐尖，边缘有规则的浅裂或粗齿，纸质，上面绿色，下面淡绿色，具腺点，两面被毛，三出基脉，侧脉及网脉明显；上部叶渐小，卵状长圆形，浅波状或全缘，近无柄。头状花序直径 15 ~ 20 mm，多数聚生于枝端，排列成圆锥花序，花梗长 1.5 ~ 4 cm，密生短柔毛；总苞阔钟状，总苞片 2 层，叶质，背面被紫褐色具柄的头状腺毛，外层 5 ~ 6，线状匙形或匙形，开

展，长 8 ~ 11 mm，宽约 1.2 mm，内层卵状长圆形或卵圆形，长约 5 mm，宽 1.5 ~ 2.2 mm；外层托片长圆形，内弯，内层托片倒卵状长圆形；花黄色；雌花花冠管部长 0.7 mm；两性管状花上部钟状，先端有 4 ~ 5 卵圆形裂片。瘦果倒卵圆形，有 4 棱，先端有灰褐色环状突起，长 3 ~ 3.5 mm，宽 1 ~ 1.5 mm。花期 4 ~ 9 月，果期 6 ~ 11 月。

| 生境分布 | 生于海拔 1 200 m 以下的山野、荒坡、灌丛、林缘、林下、草丛中。湖南有广泛分布。

| 资源情况 | 野生资源丰富。栽培资源一般。药材来源于野生和栽培。

| 采收加工 | **豨莶草：**夏季开花前或花期采收，晒至半干，置于干燥通风处，晾干。

豨莶果：夏、秋季采收，晒干。

豨莶根：秋、冬季采收，除去杂质，切段，鲜用。

| 药材性状 | **豨莶草：**本品茎呈方柱形，多分枝，长 30 ~ 100 cm，直径 0.3 ~ 1 cm；表面灰绿色或紫棕色，有纵沟及细纹，被灰色柔毛，节明显，略膨大；质脆，易折断，断面黄白色或带绿色，髓部宽大，中空。叶对生，叶片多皱缩、卷曲，展平后呈卵圆形，边缘有钝锯齿，主脉三出。有的可见黄色头状花序，总苞片匙形。以叶多、枝嫩、色深绿者为佳。

| 功能主治 | **豨莶草：**辛、苦，寒。归肝、肾经。祛风湿，利关节，解毒。用于风湿痹痛，筋骨无力，腰膝酸软，四肢麻痹，半身不遂，风疹湿疮。

豨莶果：苦、酸，平。归大肠经。驱蛔。用于蛔虫病。

豨莶根：祛风除湿，止带。用于风湿顽痹，头风，带下。

| 用法用量 | **豨莶草：**内服煎汤，9 ~ 12 g。

豨莶果：内服煎汤，9 ~ 15 g。

豨莶根：内服煎汤，60 ~ 120 g。外用适量，捣敷。

| 附　　注 | 本种为《中华人民共和国药典》（2020 年版）豨莶草的基原植物之一。

Asteraceae *Siegesbeckia*

腺梗豨莶 *Siegesbeckia pubescens* Makino

| 药材名 | 同“豨莶”。

| 形态特征 | 一年生草本。茎上部多分枝，被灰白色长柔毛和糙毛。基部叶卵状披针形；中部叶卵圆形或卵形，长 3.5 ~ 12 cm，基部下延成具翼、长 1 ~ 3 cm 的柄，边缘有尖头状粗齿；上部叶披针形或卵状披针形；叶上面深绿色，下面淡绿色，基脉三出，两面被平伏柔毛。头状花序直径 1.8 ~ 2.2 cm，多数排成疏散圆锥状，花序梗较长，密生紫褐色腺毛和长柔毛；总苞宽钟状，总苞片 2 层，叶质，背面密生紫褐色腺毛，外层线状匙形或宽线形，长 0.7 ~ 1.4 cm，内层卵状长圆形，长 3.5 mm；舌状花花冠管部长 1 ~ 1.2 mm，先端 2 ~ 3（~ 5）齿裂；两性管状花长约 2.5 mm，冠檐钟状，先端 4 ~ 5 裂。瘦果倒卵圆形。

| 生境分布 | 生于海拔 500 ~ 1 500 m 的山野、荒坡、灌丛、林缘、林下、草丛、田野、路边等。湖南有广泛分布。

| 资源情况 | 野生资源较丰富。药材来源于野生和栽培。

| 采收加工 | 同“豨莶”。

| 药材性状 | **豨莶草：**本品花梗被紫褐色具柄的头状密腺毛和长柔毛。中部叶卵圆形，边缘有尖头状粗齿。总苞片背面密被紫褐色具柄的头状腺毛。其他性状同“豨莶草”。

| 功能主治 | 同“豨莶”。

| 用法用量 | 同“豨莶”。

| 附　　注 | 本种为《中华人民共和国药典》（2020 年版）豨莶草的基原植物之一。

菊科 Asteraceae 豨莶属 *Siegesbeckia*

毛梗豨莶 *Sigesbeckia glabrescens* (Makino) Makino

| 药材名 |

同"豨莶"。

| 形态特征 |

一年生草本。茎上部分枝，被平伏柔毛，有时上部毛较密。茎中部叶卵圆形、三角状卵圆形或卵状披针形，长 2.5 ～ 11 cm，边缘有规则尖头状齿，基部有时下延成具翼、长 0.5 ～ 6 cm 的柄；上部叶卵状披针形，长 1 cm，有疏齿或全缘，有短柄或无柄；叶两面被柔毛，基脉三出。头状花序直径 1 ～ 1.8 cm，多数排成圆锥状，花序梗疏生平伏柔毛；总苞钟状，总苞片 2 层，叶质，背面密被紫褐色腺毛，外层苞片 5，线状匙形，长 6 ～ 9 mm，内层苞片倒卵状长圆形，长 3 mm；雌花花冠管部长约 0.8 mm；两性花花冠上部钟状，先端 4 ～ 5 齿裂。瘦果倒卵圆形，长约 2.5 mm，有灰褐色环状突起。

| 生境分布 |

生于海拔 1 000 m 以下的溪边草地。湖南有广泛分布。

| 资源情况 |

野生资源丰富。药材来源于野生和栽培。

| 采收加工 | 同"豨莶"。

| 药材性状 | **豨莶草：**本品花梗和枝上部疏生平伏的短柔毛。叶片卵圆形。

| 功能主治 | 同"豨莶"。

| 用法用量 | 同"豨莶"。

| 附　　注 | 本种为《中华人民共和国药典》（2020 年版）豨莶草的基原植物之一。

菊科 Asteraceae 松香草属 *Silphium*

串叶松香草 *Silphium perfoliatum* L.

药材名

串叶松香草（药用部位：根）。

形态特征

多年生草本，高 2 ~ 3 m。茎直立，四棱形，上部分枝。叶对生，卵形，长 15 ~ 30 cm，宽 10 ~ 20 cm，先端急尖；下部叶基部渐狭成柄，边缘具粗牙齿。头状花序在茎顶排成伞房状；总苞片数层；舌状花舌片先端具 3 齿；管状花黄色，两性，不育。花期 6 ~ 9 月，果期 9 ~ 10 月。

生境分布

栽培种。分布于湖南长沙（长沙）、永州（道县）等。

资源情况

栽培资源较少。药材来源于栽培。

采收加工

夏、秋季采挖，鲜用或晒干。

功能主治

用于感冒。

用法用量 内服煎汤，9 ~ 15 g。

菊科 Asteraceae 华蟹甲属 *Sinacalia*

华蟹甲

Sinacalia tangutica (Maxim.) B. Nord.

药材名

羊角天麻（药用部位：地下块茎。别名：猪肚子）。

形态特征

茎下部被褐色腺状柔毛。中部茎生叶卵形或卵状心形，长 10 ~ 16 cm，羽状深裂，侧裂片 3 ~ 4 对，近对生，长圆形，边缘常具数个小尖齿，上面疏被贴生硬毛，下面沿脉被柔毛及疏蛛丝状毛，羽状脉，叶柄长 3 ~ 6 cm，基部半抱茎，被疏柔毛或近无毛；上部茎生叶渐小，具短柄。头状花序常排成多分枝宽塔状复圆锥状，花序轴及花序梗被黄褐色腺状柔毛，花序梗长 2 ~ 3 mm，具 2 ~ 3 线形小苞片；总苞圆柱状，长 0.8 ~ 1 cm，总苞片 5，线状长圆形，长约 8 mm，被微毛，边缘窄，干膜质；舌状花 2 ~ 3，黄色，舌片长圆状披针形，长 1.3 ~ 1.4 cm，具 2 小齿，具 4 脉；管状花 4（~ 7），花冠黄色。瘦果圆柱形，长约 3 mm，无毛，具肋；冠毛糙毛状，白色，长 7 ~ 8 mm。

生境分布

生于海拔 1 000 ~ 1500 m 的山坡疏林下、

灌丛中、山沟旁或草地上。分布于湖南常德（石门）、张家界（慈利）、湘西州（保靖）等。

| 资源情况 | 野生资源稀少。药材来源于野生。

| 采收加工 | 秋末苗枯后采挖，洗净，晒干。

| 功能主治 | 辛、微苦，平；有小毒。祛风，化痰，平肝。用于头痛眩晕，风湿关节痛，偏瘫，咳嗽痰喘。

| 用法用量 | 内服煎汤，6 ~ 9 g；或浸酒。

菊科 Asteraceae 蒲儿根属 *Sinosenecio*

滇黔蒲儿根 *Sinosenecio bodinieri* (Vaniot) B. Nord.

| 药材名 |

黄菊莲（药用部位：全草。别名：掌裂华千里光、丝带千里光、掌裂蒲儿根）。

| 形态特征 |

多年生草本。根茎直立或斜升，直径 5 ~ 10 mm，被褐色宿存残叶基覆盖，具多数纤维状根。茎单生，稀 2 ~ 5，葶状，直立，高 10 ~ 30 cm，被红褐色具节长柔毛，下部毛较密，近上部被黄褐色绒毛。叶圆形或近圆形，长 2 ~ 6 cm，宽 3 ~ 6 cm，基部心形，稀近截形，边缘波状，稀浅裂，具宽三角形或圆形浅齿，五至七出掌状脉。头状花序直径 1.5 cm，通常 3 ~ 7，稀 9 个排列成顶生伞房状，初时较密集，后变稀疏，花序梗纤细，长 1 ~ 6 cm，被短柔毛或近无毛，具 1 基生苞片及 2 ~ 3 小苞片，苞片及小苞片线形或线状匙形；舌状花约 13，无毛，舌片黄色，长圆形，先端具 3 小齿，具 4 脉；管状花多数，花冠黄色，檐部钟状。瘦果圆柱形，长 1.8 mm，无毛，具 5 肋。花期 4 ~ 6 月。

| 生境分布 |

生于海拔 500 ~ 1 200 m 的山麓、溪流边及林下阴湿处。分布于湖南怀化（麻阳）等。

| 资源情况 | 野生资源稀少。药材来源于野生。

| 功能主治 | 用于跌打损伤，吐血。

菊科 Asteraceae 蒲儿根属 *Sinosenecio*

毛柄蒲儿根 *Sinosenecio eriopodus* (Cumm.) C. Jeffrey et Y. L. Chen

| 药材名 | 一面锣（药用部位：全草。别名：直梗华千里光、狗耳朵）。

| 形态特征 | 多年生草本。茎单生，花葶状，直立或稍弯曲，高达 36 cm，被黄褐色或绢状绵毛，不分枝或中部以上分枝。叶少数，基生，具长柄；叶片卵状心形，长 6 ~ 10 cm，宽 4 ~ 8.5 cm，先端尖至近钝，具硬的小尖头，边缘有具小尖头的波状齿，基部心形，基生掌状脉 7 ~ 9。头状花序直径 2 cm，8 ~ 13 排列成顶生伞房状花序，花序梗长 2 ~ 4 cm，密被绒毛或脱毛，基部具 1 线形苞片及 3 ~ 4 小苞片；舌状花 6 ~ 8，管部长 3 mm，舌片黄色，长圆形，长 8 ~ 15 mm，先端钝，具 3 小齿，具 4 脉；管状花多数，花冠黄色，檐部钟状，裂片 5，卵状三角形；花药长圆形，长 2 mm，基部圆钝，附片卵状

长圆形；花柱分枝，稍外弯，先端截形，两侧被乳头状微毛。瘦果圆柱形，长约 3 mm，无毛，具肋；冠毛白色，长 6 mm。花期 4 ～ 7 月。

生境分布 生于海拔 820 m 的山坡、林缘或灌丛中。分布于湖南湘西州（花垣、永顺）、张家界（慈利）等。

资源情况 野生资源稀少。药材来源于野生。

功能主治 用于瘀血腹痛，跌打损伤。

菊科 Asteraceae 蒲儿根属 *Sinosenecio*

广西蒲儿根 *Sinosenecio guangxiensis* C. Jeffrey et Y. L. Chen

药材名

白背青（药用部位：全草。别名：广西华千里光、走马须）。

形态特征

多年生草本。根茎短粗，直径 5 ~ 10 mm，颈部密被黄褐色绒毛，被宿存残叶基覆盖，具多数纤维状根。茎单生，葶状，纤细，直立，高 10 ~ 30 cm，不分枝，下部密被褐色长柔毛，上部被疏柔毛至近无毛。叶片近圆形或肾形，长 2 ~ 6 cm，宽 2.5 ~ 7 cm，基部心形，边缘波状，或具卵状三角形或浅卵状三角形粗齿，掌状脉 5 ~ 7；叶柄较粗，密被黄褐色长柔毛，基部略扩大；茎生叶通常 2，下部茎生叶与基生叶同形，叶柄较短，基部具不明显的耳。头状花序（1 ~ ）2 ~ 7 排列成顶生伞房花序，花序梗细，长 1 ~ 5.5 cm，被疏短柔毛或近无毛，基部常具 1 苞片，上部具 1 ~ 3 小苞片，苞片及小苞片线形，先端具硬骨质小尖；管状花多数，花冠黄色，檐部钟状。瘦果圆柱形，长 1.5 ~ 2 mm，具肋，被短柔毛。花期 6 ~ 7 月。

生境分布

生于海拔 940 ~ 1 600 m 的山地林缘或路旁。

分布于湖南永州（蓝山）等。

|资源情况| 野生资源稀少。药材来源于野生。

|功能主治| 用于风湿关节痛。

菊科 Asteraceae 蒲儿根属 *Sinosenecio*

蒲儿根 *Sinosenecio oldhamianus* (Maxim.) B. Nord.

| 药 材 名 | 蒲儿根（药用部位：全草）。

| 形态特征 | 多年生或二年生茎叶草本。根茎木质，粗，具多数纤维状根。茎单生，或有时数个，直立，不分枝，被白色柔毛。基部叶在花期凋落，具长叶柄；下部叶具柄，叶片卵状圆形，先端尖，基部心形，边缘具浅至深重齿，膜质，上面绿色，被疏蛛丝状毛，下面被白色蛛丝状毛，掌状 5 脉；上部叶渐小，叶柄被白色蛛丝状毛，叶片卵形，具短柄；最上部叶卵形。头状花序多数排列成顶生复伞房状花序；花序梗细，被疏柔毛。总苞宽钟状，无外层苞片；总苞片约 13，长圆状披针形，先端渐尖，紫色，草质，具膜质边缘，外面被白色蛛丝状毛或短柔毛至无毛。舌状花约 13，无毛，舌片黄色，长圆形，

先端钝，具3细齿及4脉；管状花多数，花冠黄色，檐部钟状；裂片卵状长圆形，先端尖；花药长圆形，基部钝，附片卵状长圆形。瘦果圆柱形，舌状花瘦果无毛，在管状花被短柔毛。花期1 ~ 12月。

| 生境分布 | 生于海拔360 ~ 2 000 m的林缘、溪边、潮湿岩石边及草坡、田边。分布于湖南株洲（炎陵）、衡阳（南岳、衡山）、邵阳（洞口、绥宁、城步）、岳阳（平江）、张家界（桑植）、郴州（宜章、临武）、永州（祁阳、东安、道县）、怀化（沅陵、溆浦、会同）、湘西州（吉首、花垣、保靖、古丈、永顺、龙山）等。

| 资源情况 | 野生资源较丰富。药材来源于野生。

| 采收加工 | 春、夏、秋季采收，鲜用或晒干。

| 功能主治 | 辛、苦，凉；有小毒。清热解毒。用于痈疖肿毒。

| 用法用量 | 内服煎汤，9 ~ 15 g，鲜品大剂量可用60 ~ 90 g。外用适量，鲜品捣敷。

菊科 Asteraceae 包果菊属 *Smallanthus*

菊薯 *Smallanthus sonchifolius* (Poepp.) H. Rob.

| 药 材 名 | 雪莲果（药用部位：块根）。

| 形态特征 | 多年生草本，高 1 ~ 3 m。茎圆柱形，中空。地下具纺锤形块茎。下部叶宽卵形或戟形，具长柄，上部叶卵状披针形。头状花序，总苞片 5，花冠黄色，舌状花雌性，具 2 ~ 3 齿；盘状花多数。瘦果。

| 生境分布 | 栽培于公园、绿地、植物园、路边或蔬果园中。湖南各地均有栽培。

| 资源情况 | 栽培资源较丰富。药材来源于栽培。

| 采收加工 | 秋季采收。

| 功能主治 | 甘，凉。归大肠经。清热退火，消炎利尿，清肝解毒，软化血管，

降血压。

| 用法用量 | 内服煎汤，10 ~ 15 g；或生嚼，1 个。

菊科 Asteraceae 一枝黄花属 *Solidago*

加拿大一枝黄花 *Solidago canadensis* L.

| 药 材 名 | 一枝黄花（药用部位：全草。别名：金棒草）。

| 形态特征 | 多年生草本。根茎长。茎直立，高达 2.5 m。叶披针形或线状披针形，长 5 ~ 12 cm。头状花序很小，长 4 ~ 6 mm，在花序分枝上单面着生，多数弯曲的花序分枝与单面着生的头状花序排成开展的圆锥状花序；总苞片线状披针形，长 3 ~ 4 mm；边缘舌状花很短。

| 生境分布 | 生于海拔 50 ~ 200 m 的平地，路旁。湖南各地均有分布。

| 资源情况 | 野生资源一般。药材来源于野生。

| 功能主治 | 清热解毒，散火疏风，消肿止痛，抗菌消炎，利尿。用于感冒风热头痛，咽喉肿痛，肺热咳嗽，百日咳，肺结核所致的咳嗽、咯血。

附　　注 本种为恶性外来入侵种，危害严重，应注意防范。

菊科 Asteraceae 一枝黄花属 *Solidago*

一枝黄花 *Solidago decurrens* Lour.

药材名

一枝黄花（药用部位：全草）。

形态特征

多年生草本。茎直立，通常细弱，单生或少数簇生，不分枝或中部以上有分枝。茎中部叶椭圆形、长椭圆形、卵形或宽披针形，下部楔形渐窄，有具翅的柄，仅中部以上边缘有细齿或全缘；向上叶渐小；下部叶与中部叶同形，有长 2 ~ 4 cm 或更长的翅柄。全部叶质地较厚，叶两面、沿脉及叶缘有短柔毛或下面无毛。头状花序较小，多数在茎上部排列成紧密或疏松的长 6 ~ 25 cm 的总状花序或伞房状圆锥花序，少有排列成复头状花序的；总苞片 4 ~ 6 层，披针形或披狭针形，先端急尖或渐尖；舌状花舌片椭圆形。瘦果无毛，极少有在先端被稀疏柔毛的。花果期 4 ~ 11 月。

生境分布

生于海拔 565 ~ 2 000 m 的山坡，阔叶林林缘和林下，路旁及草丛中。湖南各地均有分布。

资源情况 野生资源丰富。药材来源于野生。

采收加工 9 ~ 10 月盛花期采收，洗净，鲜用或晒干。

药材性状 本品长 30 ~ 100 cm。根茎短粗，簇生淡黄色细根。茎呈圆柱形，直径 0.2 ~ 0.5 cm；表面黄绿色、灰棕色或暗紫红色，有棱线，有的上部被毛；质脆，易折断，断面显纤维性，有髓。单叶互生，多皱缩破碎，完整者展平后呈卵形或披针形，长 1 ~ 9 cm，宽 0.3 ~ 1.5 cm，先端稍尖或钝，全缘或上部有不规则的疏锯齿，基部下延成柄。头状花序直径约 0.7 cm，排成总状，偶有黄色舌状花残留，多皱缩扭曲；苞片 4 ~ 6 层，卵状披针形。瘦果细小，冠毛黄白色。

功能主治 辛、苦，微温。归肺、肝经。疏风清热，抗菌消炎。用于风热感冒头痛，咽喉肿痛；外用于跌打损伤，毒蛇咬伤，疮疡肿毒，乳腺炎。

用法用量 内服煎汤，9 ~ 30 g。外用适量，鲜品捣敷。

菊科 Asteraceae 裸柱菊 *Soliva*

裸柱菊 *Soliva anthemifolia* (Juss.) R. Br.

| 药 材 名 | 裸柱菊（药用部位：全草）。

| 形态特征 | 一年生矮小草本。茎极短，平卧。叶互生，有柄，2 ~ 3 回羽状分裂，裂片线形，全缘或 3 裂，被长柔毛或近无毛。头状花序近球形，无梗，生于茎基部；总苞片 2 层，矩圆形或披针形，边缘干膜质；边缘的雌花多数，无花冠；中央的两性花少数，花冠管状，黄色，长约 1.2 mm，先端 3 裂齿，基部渐狭，常不结实。瘦果倒披针形，扁平，有厚翅，长约 2 mm，先端圆形，有长柔毛，花柱宿存，下部翅上有横皱纹。花果期全年。

| 生境分布 | 生于荒地、田间及路边，或菜地、花圃和花坛中。分布于湖南长沙（长沙）、邵阳（洞口）、益阳（桃江）、永州（冷水滩）、怀化（会同）、

湘西州（古丈、永顺）、株洲（渌口）等。

| 资源情况 | 野生资源一般。药材来源于野生。

| 采收加工 | 全年均可采收，鲜用或晒干。

| 功能主治 | 辛，温；有小毒。归肺、肝、脾经。解毒散结。用于痈疮疖肿，风毒流注，瘰疬，痔疮。

| 用法用量 | 内服煎汤，6 ~ 15 g。外用适量，捣敷。

Asteraceae *Sonchus*

苣荬菜 *Sonchus arvensis* L.

| 药 材 名 | 苦荬菜（药用部位：全草。别名：牛舌头、野苦荬、山苦葵）。

| 形态特征 | 多年生草本。根垂直直伸，多少有根茎。茎直立，高 30 ~ 150 cm，有细条纹，上部或顶部有伞房状花序分枝。基生叶多数，与中、下部茎生叶均为倒披针形或长椭圆形，羽状，或倒向羽状深裂、半裂或浅裂，长 6 ~ 24 cm，宽 1. 5 ~ 6 cm；全部叶基部渐窄成长或短的翼柄，但中部以上茎生叶无柄，基部圆耳状扩大，半抱茎，先端急尖、短渐尖或钝，两面光滑无毛。头状花序在茎枝先端排成伞房状花序，花序分枝与花序梗被稠密的具柄的头状腺毛；总苞钟状，长 1 ~ 1.5 cm，宽 0.8 ~ 1 cm，基部有稀疏或稍稠密的长或短绒毛；舌状小花多数，黄色。瘦果稍压扁，长椭圆形，长 3.7 ~ 4 mm，宽

0.8 ~ 1 mm，每面有 5 细肋，肋间有横皱纹；冠毛白色，长 1.5 cm，柔软，彼此纠缠，基部联合成环。花果期 1 ~ 9 月。

| 生境分布 | 生于海拔 300 ~ 2 000 m 的山坡草地、林间草地、潮湿地、近水旁、村边或河边砾石滩。湖南各地均有分布。

| 资源情况 | 野生资源一般。药材来源于野生。

| 功能主治 | 苦，凉。清热解毒。用于肠痈，痢疾，痔疮，遗精，白浊，乳痈，疮疖肿毒，烫火伤。

| 用法用量 | 内服煎汤，25 ~ 50 g。外用适量，煎汤熏洗。

菊科 Asteraceae 苦苣菜属 *Sonchus*

花叶滇苦菜 *Sonchus asper* (L.) Hill.

| 药 材 名 | 花叶滇苦菜（药用部位：全草）。

| 形态特征 | 一年生草本。根倒圆锥状，褐色，垂直直伸。茎单生，直立，有纵纹，上部伞房状花序分枝，全部茎枝光滑无毛。基生叶与茎生叶同型，但较小；中下部叶长椭圆形，先端渐尖，基部渐狭成短或较长的翼柄，柄基耳状抱茎，或基部无柄，耳状抱茎；上部叶披针形，不裂，基部扩大，圆耳状抱茎。茎生叶羽状浅裂、半裂或深裂。全部叶及裂片与抱茎的圆耳状边缘有尖齿刺，两面光滑无毛，质地薄。头状花序 5 ~ 10，在茎枝先端排成稠密的伞房花序；总苞宽钟状，总苞片 3 ~ 4 层，向内层渐长，呈覆瓦状排列，绿色，草质，外层长披针形或长三角形，中内层长椭圆状披针形至宽线形；全部苞片先端

急尖，外面光滑无毛；舌状小花黄色。瘦果倒披针状，褐色，压扁，两面各有3细纵肋，肋间无横皱纹；冠毛白色，柔软，彼此纠缠，基部连合成环。花果期5～10月。

| 生境分布 | 生于海拔1 550～2 000 m的山坡、林缘及水边。分布于湖南长沙（长沙）、株洲（茶陵、醴陵）、衡阳（珠晖）、邵阳（大祥）、益阳（桃江）、郴州（苏仙）、怀化（鹤城、通道）、娄底（娄星）、湘西州（永顺、保靖）等。

| 资源情况 | 野生资源较丰富。药材来源于野生。

| 采收加工 | 夏、秋季采收，晒干。

| 功能主治 | 苦，寒。清热解毒，止血凉血，清肝明目，和胃止泻。用于痢疾，贫血，血淋，咳嗽，支气管炎，疳积，疔肿，痔瘘，黄疸。

| 用法用量 | 内服煎汤，9～15 g。

菊科 Asteraceae 苦苣菜属 *Sonchus*

苦苣菜 *Sonchus oleraceus* L.

| 药 材 名 | 苦苣菜（药用部位：全草）。

| 形态特征 | 一年生或二年生草本。根圆锥状，有须根。茎直立，单生，有纵条棱，全部茎枝光滑无毛。基生叶羽状深裂，长椭圆形；中下部叶羽状深裂，椭圆形，基部急狭成翼柄，向柄基逐渐加宽，柄基圆耳状抱茎，侧生裂片 1 ~ 5 对，全部裂片先端急尖或渐尖，下部叶与中下部叶同型并等样分裂而呈披针形，且先端长渐尖，下部宽大，基部半抱茎。全部叶或裂片边缘及抱茎小耳边缘有大小不等的急尖锯齿，大部全缘，先端急尖，两面光滑无毛，质地薄。头状花序少数在茎枝先端排成紧密的伞房花序或总状花序，亦有单生于茎枝先端的；总苞宽钟状；总苞片 3 ~ 4 层，呈覆瓦状排列，向内层渐长，外层苞片长

披针形或长三角形，中内层苞片长披针形至线状披针形，全部总苞片先端长急尖，外面无毛或有少数头状具柄的腺毛；舌状小花多数，黄色。瘦果褐色，长椭圆形，压扁，每面各有 3 细脉，肋间有横皱纹，先端狭，无喙；冠毛白色，单毛状，彼此纠缠。花果期 5 ~ 12 月。

| 生境分布 | 生于海拔 170 ~ 2 000 m 的山坡，山谷林缘、林下，平地田间、空旷处或近水处。分布于湖南长沙（岳麓）、株洲（渌口、攸县、炎陵）、湘潭（湘乡）、衡阳（衡阳）、邵阳（邵东、绥宁、新宁）、岳阳（湘阴）、益阳（桃江）、郴州（宜章）、怀化（芷江）、湘西州（吉首、泸溪、保靖、永顺）等。

| 资源情况 | 野生资源较丰富。药材来源于野生。

| 采收加工 | 春、夏、冬季采收，鲜用或晒干。

| 功能主治 | 苦，寒。清热，凉血，解毒。用于痢疾，黄疸，血淋，痔瘘，慢性支气管炎。

| 用法用量 | 内服煎汤，15 ~ 30 g。外用适量，鲜品捣敷；或鲜品捣汁滴耳。

菊科 Asteraceae 金钮扣属 *Spilanthes*

金钮扣 *Spilanthes paniculata* Wall. ex DC.

|药材名| 天文草（药用部位：全草。别名：紫花茄）。

|形态特征| 一年生草本。茎直立或斜升，高 15 ~ 70（~ 80）cm，多分枝，带紫红色，有明显的纵条纹，被短柔毛或近无毛，节间长（1 ~）2 ~ 6 cm。叶卵形、宽卵圆形或椭圆形，长 3 ~ 5 cm，宽 0.6 ~ 2（~ 2.5）cm，先端短尖或稍钝，基部宽楔形至圆形，全缘，波状或具波状钝锯齿，侧脉细，2 ~ 3 对，在下面稍明显，两面无毛或近无毛；叶柄长 3 ~ 15 mm，被短毛或近无毛。头状花序单生或圆锥状排列，卵圆形，直径 7 ~ 8 mm，有或无舌状花；花序梗较短，长 2.5 ~ 6 cm，少有更长，先端有疏短毛；总苞片约 8，2 层，绿色，卵形或卵状长圆形，先端钝或稍尖，长 2.5 ~ 3.5 mm，无毛或有缘

毛；花托锥形，长 3 ~ 5（~ 6）mm，托片膜质，倒卵形；花黄色，雌花舌状，舌片宽卵形或近圆形，长 1 ~ 1.5 mm，先端 3 浅裂；两性花花冠管状，长约 2 mm，有 4 ~ 5 裂片。瘦果长圆形，稍扁压，长 1.5 ~ 2 mm，暗褐色，基部缩小，有白色的软骨质边缘，上端稍厚，有疣状腺体及疏微毛，边缘（有时一侧）有缘毛，先端有 1 ~ 2 不等长的细芒。花果期 4 ~ 11 月。

| 生境分布 | 生于海拔 800 ~ 1 900 m 的田边、沟边、溪旁潮湿地、荒地、路旁及林缘。

| 资源情况 | 野生资源稀少。药材来源于野生。

| 采收加工 | 全年均可采收，洗净，鲜用或晒干。

| 功能主治 | 苦，凉；有毒。祛风，清热，解毒，止痛。用于头痛，鼻渊，牙痛，咽痛，淋巴结炎，胃痛，风湿关节痛，跌打损伤，痈疮肿毒。

| 用法用量 | 内服煎汤，9 ~ 15 g；或研末，1.5 ~ 3 g。外用适量，捣敷。

| 附　　注 | 本种在 FOC 中被修订为菊科 Asteraceae 金钮扣属 *Acmella* 金钮扣 *Acmella paniculata* (Wall. ex DC.) R. K. Jansen.。

菊科 Asteraceae 甜叶菊属 *Stevia*

甜叶菊 *Stevia rebaudiana* (Bertoni) Hemsl.

| 药材名 | 甜叶菊（药用部位：叶）。

| 形态特征 | 多年生草本。茎直径 1 cm 左右，下部木质，坚硬，上部多分枝，高 0.6 ~ 1 m。下部叶有短柄，上部叶近无柄；叶倒卵形、匙状披针形或披针形，长 2 ~ 11 cm，先端钝圆，基部渐窄下延，下部叶全缘，上部叶有钝圆锯齿，两面均被短毛。头状花序多数排列成疏散的伞房花序，有 4 ~ 6 花；总苞片 5，披针形，外面被短毛，与花等长；两性花筒状，花冠白色，5 裂，有腺毛；雄蕊外露，花药先端有附属体，基部钝圆；花柱柱头 2 裂，外露，反卷。果实微小，略呈纺锤形，有肋，黑褐色，被腺毛；冠毛淡黄色，较花冠短。花期 7 ~ 10 月，果期 9 ~ 11 月。

| 生境分布 | 生于丘陵、岗地。分布于湘东、湘中等。

| 资源情况 | 野生资源稀少，栽培资源稀少。药材来源于野生和栽培。

| 采收加工 | 春、夏、秋季均可采收，鲜用或晒干。

| 药材性状 | 本品多破碎或皱缩，草绿色，完整的叶片展平后呈倒卵形至宽披针形；先端钝，基部楔形；中、上部叶边缘有粗锯齿，下部叶全缘。三出脉，中央主脉明显，两面均有柔毛。叶柄短，叶片常下延至叶柄基部。薄革质，质脆易碎。气微，味极甜。

| 功能主治 | 甘，平。生津止渴，降血压。用于消渴，高血压。

| 用法用量 | 内服煎汤，3 ~ 10 g；或开水泡，代茶饮。

菊科 Asteraceae 金腰箭属 *Synedrella*

金腰箭 *Synedrella nodiflora* (L.) Gaertn.

| 药材名 | 金腰箭（药用部位：全草）。

| 形态特征 | 一年生草本。茎二叉分枝，被贴生粗毛或脱落无毛。下部叶和上部叶具柄，宽卵形或卵状披针形，连叶柄长 7 ~ 12 cm，基部下延成翅状宽柄，两面被贴生、基部疣状的糙毛。头状花序直径 4 ~ 5 mm，常 2 ~ 6 簇生于叶腋，或在先端排成扁球状，稀单生；总苞卵圆形或长圆形，总苞片数个，外层绿色，卵状长圆形或披针形，长 1 ~ 2 cm，被贴生糙毛，内层干膜质，长圆形或线形，长 4 ~ 8 mm，背面被疏糙毛或无毛；花黄色，舌状花连管部长约 1 cm，舌片椭圆形；管状花檐部 4 浅裂。花期 6 ~ 10 月。

| 生境分布 | 生于海拔 110 ~ 930 m 的旷野、耕地、路旁及宅旁。分布于湘南、湘西南等。

| 资源情况 | 野生资源稀少。药材来源于野生。

| 采收加工 | 春、夏季采收，鲜用，或切段，晒干。

| 功能主治 | 微辛、微苦，凉。清热透疹，解毒消肿。用于感冒发热，斑疹，疮痈肿毒。

| 用法用量 | 内服煎汤，15 ~ 30 g。外用适量，捣敷；或煎汤洗。

菊科 Asteraceae 兔儿伞属 *Syneilesis*

兔儿伞 *Syneilesis aconitifolia* (Bunge) Maxim.

药材名

兔儿伞（药用部位：根。别名：南天扇、伞把草）。

形态特征

多年生草本。茎紫褐色，无毛，不分枝。叶通常 2，下部叶盾状圆形，宽 20 ~ 30 cm，掌状深裂，裂片 7 ~ 9，每裂片再 2 ~ 3 浅裂，小裂片线状披针形，宽 4 ~ 8 mm，密被蛛丝状绒毛，叶柄长 10 ~ 16 cm，无毛，基部抱茎；中部叶直径 12 ~ 24 cm，裂片 4 ~ 5，叶柄长 2 ~ 6 cm；其余叶苞片状，披针形，无柄或具短柄。头状花序在茎端密集成复伞房状，花序梗长 0.5 ~ 1.6 cm，具多数线形小苞片；总苞筒状，长 0.9 ~ 1.2 cm，直径 5 ~ 7 mm，基部有 3 ~ 4 小苞片，总苞片 5，1 层，长圆形，边缘膜质，背面无毛；小花 8 ~ 10，花冠淡粉白色，长 1 cm。瘦果圆柱形，长 5 ~ 6 mm，无毛，具肋；冠毛污白色至红色，糙毛状。花期 6 ~ 7 月，果期 8 ~ 10 月。

生境分布

生于海拔 500 ~ 1 800 m 的山坡荒地、林缘或路旁。分布于湘西南、湘南、湘东、湘中等。

资源情况 野生资源稀少。药材来源于野生。

采收加工 春、夏季采收，鲜用，或切段，晒干。

药材性状 本品根茎扁圆柱形，多弯曲，长 1 ~ 4 cm，直径 0.3 ~ 0.8 cm；表面棕褐色，粗糙，具不规则的环节和纵皱纹，两侧向下生多条根。根类圆柱状，弯曲，长 5 ~ 15 cm，直径 0.1 ~ 0.3 cm；表面灰棕色或淡棕黄色，密被灰白色根毛，具细纵皱纹；质脆，易折断，断面略平坦，皮部白色，木部棕黄色。气微特异，味辛。

功能主治 辛、苦，微温；有毒。祛风除湿，舒筋活血，解毒消肿。用于风湿麻木，肢体疼痛，跌打损伤，月经不调，痛经，痈疽肿毒，瘰疬，痔疮。

用法用量 内服煎汤，10 ~ 15 g；或浸酒。外用适量，鲜品捣敷；或煎汤洗；或取汁涂。

菊科 Asteraceae 合耳菊属 *Synotis*

锯叶合耳菊 *Synotis nagensium* (C. B. Clarke) C. Jeffrey et Y. L. Chen

药材名

白叶火草（药用部位：全株）。

形态特征

多年生灌木状草本或亚灌木。茎直立。叶柄长 5 ~ 25 mm；上部叶及分枝上的叶较小，狭椭圆形或披针形，具短柄。头状花序排列成顶生或上部腋生的狭圆锥状聚伞花序，花序梗长 5 ~ 12 mm，具线形苞片；总苞倒锥状钟形，长 7 ~ 8 mm，宽 4 ~ 6 mm，具外层苞片，苞片约 8，通常线形，与总苞片等长，或有时叶状，明显长于总苞片，总苞片 13 ~ 15；边缘小花 12 ~ 13，花冠黄色，丝状或具细舌；管状花 12 ~ 20，花冠黄色，长约 6 mm，管部长 3 mm，檐部漏斗状，裂片卵状披针形，长 1.5 mm；花药长 3 mm，附片卵状长圆形；花柱分枝长 1.5 mm，先端截形，具短乳头状毛，中央的毛不明显。瘦果圆柱形，长 1.7 mm，被疏柔毛；冠毛白色，长约 5 mm。花期 8 月至翌年 3 月。

生境分布

生于海拔 50 ~ 1 200 m 的森林、灌丛及草地中。湖南各地均有分布。

| 资源情况 | 野生资源一般。药材来源于野生。

| 功能主治 | 淡，平。祛风，清热，利尿。

| 用法用量 | 内服煎汤，10 ~ 20 g。

| 附　　注 | 本种与密花合耳菊 *Senecio cappa* (Buck-Ham. ex D. Don) C. Jeffrey et Y. L. Chen 的区别在于本种的头状花序盘状，通常无舌状花，稀边缘花具极小的舌片；总苞片线形，外面被极密的绒毛。

菊科 Asteraceae 山牛蒡属 *Synurus*

山牛蒡 *Synurus deltoides* (Ait.) Nakai

药材名

山牛蒡（药用部位：全草或根）。

形态特征

多年生草本。根茎粗。茎直立。基部叶与下部茎生叶有长叶柄，有狭翼，基部心形、戟形或平截；向上的叶渐小，有短叶柄或无叶柄；全部叶两面异色，上面绿色，下面灰白色。头状花序大，下垂，生枝头先端或单生于茎顶；总苞球形，直径 3 ~ 6 cm，总苞片多层，通常 13 ~ 15 层，全部苞片上部长渐尖，中、外层平展或下弯，内层上部外面有稠密短糙毛；小花全部为两性，管状，花冠紫红色，长 2.5 cm，花冠裂片不等大，三角形，长达 3 mm。瘦果长椭圆形，浅褐色，长 7 mm，宽约 2 mm，先端截形；冠毛刚毛糙毛状。花果期 6 ~ 10 月。

生境分布

生于海拔 500 ~ 1 500 m 的山坡林下、林缘、草甸或草地上。分布于湘北、湘南、湘西北、湘西南等。

资源情况

野生资源较少。药材来源于野生。

| 采收加工 | 夏、秋季采收，全草切段，晒干，花阴干，种子晒干。

| 功能主治 | 辛、苦，凉；有小毒。清热解毒，消肿散结。用于感冒，咳嗽，妇女炎症腹痛，带下。

| 用法用量 | 内服煎汤，60 ~ 90 g。

菊科 Asteraceae 万寿菊属 *Tagetes*

万寿菊 *Tagetes erecta* L.

| 药材名 | 万寿菊（药用部位：花、叶）、万寿菊根（药用部位：根）。

| 形态特征 | 一年生草本，高 50 ~ 150 cm。茎直立，粗壮，具纵细条棱，分枝向上平展。叶羽状分裂，长 5 ~ 10 cm，宽 4 ~ 8 cm，裂片长椭圆形或披针形，边缘具锐锯齿；上部叶裂片的齿端有长细芒；叶缘有少数腺体。头状花序单生，直径 5 ~ 8 cm，花序梗先端呈棍棒状膨大；总苞长 1.8 ~ 2 cm，宽 1 ~ 1.5 cm，杯状，先端具尖齿；舌状花黄色或暗橙色，长 2.9 cm，舌片倒卵形，长 1.4 cm，宽 1.2 cm，基部收缩成长爪，先端微弯缺；管状花花冠黄色，长约 9 mm，先端 5 齿裂。瘦果线形，基部缩小，黑色或褐色，长 8 ~ 11 mm，被短微毛；冠毛有 1 ~ 2 长芒和 2 ~ 3 短而钝的鳞片。花期 7 ~ 9 月。

生境分布 生于向阳、温暖、湿润的环境中。湖南各地均有分布。

资源情况 野生资源较丰富。药材来源于野生。

采收加工 **万寿菊：**花夏、秋季采收，鲜用或晒干。

功能主治 **万寿菊：**花，苦、微辛，凉。清热解毒，化痰止咳。用于上呼吸道感染，百日咳，结膜炎，口腔炎，牙痛，咽炎，眩晕，小儿惊风，闭经，瘀血腹痛，痈疮肿毒。叶，甘，寒。用于痈疮疖疔，无名肿毒。

万寿菊根：苦，凉。解毒消肿。用于痈疮肿毒。

用法用量 **万寿菊：**花，内服煎汤，3 ~ 9 g。外用适量，煎汤熏洗；或研末调敷；或鲜品捣敷。叶，内服煎汤，4.5 ~ 10 g。外用适量，捣敷；或煎汤洗。

菊科 Asteraceae 蒲公英属 *Taraxacum*

蒲公英 *Taraxacum mongolicum* Hand.-Mazz.

| 药 材 名 | 蒲公英（药用部位：全草。别名：奶汁草）。

| 形态特征 | 多年生草本。叶倒卵状披针形、倒披针形或长圆状披针形，长 4 ~ 20 cm，边缘有时具波状齿，或羽状深裂、倒向羽状深裂或大头羽状深裂，先端裂片较大，三角形或三角状戟形，全缘或具齿，侧裂片 3 ~ 5 对，裂片三角形或三角状披针形，通常具齿，平展或倒向。花葶 1 至数个，高 10 ~ 25 cm，上部紫红色；总苞钟状，长 12 ~ 14 mm，淡绿色，总苞片 2 ~ 3 层，外层卵状披针形或披针形，长 8 ~ 10 mm，内层线状披针形，长 10 ~ 16 mm，先端紫红色，具小角状突起。瘦果倒卵状披针形，暗褐色，长 4 ~ 5 mm，上部具小刺，下部具成行排列的小瘤；喙长 6 ~ 10 mm，纤细；冠毛白色，长约 6 mm。花期 4 ~ 9 月，果期 5 ~ 10 月。

| 生境分布 | 生于海拔 800 m 以下的山坡林缘、荒野、河岸、草滩、田间及路旁。湖南各地均有分布。

| 资源情况 | 野生资源较丰富。药材来源于野生。

| 采收加工 | 4 ~ 5 月开花前或刚开花时采收，除净泥土，晒干。

| 药材性状 | 本品为皱缩卷曲的团块。根圆锥状，多弯曲，长 3 ~ 7 cm；表面棕褐色，抽皱，根头部有棕褐色或黄白色茸毛，有的已脱落。叶多皱缩破碎，完整者呈倒披针形，绿褐色或灰色，先端尖或钝，边缘倒向浅裂或羽状分裂，裂片牙齿状或三角形，基部渐狭，下延成柄状，下表面主脉明显，被蛛丝状毛。花茎 1 至数条，每条顶生头状花序；总苞片多层，外面总苞片数层，先端有小角或无，内面 1 层比外层长 1.5 ~ 2 倍，先端有小角；花冠黄褐色或淡黄白色。有的可见多数具白色冠毛的长椭圆形瘦果。

| 功能主治 | 甘、苦，寒。清热解毒，消肿散结，利尿通淋，止痛。用于乳痈，目赤，胃炎，肝炎，胆囊炎，小便淋痛，瘰疬，疔毒。

| 用法用量 | 内服煎汤，10 ~ 30 g，大剂量可用至 60 g；或捣汁；或入散剂。外用适量，捣敷。

| 附　　注 | 本种为《中华人民共和国药典》（2020 年版）蒲公英的基原植物。

菊科 Asteraceae 蒲公英属 *Taraxacum*

东北蒲公英 *Taraxacum ohwianum* Kitam.

| 药 材 名 | 蒲公英（药用部位：全草）。

| 形态特征 | 多年生草本。叶倒披针形，长 10 ~ 30 cm，不规则羽状浅裂至深裂，先端裂片菱状三角形或三角形，侧裂片 4 ~ 5 对，裂片三角形或长三角形，疏生齿或全缘，两面疏生短柔毛或无毛。花葶多数，高 10 ~ 20 cm，微被疏柔毛，近先端处密被白色蛛丝状毛。头状花序直径 25 ~ 35 mm；总苞长 13 ~ 15 mm，外层花期伏贴，宽卵形，长 6 ~ 7 mm，先端不明显增厚或否，暗紫色，具狭窄的白色膜质边缘，疏生缘毛，内层线状披针形，比外层长 2 ~ 2.5 倍，先端无角状突起。瘦果长椭圆形，麦秆黄色，长 3 ~ 3.5 mm，向下近平滑，先端突然缢缩成圆锥至圆柱形喙基，长 0.5 ~ 1 mm；喙纤细，长 8 ~ 11 mm；冠毛污白色，长 8 mm。花果期 4 ~ 6 月。

| 生境分布 | 生于海拔 500 ~ 2 000 m 的山野或山坡路旁。分布于湘南、湘西北等。

| 资源情况 | 野生资源稀少。药材来源于野生。

| 采收加工 | 4 ~ 5 月开花前或刚开花时采收，除净泥土，晒干。

| 功能主治 | 苦、甘，寒。清热解毒，利尿散结。

| 用法用量 | 内服煎汤，10 ~ 30 g，大剂量可用至 60 g；或捣汁；或入散剂。外用适量，捣敷。

菊科 Asteraceae 狗舌草属 *Tephroseris*

狗舌草 *Tephroseris kirilowii* (Turcz. ex DC.) Holub

| 药 材 名 |

狗舌草（药用部位：全草）。

| 形态特征 |

多年生草本。根茎斜升，常被褐色宿存叶柄覆盖。基生叶莲座状，长圆形或卵状长圆形，长 5 ～ 10 cm，基部楔状至渐狭成具狭至宽翅的叶柄，两面被密或疏的白色蛛丝状绒毛；茎生叶少数，下部叶倒披针形或倒披针状长圆形，长 4 ～ 8 cm，无柄，基部半抱茎，上部叶披针形，苞片状。头状花序排成伞状顶生伞房花序，花序梗被密的蛛丝状绒毛和黄褐色腺毛，基部具苞片，上部无小苞片；总苞近圆柱状钟形，长 6 ～ 8 mm，总苞片 18 ～ 20，披针形或线状披针形，绿色或紫色，草质，边缘狭膜质，背面被蛛丝状毛或脱毛；舌状花 13 ～ 15，舌片黄色，长圆形，长 6.5 ～ 7 mm；管状花多数，花冠黄色，长约 8 mm。瘦果圆柱形，密被硬毛；冠毛白色，长约 6 mm。花期 2 ～ 8 月。

| 生境分布 |

生于海拔 500 ～ 1 000 m 的草地、山坡或山顶向阳处。分布于湘南、湘西南等。

| 资源情况 | 野生资源稀少。药材来源于野生。

| 采收加工 | 4 ~ 7 月采收，鲜用或晒干。

| 功能主治 | 苦、微甘，寒；有小毒。清热解毒，利水，杀虫。用于肺痈，小便淋痛，白血病，口腔破溃，疖肿。

| 用法用量 | 内服煎汤，9 ~ 15 g，鲜品加倍；或入丸、散剂。外用适量，鲜品捣敷。

| 附　　注 | 本种广泛分布于东北、华北、华中、华东和西南地区，植株大小、叶形及毛茸有诸多变异。一般分布于东北及华北地区植株的叶、总苞片均被密的白色蛛丝状绒毛及疏的黄褐色腺状柔毛，叶柄具较宽的翅。分布于华东、西南地区及湖南植株的叶、总苞片则被疏毛或多少脱毛，叶柄具狭翅，但瘦果密被硬毛。

Asteraceae *Tithonia*

肿柄菊 *Tithonia divarsifolia* A. Gray

| 药材名 |

肿柄菊叶（药用部位：叶）。

| 形态特征 |

一年生草本，高 2 ~ 5 m。茎直立，有粗壮的分枝，被稠密的短柔毛或通常下部脱毛。叶卵形、卵状三角形或近圆形，长 7 ~ 20 cm，3 ~ 5 深裂，有长叶柄，上部的叶有时不分裂，裂片卵形或披针形，边缘有细锯齿，下面被尖状短柔毛，沿脉的毛较密，基出三脉。头状花序大，宽 5 ~ 15 cm，顶生于假轴分枝的长花序梗上；总苞片 4 层，外层椭圆形或椭圆状披针形，基部革质，内层长披针形，上部叶质或膜质，先端钝；舌状花 1 层，黄色，舌片长卵形，先端有不明显的 3 齿；管状花黄色。瘦果长椭圆形，长约 4 mm，扁平，被短柔毛。花果期 9 ~ 11 月。

| 生境分布 |

生于岗地、低山、中山。分布于湘北、湘西北等。

| 资源情况 |

野生资源稀少。药材来源于野生。

| 采收加工 | 春、夏季采收，鲜用或晒干。

| 功能主治 | 苦，凉。清热解毒，消肿拔毒。用于急性吐泻，疮疡肿毒。

| 用法用量 | 内服煎汤，6 ~ 9 g。外用适量，捣敷。

菊科 Asteraceae 女菀属 *Turczaninovia*

女菀 *Turczaninovia fastigiata* (Fisch.) DC.

| 药 材 名 | 女菀（药用部位：全草或根。别名：紫菀、夜奔牛）。

| 形态特征 | 多年生直立草本，高 30 ~ 100 cm。枝被短柔毛。叶互生，条状披针形，长 3 ~ 12 cm，宽 0.3 ~ 1.5 cm，基部渐狭成短叶柄，全缘，下面被密的短毛及腺点，上面边缘有糙毛，稍反卷。头状花序多数密集成复伞房状；总苞片 3 ~ 4 层，草质，边缘膜质，先端钝；外围有 1 层雌花，雌花舌状，舌片白色，椭圆形；中央多数为两性花，花冠筒状，5 裂。瘦果稍扁，边缘有细肋，密被短毛；冠毛 1 层，污白色或稍红色，有多数糙毛。

| 生境分布 | 生于海拔 300 ~ 1 200 m 的低山坡、荒地或路旁。分布于湘北、湘东、湘中、湘西南、湘西北等。

资源情况 野生资源稀少。药材来源于野生。

采收加工 春、夏季采收全草，秋季采挖根，切段，晒干。

功能主治 温肺化痰，健脾利湿。用于咳嗽气喘，泻痢，小便短涩。

用法用量 内服煎汤，9 ~ 15 g。

菊科 Asteraceae 斑鸠菊属 *Vernonia*

夜香牛 *Vernonia cinerea* (L.) Less.

| 药 材 名 |

伤寒草（药用部位：全草或根）。

| 形态特征 |

一年生或多年生草本，高 20 ~ 80 cm。茎直立，柔弱，少分枝，有纵条纹，被贴伏短微毛。叶互生，具短柄；叶片条形、披针形或鞭形，长 2 ~ 7 cm，宽 0.5 ~ 2.5 cm，先端钝或短渐尖，基部渐狭成楔形，边缘有浅齿，稀近全缘，两面被贴伏短毛，侧脉 3 ~ 4 对，背脉明显；近枝端的叶较狭小。头状花序 15 ~ 20 或更多，在枝端排列成伞房状圆锥花序；总苞钟状，直径 5 ~ 6 mm，总苞片 4 层，条状披针形，锐尖，常紫色，外面有贴伏短微毛；花托平，有边缘具细齿的窝孔；花冠管状，淡红紫色，长 5 ~ 6 mm，被疏短微毛，具腺，先端 5 裂，裂片线状披针形，小花约 20，两性。瘦果圆柱形，长约 2 mm，有线条，被微毛和腺点；冠毛白色，2 层，外层极短。花期全年。

| 生境分布 |

生于海拔 1 500 ~ 1 800 m 的山坡、旷野、荒地、田边、路旁或密林、灌丛中。湖南各地均有分布。

| 资源情况 | 野生资源丰富。药材来源于野生。

| 采收加工 | 全草，夏、秋季采收，洗净，晒干，切段，或鲜用。根，秋、冬季采挖，洗净，切片，晒干。

| 功能主治 | 疏风清热，除湿，解毒。用于感冒发热，咳嗽，急性黄疸性肝炎，湿热腹泻，带下，疔疮肿毒，乳腺炎，鼻炎，毒蛇咬伤。

| 用法用量 | 内服煎汤，15 ~ 30 g，鲜品 30 ~ 60 g。外用适量，研末调敷；或鲜品捣敷。

菊科 Asteraceae 蟛蜞菊属 *Wedelia*

山蟛蜞菊 *Wedelia wallichii* Less.

| 药 材 名 | 山蟛蜞菊（药用部位：全草。别名：麻叶蟛蜞菊、苑准七、血参）。

| 形态特征 | 直立草本，有时呈攀缘状。茎被糙毛或下部脱毛。叶卵形或卵状披针形，连叶柄长 10 ~ 13 cm，边缘有不规则锯齿或重齿，上面被糙毛，下面毛较密，叶柄长 0.5 ~ 4 cm；上部叶披针形，长 2.5 ~ 6 cm，有短柄或无柄。头状花序少数，直径 2 ~ 2.5 cm，每 2 个腋生或单生于枝顶，花序梗长 2 ~ 3 cm，被白色糙毛；总苞宽钟形或半球形，直径约 1.5 cm，总苞片 2 层，外层长圆形或倒披针形，长约 8 mm，密被长粗毛，内层长圆形或倒卵状长圆形，长 5 ~ 6 mm，被疏毛；托片先端芒尖或芒状刺尖，背面及上部边缘被粗毛；舌状花 1 层，黄色，舌片卵状长圆形；管状花多数，黄色，裂片三角状，渐尖。瘦果倒卵圆形，背腹略扁，密被白色疣状突起，先端圆，收缩部分

密被毛；冠毛 2 ~ 3，短刺芒状，基部有冠毛环。花期 7 ~ 11 月。

| 生境分布 | 生于海拔 500 m 以上的溪畔、谷地、坡地或空旷草丛中。分布于湖南邵阳（双清）、郴州（临武）、永州（零陵、东安、道县、江永）、湘西州（花垣、古丈、永顺、保靖）等。

| 资源情况 | 野生资源一般。药材主要来源于野生。

| 采收加工 | 夏季采收，洗净，鲜用或晒干。

| 功能主治 | 用于稻田性皮炎，疮毒，贫血，神经衰弱。

| 用法用量 | 内服煎汤，15 ~ 30 g。外用适量，捣敷。

菊科 Asteraceae 苍耳属 *Xanthium*

苍耳 *Xanthium sibiricum* Patrin ex Widder

| 药 材 名 | 苍耳子（药用部位：果实。别名：卷耳、地葵、白胡荽）。

| 形态特征 | 一年生草本，高 20 ~ 90 cm。根纺锤状，分枝或不分枝。茎直立。叶柄长 3 ~ 11 cm。雄性的头状花序球形，直径 4 ~ 6 mm，花序梗有或无；总苞片长圆状披针形，长 1 ~ 1.5 mm，被短柔毛；花托柱状，托片倒披针形，长约 2 mm，先端尖，有微毛；雄花多数，花冠钟形，管部上端有 5 宽裂片，花药长圆状线形。雌性的头状花序椭圆形；总苞片外层小，披针形，长约 3 mm，被短柔毛，内层结合成囊状，宽卵形或椭圆形，绿色、淡黄绿色或有时带红褐色，在瘦果成熟时变坚硬，连同喙部长 12 ~ 15 mm，宽 4 ~ 7 mm，外面有疏生的钩状刺；刺极细而直，基部微增粗或几不增粗，长 1 ~ 1.5 mm，基部被柔毛，常有腺点，或全部无毛；喙坚硬，锥形，上端略呈镰状，

长 1.5 ~ 2.5 mm，常不等长，少数结合成 1 喙。瘦果 2，倒卵形。花期 7 ~ 8 月，果期 9 ~ 10 月。

| 生境分布 | 生于海拔 1 000 m 以下的平原、丘陵、低山、荒野路边、田边。湖南各地均有分布。湖南有广泛栽培。

| 资源情况 | 野生资源丰富。药材来源于野生和栽培。

| 采收加工 | 秋季果实成熟时采收，除去柄、叶等杂质，干燥。

| 药材性状 | 本品呈纺锤形或卵圆形，长 1 ~ 1.5 cm，直径 0.4 ~ 0.7 cm。表面黄棕色或黄绿色，全株有钩刺，先端有 2 较粗的刺，分离或相连，基部有果柄痕。质硬而韧，横切面中央有纵隔膜，2 室，各有 1 瘦果。瘦果略呈纺锤形，一面较平坦，先端具一凸起的花柱基；果皮薄，灰黑色，具纵纹。种皮膜质，浅灰色；子叶 2，油性。气微，味微苦。

| 功能主治 | 辛、苦，温；有毒。归肺经。散风寒，通鼻窍，祛风湿。用于风寒头痛，鼻塞流涕，鼻鼽，鼻渊，风疹瘙痒，湿痹拘挛。

| 用法用量 | 内服煎汤，3 ~ 10 g。

| 附　　注 | 本种为《中华人民共和国药典》（2020 年版）苍耳子的基原植物。

菊科 Asteraceae 黄鹌菜属 *Youngia*

红果黄鹌菜 *Youngia erythrocarpa* (Vant.) Babc. et Stebb.

|药材名|

红果黄鹌菜（药用部位：全草）。

|形态特征|

一年生草本，高 50 ~ 100 cm。茎单生，直立，多分枝，无毛。基生叶倒披针形；茎生叶多数，与基生叶同形并等样分裂，基部有短柄；花序分枝处的叶不裂，长椭圆形，向两端收窄，基部无柄或有短柄；全部叶两面被稀疏的皱波状多细胞节毛或脱毛。头状花序多数或极多数，在茎枝先端排成伞房圆锥花序，花序梗纤细，含 10 ~ 13 舌状小花；总苞圆柱状，长 4 ~ 6 mm，总苞片 4 层，外层及最外层极小，卵形或宽卵形，长 0.5 ~ 0.8 mm，宽 0.5 ~ 0.6 mm，先端急尖或短渐尖，内层及最内层披针形，长 4 ~ 6 mm，宽约 1 mm，先端急尖，边缘白色狭膜质，内面被稀疏贴伏的短糙毛，全部总苞片外面无毛。瘦果红色，纺锤形，向上渐窄成粗短的喙状物，有 11 ~ 14 粗细不等的纵肋；冠毛白色，微糙毛状。花果期 4 ~ 8 月。

|生境分布|

生于海拔 300 ~ 1 200 m 的山坡草丛、沟地及平原荒地。湖南各地均有分布。

资源情况 野生资源一般。药材主要来源于野生。

采收加工 夏、秋季采收，干燥。

功能主治 清热解毒，消肿止痛。

用法用量 内服煎汤，9 ~ 15 g。

菊科 Asteraceae 黄鹌菜属 *Youngia*

异叶黄鹌菜 *Youngia heterophylla* (Hemsl.) Babcock & Stebbins

药材名

异叶黄鹌菜（药用部位：全草）。

形态特征

多年生草本，高 30 ~ 100 cm。茎直立，全部茎枝有稀疏的多细胞节毛。基生叶椭圆形或倒披针状长椭圆形，先端圆或钝，边缘有凹尖齿，大头羽状深裂或几全裂，侧裂片对生或偏斜，椭圆形或耳状，基部与羽轴宽融合或基部收窄成宽短的翼柄，先端急尖、钝或圆形，下方的侧裂片渐小；中、下部茎生叶多数；上部茎生叶通常大头羽状 3 全裂或戟形而不裂；最上部茎生叶披针形或狭披针形，不分裂；花序梗下部及花序分枝枝叉上的叶小，线状钻形；全部叶或仅基生叶下面紫红色，上面绿色。头状花序多数在茎枝先端排成伞房花序；总苞圆柱状；舌状小花黄色。瘦果黑褐紫色，纺锤形，向先端渐窄，先端无喙，有 14 ~ 15 粗细不等的纵肋，肋上有小刺毛；冠毛白色，长 3 ~ 4 mm，糙毛状。花果期 4 ~ 10 月。

生境分布

生于海拔 200 ~ 1 200 m 的山坡林缘、林下及荒地。湖南各地均有分布。

| 资源情况 | 野生资源一般。药材主要来源于野生。

| 采收加工 | 夏、秋季采收，干燥。

| 功能主治 | 清热解毒，消肿止痛。

| 用法用量 | 内服煎汤，9 ~ 15 g。

Asteraceae *Youngia*

黄鹌菜 *Youngia japonica* (L.) DC.

药材名

黄鹌菜（药用部位：全草或根。别名：苦菜药、还阳草、土芥菜）。

形态特征

一年生草本，高 10 ~ 100 cm。茎直立，下部被稀疏的皱波状长毛或短毛。基生叶倒披针形、椭圆形、长椭圆形或宽线形，无茎生叶或极少有 1（~ 2）茎生叶，全部叶及叶柄被皱波状长柔毛或短柔毛。头状花序少数或多数在茎枝先端排成伞房花序，花序梗细；总苞圆柱状，长 4 ~ 5 mm，极少长 3.5 ~ 4 mm，总苞片 4 层，外层及最外层极短，宽卵形或宽形，长、宽均小于 0.6 mm，先端急尖，内层及最内层长 4 ~ 5 mm，极少长 3.5 ~ 4 mm，宽 1 ~ 1.3 mm，披针形，先端急尖，边缘白色、宽膜质，内面有贴伏的短糙毛，全部总苞片外面无毛；舌状小花 10 ~ 20，黄色，花冠管外面有短柔毛。瘦果纺锤形，压扁，褐色或红褐色，长 1.5 ~ 2 mm，向先端有收缢，先端无喙，有 11 ~ 13 粗细不等的纵肋，肋上有小刺毛；冠毛长 2.5 ~ 3.5 mm，糙毛状。花果期 4 ~ 10 月。

| 生境分布 | 生于海拔 200 ~ 1 500 m 的山坡、山谷及山沟林缘、林下、林间草地及潮湿地、河边沼泽、田间与荒地上。湖南各地均有分布。

| 资源情况 | 野生资源丰富。药材主要来源于野生。

| 采收加工 | 春季采收全草，秋季采挖根，鲜用，或切段，晒干。

| 功能主治 | 甘、微苦，凉。清热解毒，利水消肿。用于感冒，咽痛，结膜炎，乳痈，疮疖肿毒，毒蛇咬伤，痢疾，肝硬化腹水，急性肾小球肾炎，淋浊，尿血，带下，风湿性关节炎，跌打损伤。

| 用法用量 | 内服煎汤，9 ~ 15 g，鲜品 30 ~ 60 g。外用适量，鲜品捣敷。

菊科 Asteraceae 黄鹌菜属 *Youngia*

川西黄鹌菜 *Youngia pratti* (Babcock) Babcock et Stebbins

| 药 材 名 | 川西黄鹌菜（药用部位：全草。别名：黄苦麻草）。

| 形态特征 | 多年生草本，高 15 ~ 50 cm。茎单生，直立，无毛。基生叶倒披针形、长椭圆形，基部渐狭成长或短的翼柄，大头羽状或倒向羽状浅裂、半裂或深裂，顶裂片宽三角形、线状披针形或狭线形，先端急尖、钝或长渐尖，中部的侧裂片较大，向两端的渐小，最下部的侧裂片常为锯齿状，羽轴宽或狭；茎生叶与基生叶同形并等样分裂。头状花序多数或少数在茎枝先端排成伞房花序或伞房圆锥花序，花序梗纤细，无毛；总苞狭圆柱状，外层及最外层卵形，先端钝，内层及最内层披针形，内面被贴伏的微糙毛，全部苞片外面无毛；舌状小花黄色，花冠管外面被微柔毛。瘦果褐色，向先端稍窄，圆柱状，长 3.7 mm，先端无喙，有 13 粗细不等的纵肋，肋上有小刺毛；

冠毛白色，微糙毛状，长 4 ~ 6 mm。花果期 6 ~ 7 月。

| 生境分布 | 生于海拔 1 500 ~ 1 770 m 的山坡灌丛或草地。分布于湖南怀化（新晃）等。

| 资源情况 | 野生资源稀少。药材主要来源于野生。

| 采收加工 | 春季采收，鲜用，或切段，晒干。

| 功能主治 | 用于火伤。

| 用法用量 | 外用适量，捣敷。

菊科 Asteraceae 百日菊属 *Zinnia*

百日菊 *Zinnia elegans* Jacq.

| 药 材 名 |

百日草（药用部位：全草。别名：火毡花、步步登高、节节高）。

| 形态特征 |

一年生草本。茎直立，高 30 ~ 100 cm，被糙毛或长硬毛。叶宽卵圆形或长圆状椭圆形，长 5 ~ 10 cm，宽 2.5 ~ 5 cm，基部稍心形抱茎；两面粗糙，下面被密的短糙毛，基出三脉。头状花序直径 5 ~ 6.5 cm，单生于枝端，无中空肥厚的花序梗；总苞宽钟状，总苞片多层，宽卵形或卵状椭圆形，外层长约 5 mm，内层长约 10 mm，边缘黑色；托片上端有延伸的附片，附片紫红色，流苏状三角形；舌状花深红色、玫瑰色、紫堇色或白色，舌片倒卵圆形，先端 2 ~ 3 齿裂或全缘，上面被短毛，下面被长柔毛；管状花黄色或橙色，长 7 ~ 8 mm，先端裂片卵状披针形，上面被黄褐色密茸毛。雌花瘦果倒卵圆形，长 6 ~ 7 mm，宽 4 ~ 5 mm，扁平，腹面正中和两侧边缘各有 1 棱，先端截形，基部狭窄，被密毛；管状花瘦果倒卵状楔形，长 7 ~ 8 mm，宽 3.5 ~ 4 mm，极扁，被疏毛，先端有短齿。花期 6 ~ 9 月，果期 7 ~ 10 月。

| 生境分布 | 湖南各地均有栽培。

| 资源情况 | 药材来源于栽培。

| 采收加工 | 春季采收，洗净，晒干。

| 功能主治 | 清热利湿，止痢，通淋。用于痢疾，小便淋痛，乳痈。

| 用法用量 | 内服煎汤，9 ~ 15 g。

泽泻科 Alismataceae 泽泻属 *Alisma*

窄叶泽泻 *Alisma canaliculatum* A. Braun et Bouche.

| 药 材 名 |

大箭（药用部位：全草。别名：汗枪箭、水泽泻）。

| 形态特征 |

多年生水生或沼生草本。块茎直径 1 ~ 3 cm。沉水叶条形，叶柄状；挺水叶披针形，稍呈镰状弯曲，长 6 ~ 45 cm，宽 1 ~ 5 cm，先端渐尖，基部楔形或渐尖，叶脉 3 ~ 5；叶柄长 9 ~ 27 cm，基部较宽，边缘膜质。花葶高 40 ~ 100 cm，直立；花序长 35 ~ 65 cm，具 3 ~ 6 轮分枝，每轮分枝具 3 ~ 9 花；花两性，花梗长 2 ~ 4.5 cm；外轮花被片长圆形，长 3 ~ 3.5 mm，具 5 ~ 7 脉，边缘窄膜质，内轮花被片近圆形，白色，边缘不整齐；心皮排列整齐，花柱长约 0.5 mm，柱头很小，约为花柱长的 1/3，向背部弯曲；花丝长约 1 mm，基部宽 0.4 ~ 0.5 mm，向上渐窄，花药黄色，长约 0.8 mm；花托在果期外凸，呈半球形，高约 0.7 mm。瘦果倒卵形或近三角形，长 2 ~ 2.5 mm，宽 1.2 ~ 2 mm，背部较宽，具一明显的深沟槽，两侧果皮厚纸质，不透明，果喙自顶部伸出；种子深紫色，矩圆形，长 1.5 mm，宽约 1 mm。花果期 5 ~ 10 月。

| 生境分布 | 生于沼泽边缘、湖塘沟渠及水稻田中。分布于湘西北、湘西南、湘中、湘东、湘北等。

| 资源情况 | 野生资源较少。药材来源于野生。

| 采收加工 | 8 ~ 9 月采收，晒干或鲜用。

| 药材性状 | 本品块茎直径 1 ~ 3 cm。沉水叶条形，叶柄状；挺水叶披针形，呈镰状弯曲，长 6 ~ 45 cm，宽 1 ~ 5 cm，先端渐尖，叶脉 3 ~ 5；叶柄长 9 ~ 27 cm，边缘膜质。

| 功能主治 | 淡、微辛，平。清热，渗湿。用于皮肤疱疹，小便淋痛，水肿，蛇咬伤。

| 用法用量 | 内服煎汤，30 ~ 60 g；或浸酒。外用适量，捣敷。

泽泻科 Alismataceae 泽泻属 *Alisma*

东方泽泻 *Alisma orientale* (Samuel.) Juz.

| 药材名 |

东方泽泻（药用部位：块茎）、东方泽泻叶（药用部位：叶）、东方泽泻实（药用部位：果实）。

| 形态特征 |

多年生水生或沼生草本。块茎直径 1 ~ 2 cm 或更大。叶多数；挺水叶宽披针形、椭圆形，长 3.5 ~ 11.5 cm，宽 1.3 ~ 6.8 cm，先端渐尖，基部近圆形或浅心形，叶脉 5 ~ 7；叶柄长 3.2 ~ 34 cm，较粗壮，基部渐宽，边缘窄膜质。花葶高 35 ~ 90 cm 或更高；花序长 20 ~ 70 cm，具 3 ~ 9 轮分枝，每轮分枝具 3 ~ 9 花；花两性，直径约 6 mm，花梗不等长，长（0.5 ~ ）1 ~ 2.5 cm；外轮花被片卵形，长 2 ~ 2.5 mm，宽约 1.5 mm，边缘窄膜质，具 5 ~ 7 脉，内轮花被片近圆形，较外轮大，白色、淡红色，稀黄绿色，边缘波状；心皮排列不整齐，花柱长约 0.5 mm，直立，柱头长约为花柱的 1/5；花丝长 1 ~ 1.2 mm，基部宽约 0.3 mm，向上渐窄，花药黄绿色或黄色，长 0.5 ~ 0.6 mm，宽 0.3 ~ 0.4 mm；花托在果期呈凹凸状，高约 0.4 mm。瘦果椭圆形，长 1.5 ~ 2 mm，宽 1 ~ 1.2 mm，背部具 1 ~ 2 浅沟，腹部自果喙处凸起，呈

膜质翅，两侧果皮纸质，半透明或否，果喙长约 0.5 mm，自腹侧中上部伸出；种子紫红色，长约 1.1 mm，宽约 0.8 mm。花果期 5 ~ 9 月。

| 生境分布 | 生于低山附近。分布于湖南湘西州（永顺）等。

| 资源情况 | 野生资源稀少。药材来源于野生。

| 采收加工 | **东方泽泻：**采收后洗净，切制，干燥。

东方泽泻叶：夏季采收，晒干或鲜用。

东方泽泻实：夏、秋季果实成熟后分批采收，用刀割下果序，扎成小束，挂于空气流通处，脱粒，晒干。

| 药材性状 | **东方泽泻：**本品直径 1 ~ 2 cm，表面黄灰色。

东方泽泻叶：本品呈披针形、椭圆形，先端渐尖，基部近圆形或浅心形。

东方泽泻实：本品呈椭圆形，两侧果皮纸质，半透明。

| 功能主治 | **东方泽泻：**利水渗湿，泻热通淋。用于小便不利，热淋涩痛，水肿胀满，泄泻尿少，痰饮眩晕，遗精，高脂血症等。

东方泽泻叶：用于慢性支气管炎，乳汁不通。

东方泽泻实：补阴益肾，清热祛湿。用于风痹，消渴。

| 用法用量 | **东方泽泻：**内服煎汤。外用适量。

东方泽泻叶：内服煎汤。

东方泽泻实：内服煎汤。

泽泻科 Alismataceae 泽苔草属 *Caldesia*

泽苔草 *Caldesia parnassifolia* (Bassi ex L.) Parl.

药材名

泽苔草（药用部位：根。别名：圆参）。

形态特征

水生草本。根粗壮，或多少肉质，具匍匐根茎或无。叶多数，沉水、浮水或挺水；沉水叶通常较小，淡绿色；浮水叶较大，深绿色；叶片长大于宽，先端钝圆而不凹，中脉处不急尖，基部呈深心形；叶柄先端无叶枕。花葶直立，挺出水面，稀斜卧；花序圆锥状或为圆锥状聚伞花序，分枝轮生，每轮 3 ~ 6，基部具披针形苞片；花两性；花被片 6，排成 2 轮，外轮萼片状，内轮花瓣状，大于外轮；心皮多数，分离，胀圆或多少压扁；雄蕊 6，排成 1 轮。小坚果具脊或有时脊不明显，果喙宿存，直立。

生境分布

生于湖泊、水塘、沼泽等静水水域。分布于湖南湘西州（永顺）、张家界（永定）等。

资源情况

野生资源稀少。栽培资源较少。药材来源于野生。

| 采收加工 | 夏、秋季采挖，洗净，晒干或鲜用。

| 功能主治 | 淡，凉。归肺、胃经。凉血止血，清热利尿。用于肾结核尿血，产后子宫出血，月经过多，肺结核咯血，高血压，感冒发热，肾炎性水肿，尿路结石，乳糜尿，肠炎，腹泻，痢疾。

| 用法用量 | 内服煎汤，3 ~ 9 g；或研末，温开水送服。

泽泻科 Alisphataceae 慈姑属 *Sagittaria*

冠果草 *Sagittaria guyanensis* H. B. K. subsp. *lappula* (D. Don) Bojin

|药 材 名| 冠果草（药用部位：全草）。

|形态特征| 多年生水生浮叶草本。沉水叶条形、条状披针形、或叶柄状；浮水叶广卵形、椭圆形、或近圆形，基部深裂，呈深心形；叶片长 1.5 ~ 10.5 cm，宽 1 ~ 9 cm，先端钝圆，末端稍尖；叶脉 4 ~ 8 向前伸展，3 ~ 6 向后延伸；叶柄长 15 ~ 50 cm 或更长。花葶直立，挺出水面，高 5 ~ 60 cm，有时短于叶柄；花序总状，长 2 ~ 20 cm，具花 1 ~ 6 轮，每轮（2 ~ ）3 花；苞片 3，基部多少合生，膜质或草质；花两性或单性；两性花位于花序下部，1 ~ 3 轮，花梗短粗，长 1 ~ 1.5 cm，花后多少下弯，心皮多数，分离，两侧压扁，花柱自腹侧伸出，斜上；雄花位于花序上部，数轮，花梗细弱，长 2 ~ 5 cm；外轮花被片广

卵形，长 5 ~ 9 mm，宽 3 ~ 8 mm，宿存，花后包果实下部，内轮花被片白色，基部淡黄色，稀基部具紫色斑点，倒卵形，早落；雄蕊 6 至多数，花丝长短不一，通常长 2 ~ 3（~ 4）mm，花药长 1 ~ 2（~ 3）mm，宽 1 ~ 1.5 mm，椭圆形，黄色。瘦果两侧压扁，果皮厚纸质，倒卵形或椭圆形，长 2 ~ 3 mm，宽 1.5 ~ 2.5 mm，基部具短柄，背腹部具鸡冠状裂齿，果喙自腹侧斜出；果期花托凸起，圆柱状，高 3 ~ 4 mm，宽 1.5 ~ 2.5 mm；种子褐色，长 1 ~ 1.5 mm。花果期 5 ~ 11 月。

| 生境分布 | 生于水塘、湖泊浅水区及沼泽、水田、沟渠等。分布于湖南怀化（洪江）、邵阳（绥宁）、郴州（宜章）等。

| 资源情况 | 野生资源稀少。药材来源于野生。

| 功能主治 | 清热利尿。用于肺炎，咳嗽，痢疾；外用于痈疮肿毒。

Alismataceae *Sagittaria*

矮慈姑 *Sagittaria pygmaea* Miq.

| 药 材 名 | 鸭舌草（药用部位：全草。别名：鸭舌子、瓜皮草、小箭）。

| 形态特征 | 一年生或多年生沼生或沉水草本。有时具短根茎。匍匐茎短细，根状，末端的芽几不膨大，通常当年萌发形成新株，稀有越冬者。叶条形，稀披针形，长 2 ~ 30 cm，宽 0.2 ~ 1 cm，光滑，先端渐尖或稍钝，基部鞘状，通常具横脉。花葶高 5 ~ 35 cm，直立，通常挺水；花序总状，长 2 ~ 10 cm，具花 2（~ 3）轮；苞片长 2 ~ 3 mm，宽约 2 mm，椭圆形，膜质；花单性，外轮花被片绿色，倒卵形，长 5 ~ 7 mm，宽 3 ~ 5 mm，具条纹，宿存，内轮花被片白色，长 1 ~ 1.5 cm，宽 1 ~ 1.6 cm，圆形或扁圆形；雌花 1，单生或与 2 雄花组成 1 轮，心皮多数，两侧压扁，密集成球状，花柱从腹侧伸出，向上；雄花具梗，雄蕊多，花丝长短、宽窄随花期不同而异，通常

长 1 ～ 2 mm，宽 0.5 ～ 1 mm，花药长椭圆形，长 1 ～ 1.5 mm。瘦果两侧压扁，具翅，近倒卵形，长 3 ～ 5 mm，宽 2.5 ～ 3.5 mm，背翅具鸡冠状裂齿，果喙自腹侧伸出，长 1 ～ 1.5 mm。花果期 5 ～ 11 月。

| 生境分布 | 生于水田中及池沼沟塘边或湿地上。分布于湘西北、湘西南、湘中、湘东等。

| 资源情况 | 野生资源一般。药材来源于野生。

| 采收加工 | 夏、秋季采收，鲜用或晒干。

| 功能主治 | 甘、苦，凉。清热解毒，除湿镇痛。用于无名肿毒，小便淋痛，咽喉痛；外用于痈肿，蛇咬伤。

| 用法用量 | 内服煎汤，鲜品 15 ～ 30 g。外用适量，捣敷。

泽泻科 Alismataceae 慈姑属 *Sagittaria*

野慈姑 *Sagittaria trifolia* L.

| 药 材 名 | 野慈姑（药用部位：全草。别名：剪刀草、水慈姑、燕尾草）。

| 形态特征 | 多年生水生或沼生草本。根茎横走，较粗壮，末端膨大或否。挺水叶箭形，叶片长短、宽窄变异很大，通常顶裂片短于侧裂片，比值为1 ：1.5 ~ 1 ：1.2，有时侧裂片更长，顶裂片与侧裂片之间缢缩或不缢缩；叶柄基部渐宽，鞘状，边缘膜质，具横脉。花葶直立，挺水，高（15 ~ ）20 ~ 70 cm 或更高，通常粗壮；花序总状或圆锥状，长 5 ~ 20 cm，有时更长，具 1 ~ 2 分枝，具花多轮，每轮具 2 ~ 3 花；苞片 3，基部多少合生，先端尖；花单性，花被片反折，外轮花被片椭圆形或广卵形，长 3 ~ 5 mm，宽 2.5 ~ 3.5 mm，内轮花被片白色或淡黄色，长 6 ~ 10 mm，宽 5 ~ 7 mm，基部收缩；雌花通常 1 ~ 3 轮，花梗短粗，心皮多数，两侧压扁，花柱自腹侧

斜上；雄花多轮，花梗斜举，长 0.5 ~ 1.5 cm，雄蕊多数，花药黄色，长 1 ~ 1.5（~ 2）mm，花丝长短不一，长 0.5 ~ 3 mm，通常外轮短，向里渐长。瘦果两侧压扁，长约 4 mm，宽约 3 mm，倒卵形，具翅，背翅多少不整齐，果喙短，自腹侧斜上；种子褐色。花果期 5 ~ 10 月。

| 生境分布 | 生于水稻田或沼泽地。湖南各地均有分布。

| 资源情况 | 野生资源丰富。药材来源于野生。

| 采收加工 | 秋季初霜后至翌年春季发芽前采收，鲜用或晒干。

| 药材性状 | 本品根茎较粗壮。挺水叶箭形，叶柄基部渐宽，鞘状，边缘膜质，具横脉。花葶直立，挺水，高（15 ~ ）20 ~ 70 cm。

| 功能主治 | 甘、苦，凉。清热止血，解毒消肿，散结。用于黄疸，瘰疬，蛇咬伤。

| 用法用量 | 内服煎汤，15 ~ 30 g。外用适量，捣敷；或研末调敷。

泽泻科 Alismataceae 慈姑属 *Sagittaria*

华夏慈姑 *Sagittaria trifolia* L. var. *sinensis* (Sims) Makino

| 药 材 名 | 慈姑（药用部位：球茎。别名：茨菇、白地栗、慈菇）、慈姑叶（药用部位：叶）、慈姑花（药用部位：花）。

| 形态特征 | 本种与野慈姑 *Sagittaria trifolia* L. 的区别在于本种植株高大，粗壮；叶片宽大，肥厚，顶裂片先端钝圆，卵形至宽卵形；匍匐茎末端膨大成球茎；球茎卵圆形或球形，长 5 ~ 8 cm，宽 4 ~ 6 cm；圆锥花序高大，长 20 ~ 60 cm，有时可超过 80 cm，分枝（1 ~ ）2（ ~ 3），着生于下部，具 1 ~ 2 轮雌花，主轴雌花 3 ~ 4 轮，位于侧枝之上，雄花多轮，生于上部，组成大型圆锥花序，果期常斜卧水中；果期花托呈扁球形，直径 4 ~ 5 mm，高约 3 mm；种子褐色，具小突起。

| 生境分布 | 生于水田、沼泽及浅水沟中。湖南各地均有分布。

| **资源情况** | 野生资源丰富。栽培资源一般。药材来源于野生和栽培。

| **采收加工** | **慈姑**：秋季初霜后至翌年春季发芽前采挖，洗净，鲜用或晒干。

| **药材性状** | **慈姑**：本品鲜品呈长卵圆形或椭圆形，长 2.2 ~ 4.5 cm，直径 1.8 ~ 3.2 cm；表面黄白色或黄棕色，有的微呈青紫色，具纵皱纹和横环状节，节上残留红棕色的鳞叶，鳞叶脱落后，显淡绿黄色；先端具芽，芽长 5 ~ 7 cm，或具芽脱落后

的圆形痕；基部钝圆或平截，切断面类白色，水分较多，富含淀粉。干品多纵切或横切成块状，切面灰白色，粉性强。气微，味微苦、甜。

慈姑叶：本品宽大，肥厚，顶裂片先端钝圆，呈卵形至宽卵形。

慈姑花：本品圆锥花序高大，长 20 ~ 60 cm，分枝（1 ~ ）2（ ~ 3），着生于下部，具 1 ~ 2 轮雌花，主轴雌花 3 ~ 4 轮，位于侧枝之上；果期花托呈扁球形，直径 4 ~ 5 mm，高约 3 mm。

| 功能主治 | **慈姑**：苦、甘，凉。行血通淋。用于产后血瘀，胎衣不下，淋证，咳痰带血。

慈姑叶：甘、微苦，寒。消肿，解毒。用于疮肿，丹毒，恶疮。

慈姑花：明目，祛湿。用于疔肿痔漏。

| 用法用量 | **慈姑**：内服煎汤，15 ～ 30 g；或绞汁。外用适量，捣敷；或磨汁沉淀后点眼。

慈姑叶：内服煎汤。

慈姑花：内服煎汤。

| 附　　注 | 本种的拉丁学名在FOC中被修订为*Sagittaria trifolia* L. subsp. *leucopetala* (Miquel) Q. F. Wang。

水鳖科 Hydrocharitaceae 黑藻属 *Hydrilla*

黑藻 *Hydrilla verticillata* (L. f.) Royle

| 药 材 名 | 黑藻（药用部位：全草。别名：水王孙）。

| 形态特征 | 多年生沉水草本。茎圆柱形，表面具纵向细棱纹，质较脆。休眠芽长卵圆形。苞叶多数，螺旋状紧密排列，白色或淡黄绿色，狭披针形至披针形。叶 3 ~ 8 轮生，线形或长条形，长 7 ~ 17 mm，宽 1 ~ 1.8 mm，常具紫红色或黑色小斑点，先端锐尖，边缘锯齿明显，无柄，具腋生小鳞片；主脉 1，明显。花单性，雌雄同株或异株；雄佛焰苞近球形，绿色，表面具明显的纵棱纹，先端具刺凸，雄花萼片 3，白色，稍反卷，长约 2.3 mm，宽约 0.7 mm，花瓣 3，反折开展，白色或粉红色，长约 2 mm，宽约 0.5 mm，雄蕊 3，花丝纤细，花药线形，2 ~ 4 室，花粉粒球形，直径可超过 100 μm，表面具凸起的纹饰，雄花成熟后自佛焰苞内放出，漂浮于水面开花；雌佛焰

苞管状，绿色，苞内具雌花 1。果实圆柱形，表面常有 2 ~ 9 刺状突起；种子 2 ~ 6，茶褐色，两端尖。花果期 5 ~ 10 月。

| 生境分布 | 生于河湖池沼等淡水中或水稻田内。湖南各地均有分布。

| 资源情况 | 野生资源丰富。药材来源于野生。

| 采收加工 | 夏、秋季采收，除去杂质，洗净，晒干。

| 药材性状 | 本品茎呈圆柱形，表面具纵向细棱纹，质较脆。苞叶呈螺旋状紧密排列。叶 3 ~ 8 轮生，线形，长 7 ~ 17 mm，宽 1 ~ 1.8 mm，先端锐尖，边缘锯齿明显，无柄，具腋生小鳞片；主脉 1，明显。

| 功能主治 | 清热解毒，利尿祛湿。用于疮疡肿毒。

| 用法用量 | 内服煎汤。

水鳖科 Hydrocharitaceae 水鳖属 *Hydrocharis*

水鳖 *Hydrocharis dubia* (Blume) Backer

药材名 水鳖（药用部位：全草。别名：马尿花、天泡草）。

形态特征 多年生浮水草本。须根长可达 30 cm。匍匐茎发达，节间长 3 ~ 15 cm，直径约 4 mm，先端生芽。叶簇生，多漂浮；叶片先端圆，基部心形，全缘，远轴面有蜂窝状贮气组织，并具气孔；叶脉 5，稀 7，中脉明显。雄花序腋生，佛焰苞 2，膜质，透明，具红紫色条纹，苞内雄花 5 ~ 6，每次仅 1 花开放；萼片 3，离生，长椭圆形，先端急尖；花瓣 3，黄色，与萼片互生，先端微凹，基部渐狭，近轴面有乳头状突起；雄蕊 12，呈 4 轮排列，花丝近轴面具乳突，退化雄蕊先端具乳突，基部有毛；花粉圆球形，表面具凸起的纹饰。雌佛焰苞小，苞内雌花 1，花大，直径约 3 cm；萼片 3，先端圆；花瓣 3，白色，基部黄色，

近轴面具乳头状突起；退化雄蕊 6，成对并列，与萼片对生；腺体 3，黄色，肾形，与萼片互生；花柱 6，2 深裂，密被腺毛；子房下位，不完全 6 室。果实浆果状，球形至倒卵形，具数条沟纹；种子多数，椭圆形，先端渐尖，种皮上有许多毛状突起。花果期 8 ~ 10 月。

| 生境分布 | 生于静水池沼、沟渠及水田中。分布于湘西南、湘中、湘东、湘北等。

| 资源情况 | 野生资源一般。药材来源于野生。

| 采收加工 | 春、夏季采收，鲜用或晒干。

| 药材性状 | 本品茎直径约 4 mm，先端生芽。叶片心形或圆形，长 4.5 ~ 5 cm，宽 5 ~ 5.5 cm，先端圆，基部心形，全缘，远轴面有蜂窝状贮气组织，具气孔。花瓣广倒卵形至圆形。

| 功能主治 | 苦、微咸，凉。用于带下。

| 用法用量 | 内服研末，2 ~ 4 g。

水鳖科 Hydrocharitaceae 水车前属 *Ottelia*

龙舌草 *Ottelia alismoides* (L.) Pers.

药材名 龙舌草（药用部位：全草。别名：龙爪草、水白菜）。

形态特征 一年生沉水草本。具须根。茎短缩。叶基生，膜质；叶片因生境不同而形态各异，多为广卵形、卵状椭圆形、近圆形或心形，长约 20 cm，宽约 18 cm，常见叶形尚有狭长形、线形，长 8 ~ 25 cm，宽 1.5 ~ 4 cm，全缘或有细齿，在植株个体发育的不同阶段，叶形常依次变更，初生叶线形，后出现披针形、椭圆形、广卵形等；叶柄长短随水体的深浅而异，多长 2 ~ 40 cm。两性花，偶见单性花；佛焰苞椭圆形至卵形，长 2.5 ~ 4 cm，宽 1.5 ~ 2.5 cm，先端 2 ~ 3 浅裂，有 3 ~ 6 纵翅，在翅不发达的脊上有时出现瘤状突起；总花梗长 40 ~ 50 cm；花无梗，单生；花瓣白色、淡紫色或浅蓝色；雄蕊 3 ~ 9

（～ 12），花丝具腺毛，花药条形，黄色，长 3 ～ 4 mm，宽 0.5 ～ 1 mm，药隔扁平；子房下位，近圆形，心皮 3 ～ 9（～ 10），侧膜胎座，花柱 6 ～ 10，2 深裂。果实长 2 ～ 5 cm，宽 0.8 ～ 1.8 cm；种子多数，纺锤形，细小，长 1 ～ 2 mm，种皮上有纵条纹，被白毛。花期 4 ～ 10 月。

| 生境分布 | 生于池塘中、水边、水稻田中或阴湿处。分布于湖南郴州（永兴、安仁）、株洲（渌口）、张家界（慈利）等。

| 资源情况 | 野生资源较少。药材来源于野生。

| 采收加工 | 夏、秋季采收，鲜用或晒干。

| 药材性状 | 本品具须根。叶片多为卵形、近圆形或心形，长约 20 cm，宽约 18 cm。

| 功能主治 | 甘、淡，凉。清热化痰，解毒利尿。用于肺热咳嗽，肺痨，咯血，哮喘，水肿，小便不利；外用于痈肿，烫火伤。

| 用法用量 | 内服煎汤，鲜品 15 ～ 30 g。外用适量，捣敷；或研末调敷。

水鳖科 Hydrocharitaceae 苦草属 *Vallisneria*

苦草 *Vallisneria natans* (Lour.) Hara

药 材 名 苦草（药用部位：全草。别名：蓼萍草、韭菜草、扁草）。

形态特征 多年生沉水草本。匍匐茎直径约 2 mm，白色，光滑，先端芽浅黄色。叶基生，线形，长 20 ~ 200 cm，宽 0.5 ~ 2 cm，绿色，常具棕色条纹和斑点，先端圆钝，全缘或具不明显的细锯齿；无叶柄；叶脉 5 ~ 9。花单性，雌雄异株；雄佛焰苞卵状圆锥形，长 1.5 ~ 2 cm，宽 0.5 ~ 1 cm，每佛焰苞内含雄花 200 余，萼片 3，大小不等，其中 2 较大，长 0.4 ~ 0.6 mm，宽约 0.3 mm，呈舟形浮于水上，中间 1 较小，长约 0.3 mm，宽约 0.2 mm，中肋部龙骨状，向上伸展似帆；雄蕊 1，花丝先端不分裂，基部具毛状突起和 1 ~ 2 膜状体，花粉粒白色，长圆形，无萌发孔，表面具有不规则的颗粒状突起；雌佛

焰苞筒状，先端2裂，绿色，梗纤细，长30 ~ 50 cm，受精后呈螺旋状卷曲，雌花单生于佛焰苞内，萼片3，先端钝，绿紫色，质较硬，花瓣3，极小，白色，与萼片互生，花柱3，先端2裂，退化雄蕊3，子房下位，圆柱形，光滑，胚珠多数，直立，厚珠心形，外珠被长于内珠被。果实圆柱形，长5 ~ 30 cm，直径约5 mm；种子倒长卵形，有腺毛状突起。

| 生境分布 | 生于池沼、溪沟、河塘浅水中。分布于湘西北、湘中、湘东、湘北等。

| 资源情况 | 野生资源一般。药材来源于野生。

| 采收加工 | 全年均可采收。

| 药材性状 | 本品茎直径约2 mm。叶呈线形或带形，长20 ~ 200 cm，宽0.5 ~ 2 cm，带有棕色条纹和斑点，先端圆钝，全缘或具不明显的细锯齿；无叶柄。

| 功能主治 | 苦，温。用于带下，恶露不净。

| 用法用量 | 内服煎汤，6 ~ 10 g。

眼子菜科 Potamogetonaceae 眼子菜属 *Potamogeton*

菹草 *Potamogeton crispus* L.

药材名 菹草（药用部位：全草。别名：虾藻）。

形态特征 多年生沉水草本。根茎近圆柱形。茎稍扁，多分枝，近基部常匍匐于地面，节处生疏或稍密的须根。叶条形，无柄，长 3 ~ 8 cm，宽 3 ~ 10 mm，先端钝圆，基部约 1 mm 与托叶合生，但不形成叶鞘，叶缘多少呈浅波状，具疏或稍密的细锯齿；叶脉 3 ~ 5，平行，先端连接，中脉近基部两侧伴有通气组织形成的细纹，次级叶脉疏而明显；托叶薄膜质，长 5 ~ 10 mm，早落；休眠芽腋生，略似松果，长 1 ~ 3 cm；革质叶左右 2 列密生，基部扩张，肥厚，坚硬，边缘具有细锯齿。穗状花序顶生，具花 2 ~ 4 轮，初时每轮 2 花对生，穗轴伸长后常稍不对称；花序梗棒状，较茎细；花小，花被片 4，

淡绿色；雌蕊 4，基部合生。果实卵形，长约 3.5 mm，果喙长可达 2 mm，向后稍弯曲，背脊约 1/2 以下具牙齿。花果期 4 ~ 7 月。

| 生境分布 | 生于静水池沼、河湖沟渠或水稻田中。分布于湘西北、湘西南、湘中、湘东、湘北等。

| 资源情况 | 野生资源一般。药材来源于野生。

| 采收加工 | 采收后洗净，晒干。

| 药材性状 | 本品根茎近圆柱形。茎稍扁，多分枝，节处具须根。叶条形，无柄，长 3 ~ 8 cm，宽 3 ~ 10 mm，先端钝圆。

| 功能主治 | 苦，寒。清热利水，止血，消肿，驱蛔。

| 用法用量 | 外用适量。

眼子菜科 Potamogetonaceae 眼子菜属 *Potamogeton*

鸡冠眼子菜 *Potamogeton cristatus* Rgl. et Maack

药材名 眼子菜（药用部位：全草。别名：水竹叶）。

形态特征 多年生水生草本，通常在开花前全部沉没水中。无明显的根茎。茎纤细，圆柱形或近圆柱形，直径约 0.5 mm，近基部常匍匐于地面，节处生多数纤长的须根，具分枝。叶二型；花期前全部为沉水型叶，线形，互生，无柄，长 2.5 ~ 7 cm，宽约 1 mm，先端渐尖，全缘；近花期或开花时出现浮水叶，通常互生，在花序梗下近对生，叶片椭圆形、矩圆形或矩圆状卵形，稀披针形，革质，长 1.5 ~ 2.5 cm，宽 0.5 ~ 1 cm，先端钝或尖，基部近圆形或楔形，全缘，具长 1 ~ 1.5 cm 的柄；托叶膜质，与叶离生；休眠芽腋生，明显特化，呈细小的纺锤状，长 1.5 ~ 3 cm，下面具 3 ~ 5 直伸的针状小苞叶。穗状花

序顶生，或呈假腋生状，具花 3 ~ 5 轮，密集；花序梗稍膨大，略粗于茎，长 0.8 ~ 1.5 cm；花小，花被片 4；雌蕊 4，离生。果实斜倒卵形，长约 2 mm，基部具长约 1 mm 的柄，背部中脊明显呈鸡冠状，喙长约 1 mm，斜伸。花果期 5 ~ 9 月。

| 生境分布 | 生于静水沟塘及水稻田中。分布于湖南郴州（桂东、安仁）等。

| 资源情况 | 野生资源稀少。药材来源于野生。

| 采收加工 | 3 ~ 4 月采收，洗净，晒干或鲜用。

| 药材性状 | 本品茎呈圆柱形或近圆柱形，直径约 0.5 mm，节处生出多数纤长的须根，具分枝。

| 功能主治 | 苦，寒。清热，利水，止血，消肿，驱蛔。用于目赤肿痛，痢疾，黄疸，淋证，水肿，带下，血崩，痔血，疳积，蛔虫病；外用于痈疖肿毒。

| 用法用量 | 内服煎汤，9 ~ 15 g，鲜品 30 ~ 60 g。外用适量，捣敷。

眼子菜科 Potamogetonaceae 眼子菜属 *Potamogeton*

眼子菜 *Potamogeton distinctus* A. Benn.

| 药 材 名 | 眼子菜（药用部位：全草。别名：牙齿草）。

| 形态特征 | 多年生水生草本。根茎发达，白色，直径 1.5 ~ 2 mm，多分枝，常于先端形成纺锤状休眠芽体，并在节处生有稍密的须根。茎圆柱形，直径 1.5 ~ 2 mm，通常不分枝。浮水叶革质，披针形、宽披针形至卵状披针形，长 2 ~ 10 cm，宽 1 ~ 4 cm，先端尖或钝圆，基部钝圆或近楔形，具长 5 ~ 20 cm 的柄，叶脉多条，先端连接；沉水叶披针形至狭披针形，草质，具柄，常早落；托叶膜质，长 2 ~ 7 cm，先端尖锐，呈鞘状抱茎。穗状花序顶生，具花多轮，开花时伸出水面，花后沉没水中；花序梗稍膨大，较茎粗，花时直立，花后自基部弯曲，长 3 ~ 10 cm；花小，花被片 4，绿色；雌蕊 2，稀 1 或 3。果实宽

倒卵形，长约 3.5 mm，背部具明显的 3 脊，中脊锐，于果实上部明显隆起，侧脊稍钝，基部及上部各具 2 突起，喙略下陷而斜伸。花果期 5 ~ 10 月。

| 生境分布 | 生于静水池沼、河流浅水处或水稻田中。分布于湘西北、湘西南、湘中、湘东等。

| 资源情况 | 野生资源一般。药材来源于野生。

| 采收加工 | 3 ~ 4 月采收，洗净，晒干或鲜用。

| 药材性状 | 本品根茎直径 1.5 ~ 2 mm，多分枝，常于先端形成纺锤状休眠芽体，并在节处生有稍密的须根。茎圆柱形，直径 1.5 ~ 2 mm。浮水叶长 2 ~ 10 cm，宽 1 ~ 4 cm。

| 功能主治 | 苦，寒。清热，利水，止血，消肿，驱蛔。用于目赤肿痛，痢疾，黄疸，淋证，水肿，带下，血崩，痔血，疳积，蛔虫病；外用于痈疖肿毒。

| 用法用量 | 内服煎汤，9 ~ 15 g，鲜品 30 ~ 60 g。外用适量，捣敷。

眼子菜科 Potamogetonaceae 眼子菜属 *Potamogeton*

竹叶眼子菜 *Potamogeton malaianus* Miq.

| 药 材 名 | 箬叶藻（药用部位：全草。别名：水龙草）。

| 形态特征 | 多年生沉水草本。根茎发达，白色，节处生有须根。茎圆柱形，直径约 2 mm，不分枝或具少数分枝，节间长可超过 10 cm。叶条形或条状披针形，具长柄，稀不及 2 cm；叶片长 5 ~ 19 cm，宽 1 ~ 2.5 cm，先端钝圆而具小凸尖，基部钝圆或楔形，边缘浅波状，有细微的锯齿；中脉显著，自基部至中部发出 6 至多条与之平行、并在先端连接的次级叶脉，三级叶脉清晰可见；托叶大而明显，近膜质，无色或淡绿色，与叶片离生，鞘状抱茎，长 2.5 ~ 5 cm。穗状花序顶生，具花多轮，密集或稍密集；花序梗膨大，稍粗于茎，长 4 ~ 7 cm；花小，花被片 4，绿色；雌蕊 4，离生。果实倒卵

形，长约 3 mm，两侧稍扁，背部具明显的 3 脊，中脊狭翅状，侧脊锐。花果期 6 ~ 10 月。

| 生境分布 | 生于静水池沼及水渠、河道等流水中。分布于湘西北、湘中、湘东等。

| 资源情况 | 野生资源一般。药材来源于野生。

| 采收加工 | 3 ~ 4 月采收，洗净，晒干或鲜用。

| 药材性状 | 本品根茎呈白色，节处生有须根。茎呈圆柱形，直径约 2 mm，节间长可超过 10 cm。叶条形或条状披针形，具长柄；叶片长 5 ~ 19 cm，宽 1 ~ 2.5 cm。

| 功能主治 | 苦，寒。清热，利水，止血，消肿，驱蛔。用于目赤肿痛，痢疾，黄疸，淋证，水肿，带下，血崩，痔血，疳积，蛔虫病；外用于痈疖肿毒。

| 用法用量 | 内服煎汤，9 ~ 15 g，鲜品 30 ~ 60 g。外用适量，捣敷。

| 附　　注 | 本种的拉丁学名在 FOC 中被修订为 *Potamogeton wrightii* Morong。

眼子菜科 Potamogetonaceae 眼子菜属 *Potamogeton*

浮叶眼子菜 *Potamogeton natans* L.

| 药 材 名 | 水案板（药用部位：全草）。

| 形态特征 | 多年生水生草本。根茎发达，白色，常具红色斑点，多分枝，节处生有须根。茎圆柱形，直径 1.5 ~ 2 mm，通常不分枝。浮水叶革质，卵形至矩圆状卵形，有时为卵状椭圆形，长 4 ~ 9 cm，宽 2.5 ~ 5 cm，先端圆形或具钝尖头，基部心形至圆形，稀渐狭，具长柄，叶脉 23 ~ 35，于叶端连接，其中 7 ~ 10 显著；沉水叶质厚，叶柄状，呈半圆柱状线形，先端较钝，长 10 ~ 20 cm，宽 2 ~ 3 mm，具不明显的 3 ~ 5 脉，常早落；托叶近无色，长 4 ~ 8 cm，鞘状抱茎，多脉，常呈纤维状宿存。穗状花序顶生，长 3 ~ 5 cm，具花多轮，开花时伸出水面；花序梗稍膨大，较茎粗或与茎等粗，开花时

通常直立，花后弯曲而使穗沉没水中，长 3 ~ 8 cm；花小，花被片 4，绿色，肾形至近圆形，直径约 2 mm；雌蕊 4，离生。果实倒卵形，外果皮常为灰黄色，长 3.5 ~ 4.5 mm，宽 2.5 ~ 3.5 mm，背部钝圆，或具不明显的中脊。花果期 7 ~ 10 月。

| 生境分布 | 生于池沼水田等水域中。分布于湖南株洲（醴陵）、衡阳（常宁）、湘西州（凤凰）等。

| 资源情况 | 野生资源稀少。药材来源于野生。

| 采收加工 | 8 ~ 10 月采收，鲜用或切段晒干。

| 药材性状 | 本品根茎常具红色斑点，多分枝，节处生有须根。茎圆柱形，直径 1.5 ~ 2 mm。浮水叶呈卵形，长 4 ~ 9 cm，宽 2.5 ~ 5 cm。

| 功能主治 | 甘、微苦，凉。解热，利水，止血，补虚，健脾。用于目红肿，牙痛，水肿，痔疮，蛔虫病，干血痨，疳积。

| 用法用量 | 内服煎汤，6 ~ 15 g。外用适量，鲜品捣敷。

眼子菜科 Potamogetonaceae 眼子菜属 *Potamogeton*

穿叶眼子菜 *Potamogeton perfoliatus* L.

| 药 材 名 | 酸水草（药用部位：全草。别名：抱茎眼子菜）。

| 形态特征 | 多年生沉水草本，具发达的根茎。根茎白色，节处生有须根。茎圆柱形，直径 0.5 ~ 2.5 mm，上部多分枝。叶卵形、卵状披针形或卵状圆形，无柄，先端钝圆，基部心形，呈耳状抱茎，边缘波状，常具极细微的齿，基出 3 脉或 5 脉，弧形，先端连接，次级脉细弱；托叶膜质，无色，长 3 ~ 7 mm，早落。穗状花序顶生，具花 4 ~ 7 轮，花密集或稍密集；花序梗与茎近等粗，长 2 ~ 4 cm；花小，花被片 4，淡绿色或绿色；雌蕊 4，离生。果实倒卵形，长 3 ~ 5 mm，先端具短喙，背部具 3 脊，中脊稍锐，侧脊不明显。花果期 5 ~ 10 月。

| 生境分布 | 生于湖泊、池塘、灌渠、河流等水体中。分布于湖南湘西州（保靖、

古丈）等。

| 资源情况 | 野生资源稀少。药材来源于野生。

| 采收加工 | 夏、秋季采收，鲜用或晒干。

| 功能主治 | 淡、微辛，凉。祛风利湿。用于湿疹，皮肤瘙痒。

| 用法用量 | 内服煎汤，10 ～ 15 g，鲜品 30 ～ 60 g。外用适量，煎汤熏洗。

百合科 Liliaceae 粉条儿菜属 *Aletris*

粉条儿菜 *Aletris spicata* (Thunb.) Franch.

| 药 材 名 |

粉条儿菜（药用部位：全草。别名：肺筋草、金线吊白米、蛆儿草）。

| 形态特征 |

多年生草本。具多数须根，根毛局部膨大，白色。叶簇生，纸质，条形，有时下弯，先端渐尖。花葶有棱，密生柔毛，中下部有长 1.5 ~ 6.5 cm 的苞片状叶；总状花序长 6 ~ 30 cm，疏生多花；苞片 2 枚，窄条形，位于花梗的基部，长 5 ~ 8 mm，短于花；花梗极短，有毛；花被黄绿色，上端粉红色，外面有柔毛，长 6 ~ 7 mm，分裂部分占 1/3 ~ 1/2，裂片条状披针形；雄蕊着生于花被裂片的基部，花丝短，花药椭圆形；子房卵形，花柱长 1.5 mm。蒴果倒卵形或矩圆状倒卵形，有棱角，长 3 ~ 4 mm，宽 2.5 ~ 3 mm，密生柔毛。花期 4 ~ 5 月，果期 6 ~ 7 月。

| 生境分布 |

生于海拔 350 ~ 1 800 m 的山坡、路边、灌丛边或草地上。湖南各地均有分布。

| 资源情况 | 野生资源丰富。药材来源于野生。

| 采收加工 | 夏、秋季采收，除去杂质，洗净，晒干。

| 药材性状 | 本品根茎短，须根丛生，纤细弯曲，有的着生多数白色小块根，习称“金线吊白米”。叶丛生，完整叶片展平后呈带状，稍反曲，灰绿色，先端尖，全缘。花葶细柱形，稍波状弯曲，被毛，总状花序穗状，花几无梗，黄棕色，花被6裂，裂片条状披针形。蒴果倒卵状三棱形。气微，味淡。

| 功能主治 | 甘，平。归肺、肝经。清肺，止咳，杀虫。用于咳嗽咯血，百日咳，气喘，肺痈，乳痈，肠风便血，妇人乳少，经闭，疳积，蛔虫病。

| 用法用量 | 内服煎汤，6 ~ 9 g。外用适量，捣敷。

百合科 Liliaceae 葱属 *Allium*

火葱 *Allium ascalonicum* L.

| 药 材 名 | 胡葱（药用部位：鳞茎）。

| 形态特征 | 二年生草本，高 30 ~ 44 cm。鳞茎聚生，矩圆状卵形、狭卵形或卵状圆柱形；鳞茎外皮红褐色、紫红色、黄红色至黄白色，膜质或薄革质，不破裂。叶为中空的圆筒状，向先端渐尖，深绿色，常略带白粉。栽培条件下不抽葶开花，用鳞茎分株繁殖，野生条件下能够开花结实。

| 生境分布 | 栽培于肥沃疏松、保水保肥力强的土壤中。湖南各地均有分布。

| 资源情况 | 栽培资源丰富。药材来源于栽培。

| 采收加工 | 3 ~ 5 月采收，鲜用或晒干。

| 药材性状 | 本品聚生，呈矩圆状卵形、狭卵形或卵状圆柱形。

| 功能主治 | 辛，温。温中，下气。用于水肿胀满，肿毒。

| 用法用量 | 内服煎汤，鲜品 15 ~ 30 g。外用适量，捣敷。

| 附　　注 | 本种的拉丁学名在 FOC 中被修订为 *Allium cepa* L. var. *aggregatum* L.。

Liliaceae *Allium*

洋葱 *Allium cepa* L.

| 药 材 名 | 洋葱（药用部位：鳞茎。别名：玉葱、浑提葱、洋葱头）、洋葱子（药用部位：种子）。

| 形态特征 | 二年生草本。鳞茎粗大，近球状至扁球状；鳞茎外皮紫红色、褐红色、淡褐红色、黄色至淡黄色，纸质至薄革质，内皮肥厚，肉质，均不破裂。叶圆筒状，中空，中部以下最粗，向上渐狭，较花葶短，直径超过 0.5 cm。花葶粗壮，高可达 1 m，呈中空的圆筒状，中部以下膨大，向上渐狭，下部被叶鞘；总苞 2 ~ 3 裂；伞形花序球状，具多而密集的花；小花梗长约 2.5 cm，花粉白色；花被片具绿色中脉，矩圆状卵形；花丝等长，稍长于花被片，约在基部 1/5 处合生，合生部分下部的 1/2 与花被片贴生，内轮花丝的基部极扩大，扩大

部分每侧各具 1 齿，外轮花丝呈锥形；子房近球状，腹缝线基部具有帘的凹陷蜜穴，花柱长约 4 mm。花果期 5 ~ 7 月。

| 生境分布 | 栽培于肥沃疏松、通气性较好的土壤中。湖南各地均有分布。

| 资源情况 | 栽培资源丰富。药材来源于栽培。

| 采收加工 | **洋葱：**当下部第一、第二片叶枯黄，鳞茎停止膨大进入休眠阶段，鳞茎外层鳞片变干时采挖，在田间晾晒 3 ~ 4 天，当叶片晒至七八成干时，编成辫子贮藏。

洋葱子：夏、秋季采收成熟果序，晒干后打下果实，收集种子，除去杂质。

| 药材性状 | **洋葱：**本品呈球形或扁球形，表面被黄色至红棕色皮膜，先端略尖，基部有多数须根痕。鳞片层层包裹，鳞片外膜呈白色、淡黄色或紫色，鳞片肉质呈白色。气特异，味辛、甘。

洋葱子：本品呈不规则类半圆形或半卵圆形，略扁，长 3 ~ 4 mm，宽 2 ~ 3 mm。表面黑色，一面凸起，皱缩，有细密的网状皱纹，另一面微凹，皱纹不甚明显，先端钝，基部稍尖，种脐多为点状，种子剖开后可见类白色种仁。质硬。嚼之有洋葱的特异辛味。

| 功能主治 | **洋葱：**辛、甘，温。归脾、肝经。健胃理气，祛湿杀虫，化浊降脂。用于食少腹胀，湿浊蕴结所致的淋浊带下，痰浊阻遏所致的高脂血症；外用于创伤，溃疡。

洋葱子：祛寒壮阳，强筋养肌，固发生发，燥湿祛斑，祛湿止痒。用于寒性性欲减退、身寒阳痿、湿性筋肌虚弱、斑秃、白癜风等寒湿性或黏液质性疾病。

| 用法用量 | **洋葱：**内服生食或熟食，30 ~ 120 g。外用适量，捣敷；或捣汁涂。

洋葱子：内服煎汤，3 ~ 5 g。

百合科 Liliaceae 葱属 *Allium*

藠头 *Allium chinense* G. Don

药材名

薤白（药用部位：鳞茎。别名：荞头、鸿荟）。

形态特征

多年生草本。鳞茎数枚聚生，狭卵状；鳞茎外皮白色或带红色，膜质，不破裂。叶2 ~ 5，呈具3 ~ 5棱的圆柱状，中空，与花葶近等长。花葶侧生，圆柱状，下部被叶鞘；总苞2裂，较伞形花序短；伞形花序近半球状，较松散；小花梗近等长，较花被片长1 ~ 4倍，基部具小苞片；花淡紫色至暗紫色；花被片宽椭圆形至近圆形，先端钝圆，内轮的稍长；花丝等长，长约为花被片的1.5倍，仅基部合生并与花被片贴生，内轮花丝的基部扩大，扩大部分每侧各具1齿，外轮花丝无齿，锥形；子房倒卵球状，腹缝线基部具有帘的凹陷蜜穴，花柱伸出花被外。花果期10 ~ 11月。

生境分布

栽培于耕地杂草中及山地较干燥处。湖南各地均有分布。

资源情况

栽培资源丰富。药材来源于栽培。

| 采收加工 | 夏、秋季采挖，洗净，除去须根，蒸透或置沸水中烫透，晒干。

| 药材性状 | 本品呈略扁的长卵形，高 1 ~ 3 cm，直径 0.3 ~ 1.2 cm。表面淡黄棕色或棕褐色，具浅纵皱纹。质较软，断面可见鳞叶 2 ~ 3 层。嚼之黏牙。

| 功能主治 | 辛、苦，温。归心、肺、胃、大肠经。通阳散结，行气导滞。用于胸痹心痛，脘腹痞满胀痛，泻痢后重。

| 用法用量 | 内服煎汤，5 ~ 10 g。

| 附　　注 | 本种同属植物小根蒜 *Allium macrostemon* Bunge. 的鳞茎同样作为薤白入药。

百合科 Liliaceae 葱属 *Allium*

葱 *Allium fistulosum* L.

|药材名|

葱白（药用部位：鳞茎。别名：和事草、菜伯、芤）、葱子（药用部位：种子）。

|形态特征|

二年生草本。鳞茎单生，圆柱状，稀为基部膨大的卵状圆柱形，直径 1 ~ 2 cm；鳞茎外皮白色，膜质至薄革质，不破裂。叶圆筒状，中空，向先端渐狭，与花葶近等长，直径超过 0.5 cm。花葶圆柱状，中空，高 30 ~ 100 cm，中部以下膨大，向先端渐狭，约在 1/3 以下被叶鞘；总苞膜质，2 裂；伞形花序球状，多花，较疏散；小花梗纤细，与花被片等长，基部无小苞片；花白色；花被片长 6 ~ 8.5 mm，近卵形，先端渐尖，具反折的尖头，外轮的稍短；花丝长为花被片的 1.5 ~ 2 倍，锥形，在基部合生并与花被片贴生；子房倒卵状，腹缝线基部具不明显的蜜穴，花柱细长，伸出花被外。花果期 4 ~ 7 月。

|生境分布|

栽培于田间、庭院等。湖南各地均有分布。

资源情况 栽培资源丰富。药材来源于栽培。

采收加工 **葱白：**夏、秋季采挖，除去须根、叶及外膜，鲜用。

葱子：夏、秋季收集成熟果实，晒干，搓取种子，除去杂质。

药材性状 **葱白：**本品多呈圆柱状，直径 1 ~ 2 cm；鳞茎外皮白色，膜质至薄革质。

葱子：本品为三角状，细小，表面黑色，光滑，质硬，种仁白色。气特异，有葱味。

功能主治 **葱白：**辛，温。归肺、胃经。发表，通阳，解毒，杀虫。用于感冒风寒，阴寒腹痛，二便不通，痢疾，疮痈肿痛，虫积腹痛。

葱子：辛，温。归肝、肾经。温肾，明目。用于肾虚阳痿，目眩。

用法用量 **葱白：**内服煎汤，9 ~ 15 g；或酒煎；或煮粥，鲜品 15 ~ 30 g。外用适量，捣敷；或炒熨；或煎汤洗；或用蜂蜜或醋调敷。表虚多汗者慎服。

葱子：内服煎汤，3 ~ 9 g，捣碎。

百合科 Liliaceae 葱属 *Allium*

宽叶韭 *Allium hookeri* Thwaites

药材名 宽叶韭（药用部位：全草。别名：大叶韭菜、大叶韭、丽江野葱）。

形态特征 多年生草本。鳞茎圆柱状，具粗壮的根；鳞茎外皮白色，膜质，不破裂。叶条形至宽条形，较花葶短或近等长，宽 5 ~ 28 mm，具明显的中脉。花葶侧生，圆柱状，下部被叶鞘；总苞 2 裂，常早落；伞形花序近球状，多花，花较密集；小花梗纤细，近等长，长为花被片的 2 ~ 4 倍，基部无小苞片；花白色，星芒状开展；花被片等长，披针形至条形，长 4 ~ 7.5 mm，宽 1 ~ 1.2 mm，先端渐尖或不等地 2 裂；花丝等长，较花被片短或近等长，在最基部合生并与花被片贴生；子房倒卵形，基部收狭成短柄，外壁平滑，每室具 1 胚珠，花柱较子房长，柱头点状。花果期 8 ~ 9 月。

| 生境分布 | 生于海拔 1 500 ~ 2 000 m 的湿润山坡或林下。分布于湖南郴州（宜章）等。

| 资源情况 | 野生资源丰富。药材来源于野生。

| 采收加工 | 全年均可采收，鲜用。

| 药材性状 | 本品鳞茎圆柱状，叶条形至宽条形，宽 5 ~ 28 mm，具明显的中脉。花葶侧生，圆柱状。

| 功能主治 | 理气宽中，通阳散结，消肿止痛。

| 用法用量 | 内服捣汁。

百合科 Liliaceae 葱属 *Allium*

小根蒜 *Allium macrostemon* Bunge.

|药 材 名| 薤白（药用部位：鳞茎。别名：小根菜、子根蒜、团葱）。

|形态特征| 多年生草本。鳞茎近球状，直径 0.7 ~ 2 cm，基部常具小鳞茎；鳞茎外皮带黑色，纸质或膜质，不破裂。叶 3 ~ 5，半圆柱状，或因背部纵棱发达而为三棱状半圆柱形，中空，上面具沟槽。花葶圆柱状，高 30 ~ 70 cm，1/4 ~ 1/3 被叶鞘；总苞 2 裂；伞形花序半球状至球状，具多而密集的花，或间具珠芽，有时全为珠芽；小花梗近等长，较花被片长 3 ~ 5 倍，基部具小苞片；珠芽暗紫色，基部亦具小苞片；花淡紫色或淡红色；花被片矩圆状卵形至矩圆状披针形；花丝等长，较花被片稍长至较其长 1/3，在基部合生并与花被片贴生，分离部分的基部呈狭三角形扩大，向上收狭成锥形，内轮花丝基部宽约为外

轮基部的 1.5 倍；子房近球状，腹缝线基部具有帘的凹陷蜜穴；花柱伸出花被外。花果期 5 ~ 7 月。

| 生境分布 | 生于海拔 1 500 m 以下的山坡、丘陵、山谷或草地上。湖南各地均有分布。

| 资源情况 | 野生资源丰富。栽培资源一般。药材来源于野生和栽培。

| 采收加工 | 夏、秋季采挖，洗净，除去须根，蒸透或置沸水中烫透，晒干。

| 药材性状 | 本品呈不规则卵圆形，高 0.5 ~ 1.5 cm，直径 0.5 ~ 1.8 cm。表面皱缩，半透明，有类白色膜质鳞片包被，底部有凸起的鳞茎盘。质硬，角质样。有蒜臭，味微辣。

| 功能主治 | 辛、苦，温。归心、肺、胃、大肠经。通阳散结，行气导滞。用于胸痹心痛，脘腹痞满胀痛，泻痢后重。

| 用法用量 | 内服煎汤，5 ~ 10 g。

| 附　　注 | 本种同属植物藠头 *Allium chinense* G. Don 的鳞茎同样作为薤白入药。

百合科 Liliaceae 葱属 *Allium*

卵叶韭 *Allium ovalifolium* Hand.-Mzt.

| 药 材 名 | 天蒜（药用部位：全草。别名：天韭、鹿耳韭、卵叶山葱）。

| 形态特征 | 多年生草本。鳞茎单一或 2 ~ 3 聚生，近圆柱状；鳞茎外皮灰褐色至黑褐色，破裂成纤维状。叶 2，披针状矩圆形至卵状矩圆形，先端渐尖或近短尾状，基部圆形至浅心形；叶柄明显，连同叶片的两面和叶缘常具乳头状突起，较少光滑。花葶圆柱状，下部被叶鞘；总苞 2 裂，宿存，稀早落；伞形花序球状，具多而密集的花；小花梗近等长，果期伸长，基部无小苞片；花白色，稀淡红色；内轮花被片披针状矩圆形至狭矩圆形，先端钝或凹陷，外轮花被片较宽而短，狭卵形、卵形或卵状矩圆形，先端钝或凹陷；花丝等长，较花被片长 1/4 ~ 1/2，基部合生并与花被片贴生，内轮花丝呈狭长三

角形，基部宽 0.8 ~ 1.1 mm，外轮花丝呈锥形；子房具 3 圆棱，基部收狭成长约 0.5 mm 的短柄，每室具 1 胚珠。花果期 7 ~ 9 月。

| 生境分布 | 生于海拔 1 500 ~ 2 000 m 的林下、阴湿山坡、湿地、沟边或林缘。分布于湖南湘西州（永顺）等。

| 资源情况 | 野生资源稀少。药材来源于野生。

| 采收加工 | 夏、秋季采挖，洗净，晒干。

| 药材性状 | 本品鳞茎呈圆柱状。完整叶展开呈披针状矩圆形至卵状矩圆形。伞形花序球状，花多而密集。

| 功能主治 | 活血散瘀，止血止痛。用于跌打损伤，瘀血肿痛，衄血。

| 用法用量 | 内服煎汤。

百合科 Liliaceae 葱属 *Allium*

蒜 *Allium sativum* L.

药材名 蒜（药用部位：鳞茎）。

形态特征 多年生草本。鳞茎球状至扁球状，通常由多数肉质、瓣状的小鳞茎紧密地排列而成，外面被数层白色至带紫色的膜质鳞茎外皮。叶宽条形至条状披针形，扁平，先端长渐尖，较花葶短，宽可达 2.5 cm。花葶实心，圆柱状，高可达 60 cm，中部以下被叶鞘；总苞具长 7 ~ 20 cm 的喙，早落；伞形花序密具珠芽，间有数花；小花梗纤细；小苞片大，卵形，膜质，具短尖；花常为淡红色；花被片披针形至卵状披针形，长 3 ~ 4 mm，内轮的较短；花丝较花被片短，基部合生并与花被片贴生，内轮花丝基部扩大，扩大部分每侧各具 1 齿，齿端呈长丝状，长超过花被片，外轮花丝呈锥形；子房球状，花柱

不伸出花被外。花期 7 月。

| 生境分布 | 栽培种。湖南有广泛分布。

| 资源情况 | 栽培资源较丰富。药材来源于栽培。

| 采收加工 | 6 月叶枯时采挖，除去泥沙，通风晾干或烘烤至外皮干燥。

| 药材性状 | 本品鳞茎呈扁球形或短圆锥形，肉质感，外有灰白色膜质鳞被；剥去鳞叶，内有 6 ~ 10 蒜瓣，轮生于花茎的周围。茎基部盘状，生有多数须根。每蒜瓣外包薄膜，剥去薄膜，即见白色、肥厚多汁的鳞片。有浓烈的蒜臭，味辛、辣。

| 功能主治 | 辛，温。行滞气，暖脾胃，消积，解毒，杀虫。用于饮食积滞，脘腹冷痛，水肿胀满，泄泻，痢疾，疟疾，百日咳，痈疽肿毒，白秃疮，蛇虫咬伤。

| 用法用量 | 内服煎汤，4.5 ~ 9 g；或生食、煨食，捣泥为丸。外用适量，捣敷；或做栓剂；或切片灸。

百合科 Liliaceae 葱属 *Allium*

韭 *Allium tuberosum* Rottler. ex Spreng.

药材名 韭菜子（药用部位：种子。别名：韭菜仁）、韭根（药用部位：根。别名：韭菜根）、韭菜（药用部位：叶。别名：丰本、扁菜、壮阳草）。

形态特征 多年生草本。具倾斜的横生根茎。鳞茎簇生，近圆柱状；鳞茎外皮破裂成纤维状。叶条形，扁平，宽 1.5 ~ 8 mm，边缘平滑。花葶常具 2 纵棱，高 25 ~ 60 cm，下部被叶鞘；总苞单侧开裂或 2 ~ 3 裂，宿存；伞形花序半球状或近球状，具多但较稀疏的花；小花梗近等长，较花被片长 2 ~ 4 倍，基部具小苞片，且数枚小花梗的基部被一共同的苞片包围；花被片常具绿色或黄绿色的中脉，内轮的矩圆状倒卵形，先端具短尖头或钝圆，长 4 ~ 8 mm，宽 2.1 ~ 3.5 mm，外轮的常较窄，矩圆状卵形至矩圆状披针形，先端具短尖头，长

4 ～ 8 mm，宽 1.8 ～ 3 mm；花丝等长，长为花被片的 2/3 ～ 4/5，基部合生并与花被片贴生，合生部分高 0.5 ～ 1 mm，分离部分狭三角形，内轮的稍宽；子房倒圆锥状球形，具 3 圆棱，外壁具细的疣状突起。花果期 7 ～ 9 月。

| 生境分布 | 栽培于地势平坦、排灌方便、土壤肥沃、理化性状良好的砂壤土上。湖南各地均有分布。

| 资源情况 | 栽培资源丰富。药材来源于栽培。

| 采收加工 | **韭菜子**：秋季果实成熟时采收果序，晒干，搓出种子，除去杂质。

韭根：全年均可采收。

韭菜：4叶心时即可收割第1刀，经养根施肥后，当植株长到5片叶时收割第2刀，根据需要也可连续收割5～6刀，鲜用。

| 药材性状 | **韭菜子**：本品呈半圆形或半卵圆形，略扁，长2～4 mm，宽1.5～3 mm。表面黑色，一面凸起，粗糙，有细密的网状皱纹，另一面微凹，皱纹不甚明显，

先端钝，基部稍尖，有点状凸起的种脐。质硬。气特异，味微辛。

功能主治

韭菜子：辛、甘，温。归肝、肾经。温补肝肾，壮阳固精。用于肝肾亏虚，腰膝酸痛，阳痿遗精，遗尿尿频，白浊带下。

韭根：辛，温。温中，行气，散瘀，解毒。用于里寒腹痛，食积腹胀，蛔虫腹痛，胸痹疼痛，赤白带下，衄血，吐血，漆疮，疮癣，狂犬咬伤，跌打损伤，盗汗，自汗。

韭菜：辛，温。归肾、胃、肺、肝经。补肾，温中，散瘀，解毒。用于肾虚阳痿，里寒腹痛，噎膈反胃，胸痹疼痛，气喘，衄血，吐血，尿血，痢疾，痔疮，乳痈，疮痈肿毒，疥疮，漆疮，跌打损伤。

用法用量

韭菜子：内服煎汤，3 ~ 9 g。

韭根：内服煎汤，鲜品 30 ~ 60 g；或捣汁。外用适量，捣敷；或温熨；或研末调敷。

韭菜：内服捣汁，60 ~ 120 g；或煮粥、炒熟、做羹。外用适量，捣敷；或煎汤熏洗；或热熨。

百合科 Liliaceae 葱属 *Allium*

茖葱 *Allium victorialis* L.

| 药 材 名 | 茖葱（药用部位：鳞茎。别名：寒葱）。

| 形态特征 | 鳞茎单生或 2 ~ 3 聚生，近圆柱状，外皮灰褐色至黑褐色，破裂成纤维状，呈明显的网状。叶 2 ~ 3，倒披针状椭圆形至椭圆形，长 8 ~ 20 cm，宽 3 ~ 9.5 cm，基部楔形，沿叶柄稍下延，先端渐尖或短尖；叶柄长为叶片的 1/5 ~ 1/2。花葶圆柱状，高 25 ~ 80 cm，1/4 ~ 1/2 被叶鞘；总苞 2 裂，宿存；伞形花序球状，具多而密集的花；小花梗近等长，比花被片长 2 ~ 4 倍，果期伸长，基部无小苞片；花白色或带绿色，极稀带红色；内轮花被片椭圆状卵形，先端钝圆，常具小齿；外轮的狭而短，舟状，长 4 ~ 5 mm，宽 1.5 ~ 2 mm，先端钝圆；花丝比花被片长 0.25 ~ 1 倍，基部合生并与花被片贴生，

内轮的狭长三角形，基部宽 1 ~ 1.5 mm，外轮的锥形，基部比内轮的窄；子房具 3 圆棱，基部收狭成短柄，柄长约 1 mm，每室具 1 胚珠。花果期 6 ~ 8 月。

| 生境分布 | 生于海拔 1 500 ~ 2 000 m 的阴湿山坡、林下、草地或沟边。分布于湖南常德（石门）、张家界（桑植）、湘西州（龙山）等。

| 资源情况 | 野生资源稀少。药材来源于野生。

| 采收加工 | 夏、秋季采收，洗净，鲜用。

| 功能主治 | 辛，温。散瘀，止血，解毒。用于跌打损伤，血瘀肿痛，衄血，疮痈肿痛。

| 用法用量 | 内服煎汤，15 ~ 30 g。外用适量，捣敷。

| 附　　注 | 本种在 FOC 中被修订为石蒜科 Amaryllidaceae 葱属 *Allium* 茖葱 *Allium ochotense* Prokh.。

百合科 Liliaceae 芦荟属 *Aloe*

芦荟 *Aloe vera* L. var. *chinensis* (Haw.) Berg.

| 药 材 名 |

芦荟（药材来源：汁液浓缩的干燥物。别名：卢会、讷会、象胆）、芦荟叶（药用部位：叶）、芦荟花（药用部位：花）、芦荟根（药用部位：根）。

| 形态特征 |

多年生肉质草本。茎较短。叶近簇生或稍 2 列（幼小植株），肥厚多汁，条状披针形，粉绿色，长 15 ~ 35 cm，基部宽 4 ~ 5 cm，先端有小齿，边缘疏生刺状小齿。花葶高 60 ~ 90 cm，不分枝或稍分枝；总状花序具几十花；苞片近披针形，先端锐尖；花点垂，稀疏排列，淡黄色而有红斑；花被长约 2.5 cm，裂片先端稍外弯；雄蕊与花被近等长或略长；花柱明显伸出花被外。

| 生境分布 |

栽培于肥沃疏松、排水良好的砂壤土中。湖南各地均有分布。

| 资源情况 |

栽培资源一般。药材来源于栽培。

| **采收加工** | **芦荟**：种植 2 ~ 3 年后即可收获，分批采收中下部生长良好的叶片，将采收的鲜叶片切口向下垂直放于盛器中，取其流出的汁液干燥即得。也可将叶片洗净，横切成片，加入与叶片同等量的水，煎煮 2 ~ 3 小时，过滤，将过滤液浓缩成黏稠状，倒入模型内烘干或晒干即得。

芦荟叶：全年均可采收，鲜用或晒干。

芦荟花：7 ~ 8 月采收，鲜用或阴干。

芦荟根：全年均可采收，切段，晒干。

| **药材性状** | **芦荟**：本品呈不规则的块状，大小不一。老芦荟显黄棕色、红棕色或棕黑色；质坚硬，不易破碎，断面蜡样，无光泽，遇热不易熔化。新芦荟显棕黑色而发绿，有光泽，黏性大，遇热易熔化；质松脆，易破碎，破碎面平滑而具玻璃样光泽。有明显的酸气，味极苦。

芦荟叶：本品近簇生或稍 2 列，肥厚多汁，条状披针形，边缘疏生刺状小齿。

芦荟花：本品苞片近披针形，先端锐尖。雄蕊与花被近等长或略长，花柱明显伸出花被外。

| **功能主治** | **芦荟**：苦，寒。归肝、胃、大肠经。泻下通便，清肝泻火，杀虫疗疳。用于热结便秘，惊痫抽搐，疳积；外用于疮癣。

芦荟叶：苦、涩，寒。归肝、大肠经。泻火，解毒，化瘀，杀虫。用于目赤，便秘，白浊，尿血，小儿惊痫，疳积，烫火伤，经闭，痔疮，疥疮，痈疖肿毒，跌打损伤。

芦荟花：甘、淡，凉。止咳，凉血化瘀。用于咳嗽，咯血，白浊。

芦荟根：甘、淡，凉。清热利湿，化瘀。用于疳积，淋证。

| **用法用量** | **芦荟**：内服入丸、散剂，2 ~ 5 g。外用适量，研末敷。孕妇慎用。

芦荟叶：内服煎汤，15 ~ 30 g；或捣汁。外用适量，鲜品捣敷；或绞汁涂。

芦荟花：内服煎汤，3 ~ 6 g。外用适量，煎汤洗。

芦荟根：内服煎汤，15 ~ 30 g。

| **附　　注** | 目前芦荟 *Aloe vera* L. var. *chinensis* (Haw.) Berg. 与库拉索芦荟 *Aloe barbadensis* Miller 已经合并为芦荟 *Aloe vera* (L.) Burm. f.。

百合科 Liliaceae 郁金香属 *Tulipa*

老鸦瓣 *Tulipa edulis* (Miq.) Baker

| 药 材 名 | 光慈姑（药用部位：鳞茎。别名：老鸦头、毛地梨、山蛋）。

| 形态特征 | 多年生草本。鳞茎卵形，直径 1.5 ~ 2.5 cm，外层皮纸质，内面密被长柔毛。茎长 10 ~ 25 cm，通常不分枝，无毛。叶 2，长条形，远比花长，通常宽 5 ~ 9 mm，少数可窄到 2 mm 或宽达 12 mm，上面无毛。花单朵顶生，靠近花的基部具 2 对生（少 3 轮生）的苞片，苞片狭条形；花被片狭椭圆状披针形，长 20 ~ 30 mm，宽 4 ~ 7 mm，白色，背面有紫红色纵条纹；雄蕊 3 长 3 短，花丝无毛，中部稍扩大，向两端逐渐变窄或从基部向上逐渐变窄；子房长椭圆形，花柱长约 4 mm。蒴果近球形，有长喙，长 5 ~ 7 mm。花期 3 ~ 4 月，果期 4 ~ 5 月。

生境分布 生于山坡草地及路旁。分布于湖南长沙（望城、宁乡、浏阳）等。

资源情况 野生资源稀少。药材来源于野生。

采收加工 春、秋、冬季采收，洗净，除去须根及外皮，晒干或鲜用。

药材性状 本品鳞茎呈卵状圆锥形，先端渐尖，基部圆平，中央凹入，高 1 ~ 2 cm，直径 0.5 ~ 1 cm。表面粉白色或黄白色，光滑，一侧有纵沟，自基部伸向先端。质硬而脆，断面白色，粉质，内有 1 圆锥形心芽。气微弱，味淡。

功能主治 甘、辛，寒；有小毒。清热解毒，散结消肿。用于咽喉肿痛，瘰疬结核，瘀滞疼痛，痈疖肿毒，蛇虫咬伤。

用法用量 内服煎汤，3 ~ 6 g。外用适量，研末醋调敷；或捣汁涂。

百合科 Liliaceae 天门冬属 *Asparagus*

山文竹 *Asparagus acicularis* Wang et S. C. Chen

| 药 材 名 | 山文竹（药用部位：全草或根。别名：天冬、假天冬、千条蜈蚣赶条蛇）。

| 形态特征 | 多年生草本攀缘植物，长可超过 1 m。根在基部直径 2 ~ 4 mm，向末端渐增粗。茎和分枝不具纵凸纹或棱。叶状枝通常每 3 ~ 7 成簇，近针状，伸直，略有几条不明显的棱，长 6 ~ 15 mm，直径约 0.3 mm，在花期通常较幼嫩；茎上的鳞片状叶基部有长 4 ~ 6 mm 的硬刺，分枝上的硬刺长 1 ~ 2 mm。雄花每 2 朵腋生，很小，绿白色；花梗长 4 ~ 5 mm，关节位于中部；花被球形，长约 2 mm；花丝不贴生于花被片上。浆果直径 5 ~ 6 mm，通常有 1 种子。花果期 6 ~ 11 月。

| 生境分布 | 生于海拔 80 ~ 1 400 m 的山坡、草地、湖边、路旁或疏林、灌丛中。分布于湖南郴州（临武）、常德（石门）等。

| 资源情况 | 野生资源稀少。药材来源于野生。

| 采收加工 | 采收后洗净，烫后捞出，剥除外皮，晒干或鲜用。

| 药材性状 | 本品长约 1 m，根直径约 3 mm，向末端渐增粗，质柔韧。茎和分枝不具纵凸纹或棱。叶状枝呈近针状。花小，花被球形。果实直径 5 ~ 6 mm。

| 功能主治 | 凉血，解毒，通淋。

| 用法用量 | 内服煎汤。外用适量。

| 附　　注 | 本种与同属植物石刁柏 *Asparagus officinalis* L. 形态相似，两者的区别在于石刁柏为直立草本，茎上无刺，花长 5 ~ 6 mm。

百合科 Liliaceae 天门冬属 *Asparagus*

天冬 *Asparagus cochinchinensis* (Lour.) Merr.

药材名 天门冬（药用部位：块根。别名：赶条蛇、多仔婆）。

形态特征 多年生攀缘草本。根在中部或近末端呈纺锤状膨大，膨大部分长3 ~ 5 cm，直径1 ~ 2 cm。茎平滑，常弯曲或扭曲，长可达1 ~ 2 m，分枝具棱或狭翅；叶状枝通常每3成簇，扁平或由于中脉呈龙骨状而略呈锐三棱形，稍镰状；茎上的鳞片状叶基部延伸为长2.5 ~ 3.5 mm的硬刺，在分枝上的刺较短或不明显。花通常每2腋生，淡绿色；雄花花被长2.5 ~ 3 mm，花丝不贴生于花被片上；雌花大小和雄花相似。浆果直径6 ~ 7 mm，成熟时红色，具种子1。花期5 ~ 6月，果期8 ~ 10月。

生境分布 生于海拔1 750 m以下的山坡、路旁、疏林下、山谷中或荒地上。湖南各地均有分布。

| 资源情况 | 野生资源丰富。栽培资源一般。药材来源于野生和栽培。

| 采收加工 | 秋、冬季采挖，洗净泥土，除去须根，按大小分开，放入沸水中煮或蒸至外皮易剥落为度，捞出浸入清水中，趁热除去外皮，洗净，微火烘干或用硫黄熏后再烘干。

| 药材性状 | 本品呈长纺锤形或圆柱形，稍弯曲，长 3 ~ 5 cm，直径 0.5 ~ 2 cm。表面黄白色或黄棕色，半透明，有深浅不等的纵沟及细皱纹。质坚韧或柔润，断面黄白色，角质样，有黏性，皮部宽，中柱明显。气微，味甘、微苦。以肥满、致密、色黄白、半透明者为佳。

| 功能主治 | 甘、苦，寒。归肺、肾经。养阴生津，润肺清心。用于肺燥干咳，虚劳咳嗽，内热消渴，热病津伤，咽干口渴，肠燥便秘。

| 用法用量 | 内服煎汤，6 ~ 15 g；或熬膏；或入丸、散剂。外用适量，鲜品捣敷；或捣烂绞汁涂。

| 附　　注 | 本种叶状枝的形状、大小不尽相同，与其他近似种的区别在于本种茎攀缘，有刺，叶状枝一般每 3 成簇，扁平或略呈锐三棱形，花梗较短，根的中部或末端具肉质膨大部分。

天冬药材有天门冬、小天冬、羊齿天冬三种，其中天门冬为本种的块根加工品，小天冬为本种同属植物密齿天门冬 *Asparagus meioclados* Lévl. 的干燥块根加工品，羊齿天冬为本种同属植物羊齿天门冬 *Asparagus filicinus* Ham. ex D. Don 的干燥块根加工品，使用时应加以区分。

百合科 Liliaceae 天门冬属 *Asparagus*

羊齿天门冬 *Asparagus filicinus* Ham. ex D. Don

| 药 材 名 | 羊齿天冬（药用部位：块根。别名：铁松、岩鸡、飞天蜈蚣）。

| 形态特征 | 多年生直立草本，高 50 ~ 70 cm。根成簇，从基部开始或在距基部几厘米处呈纺锤状膨大，膨大部分长短不一，一般长 2 ~ 4 cm，宽 5 ~ 10 mm。茎近平滑，分枝通常具棱，有时稍具软骨质齿。叶状枝每 5 ~ 8 成簇，呈扁平，镰状，长 3 ~ 15 mm，宽 0.8 ~ 2 mm，有中脉；鳞片状叶基部无刺。花每 1 ~ 2 腋生，淡绿色，有时稍带紫色，花梗纤细，长 12 ~ 20 mm，关节位于近中部；雄花花被长约 2.5 mm，花丝不贴生于花被片上，花药卵形，长约 0.8 mm；雌花和雄花近等大或比雄花略小。浆果直径 5 ~ 6 mm，具种子 2 ~ 3。花期 5 ~ 7 月，果期 8 ~ 9 月。

| 生境分布 | 生于山间疏林、灌丛下，山谷中及沟底阴湿处。分布于湘西北、湘西南、湘中、湘东、湘南等。

| 资源情况 | 野生资源一般。药材来源于野生。

| 采收加工 | 春、秋季采挖，除去茎，洗净，煮沸约 30 分钟，捞出，剥除外皮，晒干。

| 药材性状 | 本品呈长纺锤形，长 2 ~ 4 cm，直径 5 ~ 10 mm，有时成簇。表面棕黑色，具细密根毛，纵皱纹深浅不等。质坚韧，有黏性，断面角质样。中心中柱细，黄白色。有豆腥气，味淡。

| 功能主治 | 甘、淡，平。润肺止咳，杀虫止痒。用于阴虚肺燥，肺痨久咳，咳痰不爽，痰中带血，疥癣瘙痒。

| 用法用量 | 内服煎汤，6 ~ 15 g。外用适量，煎汤洗；或研末调敷。

百合科 Liliaceae 天门冬属 *Asparagus*

短梗天门冬 *Asparagus lycopodineus* Wall. ex Baker

药材名 土百部（药用部位：块根。别名：山百部、山扫帚、山漏芦）。

形态特征 多年生直立草本，高 45 ~ 100 cm。根通常在距基部 1 ~ 4 cm 处呈纺锤状膨大，膨大部分一般长 1.5 ~ 3.5 cm，直径 5 ~ 8 mm，较少近不膨大。茎平滑或略具条纹，上部有时具翅，分枝全部具翅。叶状枝通常每 3 成簇，呈扁平状镰形，长 2 ~ 12 mm，宽 1 ~ 3 mm，具中脉；鳞片状叶基部近无距。花每 1 ~ 4 腋生，白色，花梗很短，长 1 ~ 1.5 mm；雄花花被长 3 ~ 4 mm，雄蕊不等长，花丝下部贴生于花被片上；雌花较小，花被长约 2 mm。浆果直径 5 ~ 6 mm，通常具种子 2。花期 5 ~ 6 月，果期 8 ~ 9 月。

|生境分布| 生于海拔 450 ～ 2 000 m 的灌丛中或林下。分布于湘西北、湘中、湘东等。

|资源情况| 野生资源一般。药材来源于野生。

|采收加工| 秋、冬季采挖，除去须根，洗净，煮沸约 30 分钟后，捞出，剥去外皮，晒干。

|功能主治| 甘、淡，平。润肺，止咳，化痰，平喘。用于咳嗽痰多，气逆。

|用法用量| 内服煎汤，3 ～ 9 g。

Liliaceae *Asparagus*

石刁柏 *Asparagus officinalis* L.

| 药材名 | 石刁柏（药用部位：嫩茎。别名：芦笋、露笋、龙须菜）、小百部（药用部位：块根。别名：门冬薯、嗦罗罗、细叶百部）。

| 形态特征 | 多年生直立草本，高可达 1 m。根直径 2 ～ 3 mm。茎平滑，上部在后期常俯垂，分枝较柔弱。叶状枝每 3 ～ 6 成簇，呈近扁的圆柱形，略具钝棱，纤细，常稍弧曲，长 5 ～ 30 mm，直径 0.3 ～ 0.5 mm；鳞片状叶基部具刺状短距或近无距。花每 1 ～ 4 腋生，绿黄色，花梗长 8 ～ 14 mm，关节位于上部或近中部；雄花花被长 5 ～ 6 mm，花丝中部以下贴生于花被片上；雌花较小，花被长约 3 mm。浆果直径 7 ～ 8 mm，成熟时红色，具种子 2 ～ 3。花期 5 ～ 6 月，果期 9 ～ 10 月。

生境分布 栽培于河滩、沟谷、砾质地。湖南各地均有分布。

资源情况 栽培资源丰富。药材来源于栽培。

采收加工 **石刁柏**：4 ~ 5 月采收，随即采取保鲜措施，防止日晒脱水。

小百部：秋季采挖，鲜用或切片晒干。

药材性状 **石刁柏**：本品鲜品圆柱形或圆锥形，不分枝，先端鳞芽多聚生形成鳞芽群，若仅剩嫩茎下部则无先端的鳞芽；表面绿色、白色或带紫色，节间长 15 ~ 40 mm，节上着生膜质鳞片状叶 1；质脆，易折断，断面肉质，淡黄白色，有维管束散在并呈同心轮状排列，断面整齐；气清香，味微苦；以新鲜、粗壮者为佳。干品扁圆条形，扭曲，顶芽有或无，呈黄白色或黄绿色，具 10 ~ 26 折皱，节上着生膜质鳞片状叶 1；体轻，质脆，断面黄白色，有维管束散在，导管孔明显。

小百部：本品数个或数十个成簇或单个散在，长圆柱形或长圆锥形，长 10 ~ 25 cm，直径约 8 mm。表面黄白色或土黄色，有不规则纵皱纹，上端略膨大，少数残留茎基。质柔韧，断面淡棕色，中柱类白色。

功能主治 **石刁柏**：微甘，平。清热利湿，活血散结。用于肝炎，银屑病，高脂血症，乳腺增生，淋巴肉瘤，膀胱癌，乳腺癌，皮肤癌等。

小百部：苦、甘、微辛，温。温肺，止咳，杀虫。用于风寒咳嗽，百日咳，肺结核，老年咳喘，疳积，疥癣。

用法用量 **石刁柏**：内服煎汤，15 ~ 30 g。

小百部：内服煎汤，6 ~ 9 g；或入丸、散剂。外用适量，煎汤熏洗；或捣汁涂。

百合科 Liliaceae 天门冬属 *Asparagus*

文竹 *Asparagus setaceus* (Kunth) Jessop

药 材 名 文竹（药用部位：全草。别名：蓬莱竹、小百部）、文竹根（药用部位：块根）。

形态特征 多年生攀缘草本。根稍肉质，细长。茎的分枝极多，分枝近平滑。叶状枝通常每 10 ～ 13 成簇，刚毛状，略具 3 棱，长 4 ～ 5 mm；鳞片状叶基部稍具刺状距或距不明显。花通常每 1 ～ 4 腋生，白色，有短梗；花被片长约 7 mm。浆果直径 6 ～ 7 mm，成熟时紫黑色，具种子 1 ～ 3。

生境分布 栽培于温暖、湿润、略背阴且土壤富含腐殖质的环境中。湖南各地均有分布。

| 资源情况 | 栽培资源一般。药材来源于栽培。

| 采收加工 | **文竹：**全年均可采收，鲜用或晒干。

文竹根：秋季采挖，除去泥土，用水煮或蒸至皮裂，剥去外皮，切段，干燥。

| 药材性状 | **文竹：**本品根细长，稍肉质。茎多分枝，近平滑。叶状枝刚毛状，略具 3 棱。浆果直径 6 ~ 7 mm。

文竹根：本品细长，稍肉质，长 15 ~ 24 cm，直径 3 ~ 4 mm。表面黄白色，具深浅不等的皱纹，并具纤细支根。质较柔韧，不易折断，断面黄白色。气微香，味苦、微辛。

| 功能主治 | **文竹：**苦，寒。凉血解毒，利尿通淋。用于郁热咯血，小便淋沥。

文竹根：甘、微苦，平。润肺止咳。用于肺痨咳嗽，咳嗽痰喘，阿米巴痢疾。

| 用法用量 | **文竹：**内服煎汤，6 ~ 30 g。

文竹根：内服煎汤，6 ~ 30 g。

百合科 Liliaceae 蜘蛛抱蛋属 *Aspidistra*

蜘蛛抱蛋 *Aspidistra elatior* Bl.

药材名 竹节伸筋（药用部位：根茎。别名：一帆青、飞天蜈蚣、竹叶伸筋）。

形态特征 多年生草本。根茎近圆柱形，具节和鳞片。叶单生，矩圆状披针形、披针形至近椭圆形，先端渐尖，基部楔形，边缘多少皱波状，两面绿色，有时稍具黄白色斑点或条纹；叶柄明显，粗壮。苞片 3 ~ 4，其中 2 苞片位于花的基部，宽卵形，淡绿色，有时具紫色细点；花被钟状，外面紫色或暗紫色，内面下部淡紫色或深紫色，上部 6 ~ 8 裂；花被筒裂片近三角形，向外扩展或外弯，先端钝，边缘和内侧上部呈淡绿色，内面具特别肥厚的肉质脊状隆起，中间 2 隆起细而长，两侧 2 隆起粗而短，中部高达 1.5 mm，紫红色；雄蕊 6 ~ 8，生于花被筒近基部，低于柱头，花丝短，花药椭圆形，长约 2 mm；雌

蕊高约 8 mm，子房几不膨大，花柱无关节，柱头盾状膨大，圆形，紫红色，上面 3 ~ 4 深裂，裂缝两边多少向上凸出，中心部分微凸，裂片先端微凹，边缘常向上反卷。

| 生境分布 | 栽培于山谷及山坡林下阴湿的草丛、花园、公园中。湖南各地均有分布。

| 资源情况 | 栽培资源丰富。药材来源于栽培。

| 采收加工 | 全年均可采收，除去须根及叶，洗净，鲜用或切片晒干。

| 药材性状 | 本品粗壮，稍肉质，直径 5 ~ 10 mm，外表棕色，具明显的节和鳞片。

| 功能主治 | 辛、甘，微寒。归肝、胃、膀胱经。活血止痛，清肺止咳，利尿通淋。用于跌打损伤，风湿痹痛，腰痛，经闭腹痛，肺热咳嗽，砂淋，小便不利。

| 用法用量 | 内服煎汤，9 ~ 15 g，鲜品 30 ~ 60 g；或入酒剂。外用适量，捣敷。

| 附　　注 | 与本种功能主治相同的物种还有：百合科植物牛尾菜 *Smilax riparia* A. DC.、石松科植物石松 *Lycopodium japonicum* Thunb.。

百合科 Liliaceae 蜘蛛抱蛋属 *Aspidistra*

九龙盘 *Aspidistra lurida* Ker-Gawl.

| 药 材 名 | 九龙盘（药用部位：根茎。别名：蜈蚣草、地蜈蚣、赶山鞭）。

| 形态特征 | 根茎圆柱形，具节和鳞片。叶单生，矩圆状披针形、近椭圆形、披针形、矩圆状倒披针形或带形，先端渐尖，基部多数近楔形，少数近圆形，两面绿色，有时多少具黄白色斑点；叶柄明显。苞片 3 ~ 6，其中 1 ~ 3 位于花基部，宽卵形，向上渐大，先端钝或急尖，有时带褐紫色；花被近钟状，花被筒内面褐紫色，上部 6 ~ 9 裂，裂片矩圆状三角形，先端钝，向外扩展，内面淡橙绿色或带紫色，具 2 ~ 4 不明显或明显的脊状隆起和多数小乳突；雄蕊 6 ~ 9，生于花被筒基部，花丝不明显，花药卵形；雌蕊较雄蕊高，子房基部膨大，花柱无关节，柱头盾状膨大，圆形，中部微凸，上面通常具 3 ~ 4 微凸的棱，边缘波状浅裂，裂片边缘不向上反卷。

生境分布 生于海拔 600 ~ 1 700 m 的阴湿坡地、山坡林下、路旁或沟旁的砂壤土中。分布于湖南常德（桃源）、郴州（汝城）、永州（蓝山）、怀化（通道、沅陵）、益阳（安化）等。

资源情况 野生资源较少。药材来源于野生。

采收加工 全年均可采收，除去须根及叶，洗净，鲜用或切片晒干。

功能主治 辛，热。祛风，活血，止痛。用于腰痛，风湿痛，跌打损伤。

用法用量 内服煎汤，6 ~ 15 g；或浸酒。外用适量，捣敷；或研末调敷。

百合科 Liliaceae 蜘蛛抱蛋属 *Aspidistra*

小花蜘蛛抱蛋 *Aspidistra minutiflora* Stapf

| 药材名 | 小花蜘蛛抱蛋（药用部位：根茎。别名：毛知母）。

| 形态特征 | 根茎近圆柱状，直径 5 ~ 6 mm，密生节和鳞片。叶 2 ~ 3 簇生，带形或带状倒披针形，长 26 ~ 65 cm，宽 1 ~ 2.5 cm，先端渐尖，基部渐狭成不很明显的柄，近先端的边缘有细锯齿。总花梗纤细，长 1 ~ 2.5 cm；苞片 2 ~ 4，宽卵形，长 3.5 ~ 4.5 mm，宽 3.5 ~ 6 mm，先端钝或微凹，有时带紫褐色；花小，花被坛状，长 4.5 ~ 5 mm，直径 4 ~ 6 mm，青色带紫色，具紫色细点，上部具（4 ~ ）6 裂，裂片小，三角状卵形，长 1 ~ 2 mm，基部宽 1 ~ 1.5 mm，不向外弯；雄蕊（4 ~ ）6，生于花被筒底部，低于柱头，花丝极短，花药近宽卵形，长 1.2 ~ 1.5 mm，先端钝；雌蕊长 2.5 ~ 3 mm，子房几不膨

大，长约 1.5 mm，花柱粗短，无关节，柱头稍膨大，圆形，直径 1.5 ~ 2.5 mm，边缘具（4 ~ ）6 圆齿。花期 7 ~ 10 月。

| 生境分布 | 生于路旁或山腰石上或石壁上。分布于湖南邵阳（新宁）、永州（东安）等。

| 资源情况 | 野生资源稀少。药材来源于野生。

| 采收加工 | 全年均可采挖，晒干或鲜用。

| 功能主治 | 辛、苦，寒。归肺、肝经。清热止咳，续筋接骨。用于痰热咳嗽；外用于跌扑闪挫，金疮等。

| 用法用量 | 内服煎汤，10 ~ 15 g。外用适量，生用捣敷；或晒干研末敷；或浸酒擦。

百合科 Liliaceae 蜘蛛抱蛋属 *Aspidistra*

峨眉蜘蛛抱蛋 *Aspidistra omeiensis* Z. Y. Zhu

|药 材 名| 峨眉蜘蛛抱蛋（药用部位：根茎）。

|形态特征| 多年生草本。叶 3 ~ 5 簇生，带形，长 0.8 ~ 1 m，宽 2 ~ 4 cm，先端渐尖，边缘反卷，基部渐窄；叶柄长 5 ~ 13 cm。花序梗单生，长 0.3 ~ 1.2 cm，具 3 ~ 4 苞片；花单生；花被钟状，长 1.5 ~ 2 cm，紫色或紫红色，6 ~ 8 裂，裂片三角状卵形，内侧深紫色或淡紫色，具 4 肉质脊状隆起，或具 6 肉质脊状隆起，中间 4 隆起长，从裂片先端下延至花被筒中部或基部，两侧 2 隆起短；雄蕊 6 ~ 8，着生于花被筒下部 1/4 处，花丝长约 1 mm，花药横椭圆形，宽约 2.5 mm；雌蕊长 6 mm，花柱粗短，柱头盾状，直径 0.9 ~ 1.3 cm，高于雄蕊，上面紫红色，具白色凸出花纹，边缘微浅波状，反卷，子房 3（~ 4）室，每室具 4 胚珠。花期 3 月。

| 生境分布 | 生于山坡林下。分布于湖南湘西州（花垣）等。

| 资源情况 | 野生资源稀少。药材来源于野生。

| 采收加工 | 采挖后洗净，晒干。

| 功能主治 | 活血通淋，泻热通络。

| 用法用量 | 内服煎汤，15 ~ 25 g。

百合科 Liliaceae 大百合属 *Cardiocrinum*

荞麦叶大百合 *Cardiocrinum cathayanum* (Wilson) Stearn

| 药材名 | 水百合（药用部位：鳞茎。别名：八仙贺寿草、心叶百合、大叶百合）。

| 形态特征 | 多年生草本。珠芽长约 2.5 cm，宽 1.2 ~ 1.5 cm。茎直立，长 0.5 ~ 1.5 m，宽 2 ~ 3 cm，中空。叶除基生者外，密集地生于茎中部，稀松螺旋地生于茎上部；叶柄长 6 ~ 20 cm；叶片卵状心形至卵形，长 10 ~ 22 cm，宽 6 ~ 12 cm。总状花序具 3 ~ 5 花；苞片长圆形，宿存；花被片白色或带绿色，正面具紫色条纹，呈条状倒披针形，长 13 ~ 15 cm，宽 1.5 ~ 2 cm；雄蕊长 8 ~ 10 cm，与花被片近等长，花药长 8 ~ 9 mm；子房长 3 ~ 3.5 cm，宽 5 ~ 7 mm，花柱长 6 ~ 6.5 cm。蒴果近球形；种子直径 2.5 ~ 4.5 mm，扁平，阔肾形。花期 7 ~ 8 月，果期 8 ~ 9 月。

| 生境分布 | 生于海拔 200 ~ 1 000 m 的较阴湿的山谷中、水沟旁及树林中。分布于湖南湘西州（花垣、龙山）等。

| 资源情况 | 野生资源一般。药材来源于野生。

| 采收加工 | 5 ~ 7 月采挖，鲜用或晒干。

| 药材性状 | 本品由数片基生叶膨大的叶柄基部组成，尚有植株周围形成的小鳞茎。小鳞茎无鳞茎瓣，外皮纤维质。

| 功能主治 | 苦、微甘，凉。清肺止咳，解毒消肿。用于感冒，肺热咳嗽，咯血，鼻渊，聤耳，乳痈，无名肿毒。

| 用法用量 | 内服煎汤，6 ~ 15 g。外用适量，捣烂绞汁，滴鼻、耳；或捣敷。

| 附　　注 | 与本种功能主治相同的物种还有：大百合属植物大百合 *Cardiocrinum giganteum* (Wall.) Makino。

百合科 Liliaceae 大百合属 *Cardiocrinum*

大百合 *Cardiocrinum giganteum* (Wall.) Makino

药材名

水百合（药用部位：鳞茎。别名：八仙贺寿草、心叶百合、大叶百合）。

形态特征

多年生草本。珠芽长 3.5 ~ 4 cm，宽 1.2 ~ 2 cm。茎直立，绿色或深绿色，高 1 ~ 3 m，直径 3 ~ 5 cm，中空。茎下部 1/2 的叶偏大，上部 1/2 的叶偏小，有时呈苞片状；叶柄长 15 ~ 20 cm；叶片卵状心形，长 15 ~ 20 cm，宽 12 ~ 15 cm。总状花序具 10 ~ 16 花；苞片早落；花被片正面有紫色或紫红色条纹，呈条状倒披针形，先端钝；雄蕊长 6.5 ~ 7.5 cm；子房长 2.5 ~ 3 cm，宽 4 ~ 5 mm，花柱长 5 ~ 6 cm。蒴果近球形，直径 3.5 ~ 4 cm，先端具喙；种子呈卵状正三角形，长 4 ~ 5 mm，宽 2 ~ 3 mm。花期 6 ~ 7 月，果期 9 ~ 10 月。

生境分布

生于山坡林间草丛中。湖南各地均有分布。

资源情况

野生资源一般。药材来源于野生。

| 采收加工 | 5 ~ 7 月采挖，鲜用或晒干。

| 药材性状 | 本品由数片基生叶膨大的叶柄基部组成，小鳞茎高约 3 cm，直径约 2 cm，外具纤维质鳞茎皮。

| 功能主治 | 苦、微甘，凉。清肺止咳，解毒消肿。用于感冒，肺热咳嗽，咯血，鼻渊，聤耳，乳痈，无名肿毒。

| 用法用量 | 内服煎汤，6 ~ 15 g。外用适量，捣烂绞汁，滴鼻、耳；或捣敷。

百合科 Liliaceae 白丝草属 *Chionographis*

中国白丝草 *Chionographis chinensis* Krause

| 药材名 | 中国白丝草（药用部位：全草。别名：白花菜）。

| 形态特征 | 多年生草本。叶数枚，叶柄长 1 ~ 6 cm，叶片匙形至椭圆形，无毛，边缘稍波状，先端近尖；苞片状叶披针状卵形，长 2 ~ 5 mm。穗状花序长 3 ~ 14 cm，通常是花后伸长，花芳香；花被白色至浅黄色，花被片长 3 ~ 8 mm，上部花被片宽 0.2 ~ 0.5 mm，下部 2 ~ 3 花被片宽 0.5 ~ 1.5 mm，有时无花被片；雄蕊长 1 ~ 1.5 mm，花药近心状卵形。蒴果近倒卵形，上部开裂。花期 4 ~ 5 月，果期 6 月。

| 生境分布 | 生于海拔 650 m 以下的山坡、路旁的背阴处或潮湿处。分布于湖南邵阳（绥宁）、郴州（宜章）、永州（东安）等。

| 资源情况 | 野生资源较少。药材来源于野生。

| 采收加工 | 采挖后洗净，晒干。

| 药材性状 | 本品叶呈匙形至椭圆形，先端近尖。花药近心状卵形。蒴果近倒卵形。

| 功能主治 | 利尿通淋，清热安神。外用于烫火伤。

| 用法用量 | 内服煎汤。

百合科 Liliaceae 吊兰属 *Chlorophytum*

吊兰 *Chlorophytum comosum* (Thunb.) Baker

| 药 材 名 | 吊兰（药用部位：全草或根。别名：挂兰、钓兰、兰草）。

| 形态特征 | 多年生草本。根茎短，根稍肥厚。叶剑形，绿色或有黄色条纹，长 10 ~ 30 cm，宽 1 ~ 2 cm，向两端稍变狭。花葶较叶长，长可达 50 cm，常变为匍匐枝而在近顶部具叶簇或幼小植株；花白色，常 2 ~ 4 花簇生，排成疏散的总状花序或圆锥花序；花梗长 7 ~ 12 mm，关节位于中部至上部；花被片长 7 ~ 10 mm，具 3 脉；雄蕊稍短于花被片，花药矩圆形，长 1 ~ 1.5 mm，明显短于花丝，开裂后常卷曲。蒴果三棱状扁球形，长约 5 mm，宽约 8 mm，每室具种子 3 ~ 5。花期 5 月，果期 8 月。

| 生境分布 | 栽培于排水良好、疏松肥沃的砂壤土中。湖南各地均有分布。

| 资源情况 | 栽培资源丰富。药材来源于栽培。

| 采收加工 | 全年均可采收，洗净，鲜用或晒干。

| 药材性状 | 本品须根呈圆柱状纺锤形，上有短根茎。完整叶片条形至条状披针形，长 10 ~ 30 cm，宽 1 ~ 2 cm，先端渐尖，基部抱茎，表面深绿色，有的具黄色纵条纹或边缘为黄色；质较坚硬。有的尚具花葶及花序。气微，味淡。

| 功能主治 | 甘、微苦，凉。化痰止咳，散瘀消肿，清热解毒。用于痰热咳嗽，跌打损伤，骨折，痈肿，痔疮，烧伤。

| 用法用量 | 内服煎汤，6 ~ 15 g，鲜品 15 ~ 30 g。外用适量，捣敷；或煎汤洗。

百合科 Liliaceae 山菅属 *Dianella*

山菅 *Dianella ensifolia* (L.) DC.

| 药 材 名 | 山猫儿（药用部位：全草或根茎。别名：碟碟草、老鼠砒、假射干）。

| 形态特征 | 多年生草本，高可达 1 ~ 2 m。根茎圆柱状，横走，直径 5 ~ 8 mm。叶狭条状披针形，长 30 ~ 80 cm，宽 1 ~ 2.5 cm，基部稍收狭成鞘状，套叠或抱茎，边缘和背面中脉具锯齿。先端圆锥花序长 10 ~ 40 cm，分枝疏散；花常多朵生于侧枝上端；花梗长 7 ~ 20 mm，常稍弯曲；苞片小；花被片条状披针形，长 6 ~ 7 mm，绿白色、淡黄色至青紫色，具 5 脉；花药条形，较花丝略长或与花丝近等长，花丝上部膨大。浆果近球形，深蓝色，直径约 6 mm；种子 5 ~ 6。花果期 3 ~ 8 月。

| 生境分布 | 生于海拔 1 700 m 以下的林下、山坡或草丛中。分布于湖南岳阳（汨罗）、郴州（宜章、汝城）、永州（江永）等。

| 资源情况 | 野生资源较少。药材来源于野生。

| 采收加工 | 全年均可采收，洗净，鲜用。

| 药材性状 | 本品根茎呈横走状圆柱形。叶狭条状披针形，基部稍收狭成鞘状。花被片条状披针形。浆果近球形。

| 功能主治 | 辛，温；有毒。拔毒消肿，散瘀止痛。用于瘰疬，痈疽疮癣，跌打损伤。

| 用法用量 | 外用适量，捣敷；或研末醋调敷。禁内服。

百合科 Liliaceae 竹根七属 *Disporopsis*

散斑竹根七 *Disporopsis aspersa* (Hua) Engl. ex Krause

| 药 材 名 | 散斑竹根七（药用部位：根茎。别名：黄鳝七、散斑假万寿竹）。

| 形态特征 | 多年生草本。根茎圆柱状，直径 3 ~ 10 mm。茎高 10 ~ 40 cm。叶厚纸质，卵形、卵状披针形或卵状椭圆形，长 3 ~ 8 cm，宽 1 ~ 4 cm，先端渐尖或稍尾状，基部通常近截形或略带心形，具柄，两面无毛。花 1 ~ 2 生于叶腋，黄绿色，多少具黑色斑点，俯垂；花被钟形，长 10 ~ 14 mm；花被筒长约为花被全长的 1/3，口部不缢缩，裂片近矩圆形；副花冠裂片膜质，与花被裂片互生，呈披针形，长 3 ~ 4 mm，先端 2 深裂或 2 浅裂；花药长约 1 mm，背部以极短花丝着生于副花冠 2 裂片之间的凹缺处；雌蕊长约 5 mm，花柱与子房近等长。浆果近球形，直径约 8 mm，成熟时蓝紫色；种子 2 ~ 4。花期 5 ~ 6 月，果期 9 ~ 10 月。

| 生境分布 | 生于海拔 1 100 ~ 2 000 m 的林下、背阴山谷或溪边。分布于湘西南、湘南、湘中、湘东等。

| 资源情况 | 野生资源一般。药材来源于野生。

| 采收加工 | 采收后洗净，蒸后晒干。

| 药材性状 | 本品呈圆柱状，直径 3 ~ 10 mm。

| 功能主治 | 养阴润肺，化瘀止痛。用于肺胃阴伤，燥热咳嗽，风湿疼痛，跌打损伤。

| 用法用量 | 内服煎汤。

百合科 Liliaceae 竹根七属 *Disporopsis*

竹根七 *Disporopsis fuscopicta* Hance

| 药 材 名 | 竹根七（药用部位：根茎）。

| 形态特征 | 多年生草本。根茎连珠状，直径 1 ~ 1.5 cm。茎高 25 ~ 50 cm。叶纸质，卵形、椭圆形或矩圆状披针形，长 4 ~ 9（~ 15）cm，宽 2.3 ~ 4.5 cm，先端渐尖，基部钝形、宽楔形或稍心形，具柄，两面无毛。花 1 ~ 2 生于叶腋，白色，内带紫色，稍俯垂；花梗长 7 ~ 14 mm；花被钟形，长 15 ~ 22 mm；花被筒长约为花被的 2/5，口部不缢缩，裂片近矩圆形；副花冠裂片膜质，与花被裂片互生，呈卵状披针形，长约 5 mm，先端通常具 2 ~ 3 齿或 2 浅裂；花药长约 2 mm，背部以极短花丝着生于副花冠 2 裂片之间的凹缺处；雌蕊长 8 ~ 9 mm，花柱与子房近等长。浆果近球形，直径 7 ~ 14 mm，具种子 2 ~ 8。花期 4 ~ 5 月，果期 11 月。

| 生境分布 | 生于海拔 500 ~ 1 200（~ 2 400）m 的林下或山谷中。分布于湘西北、湘西南、湘中、湘东、湘南等。

| 资源情况 | 野生资源一般。药材来源于野生。

| 采收加工 | 秋、冬季采收，洗净，蒸后晒干。

| 药材性状 | 本品呈连珠状，直径 1 ~ 1.5 cm。

| 功能主治 | 甘、辛，平。养阴清肺，活血祛瘀。用于阴虚肺燥，咳嗽咽干，产后虚劳，干血痨，跌打损伤。

| 用法用量 | 内服煎汤，9 ~ 15 g。外用适量，捣敷。

百合科 Liliaceae 竹根七属 *Disporopsis*

深裂竹根七 *Disporopsis pernyi* (Hua) Diels

| 药 材 名 | 黄脚鸡（药用部位：根茎）。

| 形态特征 | 多年生草本。根茎圆柱状，直径 5 ~ 10 mm。茎高 20 ~ 40 cm，具紫色斑点。叶纸质，披针形、矩圆状披针形、椭圆形或近卵形，长 5 ~ 13 cm，宽 1.2 ~ 6 cm，先端渐尖或近尾状，基部圆形或钝，具柄，两面无毛。花 1 ~ 2（~ 3）生于叶腋，白色，多少俯垂；花梗长 1 ~ 1.5 cm；花被钟形，长 12 ~ 15（~ 20）mm；花被筒长约为花被的 1/3 或略长，口部不缢缩，裂片近矩圆形；副花冠裂片膜质，与花被裂片对生，呈披针形或条状披针形，长 3 ~ 4（~ 5）mm，先端程度不同地 2 深裂；花药近矩圆状披针形，长 1.5 ~ 2 mm，背部以极短花丝着生于副花冠裂片先端的凹缺处；雌蕊长 6 ~ 8 mm，

花柱长 2 ~ 3.5 mm，较子房短，子房近球形。浆果近球形或稍扁，直径 7 ~ 10 mm，成熟时暗紫色，具种子 1 ~ 3。花期 4 ~ 5 月，果期 11 ~ 12 月。

| 生境分布 | 生于海拔 500 ~ 2 000 m 的林下石山或背阴山谷水旁。分布于湘西南、湘西北、湘中、湘东等。

| 资源情况 | 野生资源一般。药材来源于野生。

| 采收加工 | 夏、秋季采收，洗净，鲜用或蒸后晒干。

| 药材性状 | 本品呈圆柱状，直径 5 ~ 10 mm。

| 功能主治 | 甘，平。养阴润肺，生津止渴。用于虚咳多汗，产后虚弱。

| 用法用量 | 内服煎汤，15 ~ 30 g；或浸酒。外用适量，鲜品捣敷；或浸酒搽。

百合科 Liliaceae 万寿竹属 *Disporum*

长蕊万寿竹 *Disporum bodinieri* (Lévl. et Vant.) Wang et Tang

| 药 材 名 | 竹凌霄（药用部位：根及根茎）。

| 形态特征 | 根茎横出，呈结节状，有残留的茎基和圆盘状疤痕；根肉质，长可达 30 cm，直径 1 ~ 4 mm，具纵皱纹或细毛，灰黄色。茎高 30 ~ 70（~ 100）cm，上部具分枝。叶厚纸质，椭圆形、卵形至卵状披针形，长 5 ~ 15 cm，宽 2 ~ 6 cm，先端渐尖至尾状渐尖，下面脉上和边缘稍粗糙，基部近圆形；叶柄长 0.5 ~ 1 cm。伞形花序具 2 ~ 6 花，生于茎和分枝先端；花梗长 1.5 ~ 2.5 cm，具乳头状突起；花被片白色或黄绿色，倒卵状披针形，长 10 ~ 19 mm，先端尖，基部具长 1（~ 2）mm 的短距；花丝与花被片等长或稍长于花被片，花药长 3 mm，露出花被外；花柱连同 3 裂的柱头较子房长

4 ~ 5 倍，明显高于花药。浆果直径 5 ~ 10 mm，具种子 3 ~ 6；种子珠形或三角状卵形，直径 3 ~ 4 mm，棕色，有细皱纹。花期 3 ~ 5 月，果期 6 ~ 11 月。

| 生境分布 | 生于海拔 400 ~ 800 m 的灌丛、竹林中或林下岩石上。分布于湖南常德（石门）、张家界（桑植）、怀化（沅陵）、湘西州（永顺）等。

| 资源情况 | 野生资源较少。药材来源于野生。

| 采收加工 | 夏、秋季采挖，洗净，鲜用或晒干。

| 药材性状 | 本品根茎具分枝，环节明显。根表面黄白色或棕黄色，具细纵纹，常弯曲，长 6 ~ 10 cm，直径约 1 mm。质硬脆，易折断，断面中间具一黄色木心，皮部色淡。气微，味淡、微甜，嚼之有黏性。

| 功能主治 | 甘、淡，平。润肺止咳，健脾消食，舒筋活络，清热解毒。用于肺热咳嗽，肺痨咯血，食积胀满，腰腿痛；外用于骨折，烫火伤。

| 用法用量 | 内服煎汤，9 ~ 15 g。外用适量，鲜品捣敷；或熬膏涂擦；或研末调敷。

百合科 Liliaceae 万寿竹属 *Disporum*

短蕊万寿竹 *Disporum brachystemon* Wang et Tang

药材名

短蕊万寿竹（药用部位：根及根茎）、短蕊万寿竹叶（药用部位：叶）、短蕊万寿竹花（药用部位：花）。

形态特征

多年生草本。根茎短；根较细而质硬。茎高 25 ~ 60 cm，不分枝或上部分枝。叶纸质或厚纸质，椭圆形至卵形，长 2 ~ 5 cm，宽 1 ~ 3 cm，先端急尖或具小尖头，基部圆形，下面脉上和边缘稍粗糙。伞形花序具 2 ~ 6 花，通常生于茎和分枝先端；花梗长 1 ~ 2 cm，下弯，具棱和乳头状突起；花被片绿黄色，倒卵形或矩圆形，长 7 ~ 13 mm，宽 3 ~ 4 mm，具棕色腺点和微毛，先端尖或微凹，边缘具乳头状突起，基部具长 0.5 ~ 1 mm 的短距；雄蕊内藏，花药长 3 ~ 4 mm，花丝短于或等长于花药；子房倒卵形，长约 2.5 mm，花柱长 3 ~ 5 mm，柱头 3 裂，扁平，具乳头状突起。浆果直径 6 ~ 9 mm；种子褐色，直径 2 ~ 3 mm。花期 5 ~ 7 月，果期 8 ~ 10 月。

生境分布

生于海拔约 1 800 m 的灌丛中或林下。分布

于湖南邵阳（新宁）、张家界（慈利、桑植）等。

| 资源情况 | 野生资源较少。药材来源于野生。

| 采收加工 | **短蕊万寿竹：**采挖后洗净，鲜用或晒干。

短蕊万寿竹叶：采摘后洗净。

短蕊万寿竹花：采摘后洗净。

药材性状	**短蕊万寿竹：**本品根茎较短；根较细，质坚硬。

短蕊万寿竹叶：本品呈椭圆形或卵形，纸质或厚纸质，长 2 ~ 5 cm，宽 1 ~ 3 cm，先端急尖，基部圆形。

短蕊万寿竹花：本品花被片呈倒卵形或矩圆形。

功能主治	**短蕊万寿竹：**用于产后虚弱。

短蕊万寿竹叶：用于泄泻。

短蕊万寿竹花：用于泄泻。

用法用量	**短蕊万寿竹：**内服煎汤。

短蕊万寿竹叶：内服煎汤。

短蕊万寿竹花：内服煎汤。

Liliaceae *Disporum*

万寿竹 *Disporum cantoniense* (Lour.) Merr.

药材名

竹叶参（药用部位：根及根茎。别名：白龙须）。

形态特征

多年生草本。根茎横生，质硬，呈结节状；根粗长，肉质。茎高 50 ~ 150 cm，直径约 1 cm，上部有较多叉状分枝。叶纸质，披针形至狭椭圆状披针形，长 5 ~ 12 cm，宽 1 ~ 5 cm，先端渐尖至长渐尖，基部近圆形，具明显的 3 ~ 7 脉，下面脉上和边缘具乳头状突起；叶柄短。伞形花序具 3 ~ 10 花，着生于与上部叶对生的短枝先端；花梗长（1 ~ ）2 ~ 4 cm，稍粗糙；花紫色；花被片斜出，呈倒披针形，长 1.5 ~ 2.8 cm，宽 4 ~ 5 mm，先端尖，边缘具乳头状突起，基部具长 2 ~ 3 mm 的距；雄蕊内藏，花药长 3 ~ 4 mm，花丝长 8 ~ 11 mm；子房长约 3 mm，花柱连同柱头长为子房的 3 ~ 4 倍。浆果直径 8 ~ 10 mm，具 2 ~ 3（ ~ 5）种子；种子暗棕色，直径约 5 mm。花期 5 ~ 7 月，果期 8 ~ 10 月。

生境分布

生于海拔 700 ~ 1 800 m 的灌丛中或林下。

湖南各地均有分布。

资源情况 野生资源丰富。药材来源于野生。

采收加工 夏、秋季间采挖，洗净，鲜用或晒干。

药材性状 本品根茎呈扁圆柱形，弯曲，长 5 ~ 10 mm，直径约 5 mm，下面有多数细根。根呈圆柱形，略扭曲，长 4 ~ 10 mm，直径 1 ~ 2 mm；表面黄棕色，具细纵纹。质硬脆，断面皮部黄白色，木部淡棕色。气微，味甘、微辛。以根粗、色黄棕者为佳。

功能主治 苦、辛，凉。清热解毒，祛风除湿，舒筋活血。用于风湿痹痛，腰腿关节疼痛，跌打损伤，骨折，虚劳，骨蒸潮热，肺痨咯血，肺热咳嗽，烫火伤。

用法用量 内服煎汤，9 ~ 15 g；或研末；或浸酒。外用适量，捣敷；或根熬膏涂。

百合科 Liliaceae 万寿竹属 *Disporum*

大花万寿竹 *Disporum megalanthum* Wang et Tang

药材名 大花万寿竹（药用部位：根）。

形态特征 根茎短；根肉质，直径 2 ~ 3 mm。茎直立，高 30 ~ 60 cm，直径 5 ~ 6 mm，中部以上生叶，有少数分枝。叶纸质，卵形、椭圆形或宽披针形，长 6 ~ 12 cm，宽 2 ~ 5（~ 8）cm，先端渐尖，基部近圆形，常稍对折抱茎，具短柄，下面平滑，边缘具乳头状突起。伞形花序具（2 ~）4 ~ 8 花，着生于茎和分枝先端，以及与上部叶对生的短枝先端；花梗长 1 ~ 2 cm，具棱；花大，白色；花被片斜出，狭倒卵状披针形，长 25 ~ 38 mm，宽 5 ~ 8 mm，先端稍钝，基部具长约 1 mm 的短距；雄蕊内藏，花丝长 12 ~ 20 mm，花药长 4 ~ 6 mm；花柱长 10 ~ 15 mm，柱头 3 裂，长 6 ~ 10 mm，向外弯

卷，连同花柱长约为子房的6倍。浆果直径6 ~ 15 mm，具种子4 ~ 6；种子褐色，直径2 ~ 4 mm。花期5 ~ 7月，果期8 ~ 10月。

| 生境分布 | 生于海拔1 600 ~ 2 000 m的林下、林缘或草坡上。分布于湘西南、湘南、湘中、湘东等。

| 资源情况 | 野生资源一般。药材来源于野生。

| 采收加工 | 采挖后洗净。

| 药材性状 | 本品较短，肉质，直径2 ~ 3 mm。

| 功能主治 | 用于劳伤，气血虚损。

| 用法用量 | 内服煎汤。

Liliaceae *Disporum*

宝铎草 *Disporum sessile* D. Don

| 药 材 名 | 宝铎草（药用部位：根茎）。

| 形态特征 | 多年生草本。根茎肉质，横出，长 3 ~ 10 cm；根簇生，直径 2 ~ 4 mm。茎直立，高 30 ~ 80 cm，上部具叉状分枝。叶薄纸质至纸质，矩圆形、卵形、椭圆形至披针形，长 4 ~ 15 cm，宽 1.5 ~ 5（~ 9）cm，下面色浅，脉上和边缘具乳头状突起，具横脉，先端骤尖或渐尖，基部圆形或宽楔形，具短柄或近无柄。花黄色、绿黄色或白色，1 ~ 3（~ 5）花着生于分枝先端；花梗长 1 ~ 2 cm，较平滑；花被片近直出，倒卵状披针形，长 2 ~ 3 cm，上部宽 4 ~ 7 mm，下部渐窄，内面有细毛，边缘具乳头状突起，基部具长 1 ~ 2 mm 的短距；雄蕊内藏，花丝长约 15 mm，花药长 4 ~ 6 mm；花柱长

约 15 mm，具 3 裂而外弯的柱头。浆果椭圆形或球形，直径约 1 cm，具 3 种子；种子深棕色，直径约 5 mm。花期 3 ～ 6 月，果期 6 ～ 11 月。

| 生境分布 | 生于海拔 600 ～ 2 000 m 的林下或灌丛中。湖南各地均有分布。

| 资源情况 | 野生资源丰富。药材来源于野生。

| 采收加工 | 夏、秋季间采收。

| 功能主治 | 甘、淡，平。清肺化痰，止咳，健脾消食，舒筋活血。用于肺痨咳嗽，咯血，食欲不振，胸腹胀满，肠风下血，筋骨疼痛，腰腿痛；外用于烫火伤，骨折。

| 用法用量 | 内服煎汤，15 ～ 30 g。外用适量，捣敷。

| 附　　注 | 本种的拉丁学名在 FOC 中被修订为 *Disporum uniflorum* Baker ex S. Moore。

百合科 Liliaceae 贝母属 *Fritillaria*

湖北贝母 *Fritillaria hupehensis* Hsiao et K. C. Hsia

药材名

湖北贝母（药用部位：鳞茎）。

形态特征

多年生草本，高 26 ~ 50 cm。鳞茎由 2 鳞片组成，直径 1.5 ~ 3 cm。叶 3 ~ 7 轮生，中间常兼对生或散生，矩圆状披针形，长 7 ~ 13 cm，宽 1 ~ 3 cm，先端不卷曲或多少弯曲。花 1 ~ 4，紫色，有黄色小方格；叶状苞片通常 3，极少为 4，多花时先端的花具 3 苞片，下面的花具 1 ~ 2 苞片，先端卷曲；花梗长 1 ~ 2 cm；花被片长 4.2 ~ 4.5 cm，宽 1.5 ~ 1.8 cm，外花被片稍狭；蜜腺窝在背面稍凸出；雄蕊长约为花被片的一半，花药近基着，花丝常稍具小乳突；柱头裂片长 2 ~ 3 mm。蒴果长 2 ~ 2.5 cm，宽 2.5 ~ 3 cm，棱上的翅宽 4 ~ 7 mm。花期 4 月，果期 5 ~ 6 月。

生境分布

生于山坡、丘陵、水沟旁及灌丛中。分布于湖南常德（石门）等。

资源情况

野生资源稀少。药材来源于野生。

| 采收加工 | 初夏植株枯萎时采挖，洗净。

| 功能主治 | 润肺，化痰止咳，散结。

| 用法用量 | 内服适量，煎汤；或入丸、散剂。

百合科 Liliaceae 贝母属 *Fritillaria*

太白贝母 *Fritillaria taipaiensis* P. Y. Li

| 药 材 名 |

太白贝母（药用部位：鳞茎。别名：尖贝）。

| 形态特征 |

植株长 30 ~ 40 cm。鳞茎由 2 鳞片组成，直径 1 ~ 1.5 cm。叶通常对生，有时中部兼有 3 ~ 4 轮生或散生的，条形至条状披针形，长 5 ~ 10 cm，宽 3 ~ 7（~ 12）mm，先端通常不卷曲，有时稍弯曲。花单朵，绿黄色，无方格斑，通常仅在花被片先端近两侧边缘有紫色斑带；每花有 3 叶状苞片，苞片先端有时稍弯曲，但决不卷曲；花被片长 3 ~ 4 cm，外 3 花被片狭倒卵状矩圆形，宽 9 ~ 12 mm，先端浑圆，内 3 花被片近匙形，上部宽 12 ~ 17 mm，基部宽 3 ~ 5 mm，先端骤凸而钝，蜜腺窝几不凸出或稍凸出；花药近基着，花丝通常具小乳突；花柱分裂部分长 3 ~ 4 mm。蒴果长 1.8 ~ 2.5 cm，棱上只有宽 0.5 ~ 2 mm 的狭翅。花期 5 ~ 6 月，果期 6 ~ 7 月。

| 生境分布 |

生于海拔 1 800 ~ 2 000 m 的山坡草丛中或水边。分布于湖南湘西州（永顺）、常德（石门）、张家界（桑植）等。

资源情况 野生资源稀少。药材来源于野生和栽培。

采收加工 6 ~ 7 月选晴天采挖，清除残茎、泥土，挖时勿伤鳞茎，挖出后要及时摊放晒席上，以 1 日能晒至半干、翌日能晒至全干为好，切勿在石坝、三合土或铁器上晾晒，切忌堆沤，否则冷油变黄；如遇雨天，可将鳞茎窖于水分较少的砂土内，待晴天抓紧晒干。亦可烘干，烘时温度控制在 50 ℃以内。在干燥过程中，贝母外皮未呈粉白色时不宜翻动，以防发黄，翻动用竹、木器而不用手，以免变成“油子”或“黄子”。

药材性状 本品扁卵圆形或圆锥形，直径 1 ~ 1.5 cm，高 4 ~ 8 mm。表面白色，较光滑。外层 2 鳞叶近等大，先端开裂，底部平整。

功能主治 苦，微寒。润肺，化痰，止咳。用于肺热咳嗽，支气管炎，咳痰不利。

用法用量 内服煎汤，5 ~ 15 g。

百合科 Liliaceae 贝母属 *Fritillaria*

浙贝母 *Fritillaria thunbergii* Miq.

| 药 材 名 | 浙贝母（药用部位：鳞茎。别名：浙贝、大贝、大贝母）。

| 形态特征 | 多年生草本，长 50 ~ 80 cm。鳞茎由 2（~ 3）鳞片组成，直径 1.5 ~ 4 cm。最下面的叶对生或散生，向上常兼有散生、对生和轮生，近条形至披针形，长 7 ~ 11 cm，宽 1 ~ 2.5 cm，先端不卷曲或稍弯曲。花 1 ~ 6，淡黄色，有时稍带淡紫色，先端的花具 3 ~ 4 叶状苞片，其余的花具 2 苞片；苞片先端卷曲；花被片长 2.5 ~ 3.5 cm，宽约 1 cm，内外轮相似；雄蕊长约为花被片的 2/5，花药近基着，花丝无小乳突；柱头裂片长 1.5 ~ 2 mm。蒴果长 2 ~ 2.2 cm，宽约 2.5 cm，棱上具宽 6 ~ 8 mm 的翅。花期 3 ~ 4 月，果期 5 月。

| 生境分布 | 生于湿润的山脊、山坡、沟边及村边草丛中。分布于湘西北、湘西南、湘北、湘南等。

| 资源情况 | 野生资源一般。栽培资源丰富。药材来源于野生和栽培。

| 采收加工 | 初夏植株枯萎时采挖，洗净，大小分开，大者除去芯芽，习称“大贝”，小者不去芯芽，习称“珠贝”，分别撞擦，除去外皮，拌以煅过的贝壳粉，吸去撞擦出的浆汁，干燥；或取鳞茎，大小分开，洗净，除去芯芽，趁鲜切成厚片，洗净，干燥，习称“浙贝片”。

| 药材性状 | 本品大贝略呈新月形，高 1 ~ 2 cm，直径 2 ~ 3.5 cm；外表面类白色至淡黄色，内表面白色或淡棕色，被白色粉末；质硬而脆，易折断，断面白色至黄白色，富粉性；气微，味微苦。珠贝呈扁圆形，高 1 ~ 1.5 cm，直径 1 ~ 2.5 cm；表面类白色，外层鳞叶 2，肥厚，略呈肾形，互相抱合，内有小鳞叶 2 ~ 3 及干缩的残茎。浙贝片椭圆形或类圆形，直径 1 ~ 2 cm，边缘表面呈淡黄色，切面平坦，呈粉白色；质脆，易折断，断面粉白色，富粉性。

| 功能主治 | 苦，寒。清热散结，化痰止咳。用于风热咳嗽，痰火咳嗽，肺痈，乳痈，瘰疬，疮毒。

| 用法用量 | 内服煎汤，4.5 ~ 9 g；或入丸、散剂。外用适量，研末撒。

百合科 Liliaceae 萱草属 *Hemerocallis*

黄花菜 *Hemerocallis citrina* Baroni

| 药 材 名 | 臭矢菜（药用部位：根及根茎。别名：金针菜、野皮菜、真金花）。

| 形态特征 | 一年生或多年生草本，一般较高大。根近肉质，中下部常呈纺锤状膨大。叶 7 ~ 20，长 50 ~ 130 cm，宽 6 ~ 25 mm。花葶长短不一，一般稍长于叶，基部三棱形，上部多少圆柱形，有分枝；苞片披针形，下面的苞片长可达 3 ~ 10 cm，自下向上渐短，宽 3 ~ 6 mm；花梗较短，长通常不及 1 cm；花多朵，最多可超过 100 花；花被淡黄色，在花蕾时先端有时带黑紫色，花被管长 3 ~ 5 cm，花被裂片长（6 ~ ）7 ~ 12 cm，内面 3 裂片宽 2 ~ 3 cm。蒴果呈钝三棱状椭圆形，长 3 ~ 5 cm；种子约 20，黑色，有棱，从开花至种子成熟需 40 ~ 60 天。花果期 5 ~ 9 月。

| 生境分布 | 生于海拔 2 000 m 以下的山坡、山谷、荒地、林缘及草丛中。栽培于田间、庭院。分布于湘中、湘东等。

| 资源情况 | 野生资源稀少。栽培资源丰富。药材来源于野生和栽培。

| 采收加工 | 秋季采挖，除去残茎，洗净，切片，晒干。

| 药材性状 | 本品近肉质，中下部呈纺锤形。

| 功能主治 | 甘，平。养血平肝，利尿消肿。用于头晕，耳鸣，心悸，腰痛，吐血，衄血，便血，水肿，淋病，咽痛，乳痈。

| 用法用量 | 内服煎汤，9 ~ 15 g；或炖肉。外用适量，捣敷。

百合科 Liliaceae 萱草属 *Hemerocallis*

萱草 *Hemerocallis fulva* (L.) L.

药材名

萱草根（药用部位：根。别名：漏芦果、漏芦根果、地人参）。

形态特征

一年生或多年生草本。叶基生，排成 2 列；叶片条形，长 40 ~ 80 cm，宽 1.5 ~ 3.5 cm，下面呈龙骨状凸起。花葶粗壮，高 60 ~ 80 cm；蝎尾状聚伞花序复组成圆锥状，具 6 ~ 12 或更多花；苞片卵状披针形；花橘红色至橘黄色，无香味，具短花梗；花被长 7 ~ 12 cm，下部 2 ~ 3 cm 合生成花被管，外轮花被裂片 3，呈长圆状披针形，宽 1.2 ~ 1.8 cm，具平行脉，内轮花被裂片 3，长圆形，宽达 2.5 cm，具分枝的脉，中部具褐红色的色带，边缘波状折皱，盛开时裂片反曲；雄蕊伸出，上弯，较花被裂片短；花柱伸出，上弯，较雄蕊长。蒴果长圆形。花果期 5 ~ 7 月。

生境分布

生于山坡、山谷、阴湿草地或林下。湖南有广泛分布。

资源情况

野生资源较丰富。栽培资源较丰富。药材来

源于野生和栽培。

采收加工

夏、秋季采挖，除去残茎、须根，洗净泥土，晒干。

药材性状

本品簇生，多数已折断，完整的根长 5 ~ 15 cm，上部直径 3 ~ 4 mm，中下部膨大成纺锤形块根，直径 0.5 ~ 1 cm，多干瘪抽皱，有多数纵皱及少数横纹，表面灰黄色或淡灰棕色。体轻，质松软，稍有韧性，不易折断，断面灰棕色或暗棕色，有多数放射状裂隙。气微香，味稍甜。

功能主治

甘，凉；有毒。清热利湿，凉血止血，解毒消肿。用于黄疸，水肿，淋浊带下，衄血，便血，崩漏，乳痈，乳汁不通。

用法用量

内服煎汤，6 ~ 9 g。外用适量，捣敷。

百合科 Liliaceae 肖菝葜属 *Heterosmilax*

华肖菝葜 *Heterosmilax chinensis* Wang

| 药 材 名 | 白土茯苓（药用部位：块茎）。

| 形态特征 | 多年生攀缘灌木，有时具长硬毛。小枝具棱。叶纸质，矩圆形至披针形，长 3.5 ~ 16 cm，宽 1 ~ 6 cm，先端渐尖，基部近圆形或宽楔形，边缘常呈微波状，主脉 5，边缘 2 脉靠近叶缘，但不与叶缘结合，支脉呈密网状，在两面明显；叶柄长 0.5 ~ 2.5 cm，在下部 1/3 处具卷须和狭鞘。伞形花序生于叶腋或褐色苞片腋内；总花梗扁，有沟，长 0.5 ~ 2（~ 3）cm；花序托球形，直径 2 mm，果期直径达 3 mm；雄花花被筒矩圆形，长 5 ~ 6 mm，先端具 3 长而尖的齿；雄蕊 3，花丝下部合生，上部分离；雌花花被筒卵形，长 2.5 ~ 3 mm，先端 3 齿明显，内具 3 退化雄蕊。浆果近球形，成熟时深绿色，直

径 4 ~ 5 mm，内具 1 种子；种子卵圆形。花期 5 ~ 6 月，果期 9 ~ 12 月。

| 生境分布 | 生于海拔 300 ~ 1 800 m 的山谷密林中或灌丛下。分布于湖南邵阳（洞口）、怀化（新晃、会同、芷江）等。

| 资源情况 | 野生资源稀少。药材来源于野生。

| 采收加工 | 春、秋季采挖，洗净，切片，晒干。

| 药材性状 | 本品呈不规则块状。表面黄褐色，粗糙，具坚硬的须根残基。断面周围白色，中心黄色；切面稍粗糙，具小亮点。质软，味淡。

| 功能主治 | 清热利湿，解毒消肿。用于小便淋涩，白浊，带下，疮痈肿毒。

| 用法用量 | 内服煎汤，15 ~ 30 g。

| 附　　注 | 本种的拉丁学名在 FOC 中被修订为 *Smilax chinensis* (F. T. Wang) P. Li et C. X. Fu。

百合科 Liliaceae 肖菝葜属 *Heterosmilax*

肖菝葜 *Heterosmilax japonica* Kunth

药材名

白土茯苓（药用部位：块茎。别名：白萆薢、白土苓、土茯苓）。

形态特征

攀缘灌木，无毛。小枝具钝棱。叶互生；叶柄长 1 ~ 3 cm，在下部 1/4 ~ 1/3 处有卷须和狭鞘；叶纸质，卵状披针形或心形，长 6 ~ 20 cm，宽 2.5 ~ 12 cm，先端渐尖或短渐尖，具短尖头，基部多少心形；主脉 5 ~ 7，小脉网状。伞形花序生于叶腋或生于褐色苞片内；总花梗扁，长 1 ~ 3 cm；花序托球形；花梗纤细，长 2 ~ 7 mm；雄花花被筒长圆形或倒卵形，长 3.5 ~ 4.5 mm，先端具 3 钝齿，雄蕊 3，长约为花被的 2/3，花药长为花丝的 1/2；雌花花被筒卵形，长 2.5 ~ 3 mm，具 3 退化雄蕊，子房卵形，柱头 3 裂。浆果卵圆形。

生境分布

生于海拔 500 ~ 1 800 m 的山坡密林中或路边杂木林下。湖南各地均有分布。

资源情况

野生资源丰富。药材来源于野生。

| 采收加工 | 春、秋季采挖，洗净，切片，晒干。

| 药材性状 | 本品呈不规则块状，长 10 ~ 30 cm，直径 5 ~ 8 cm。表面黄褐色，粗糙，具坚硬的须根残基。断面周围白色，中心黄色，粉性。味淡。

| 功能主治 | 清热利湿，解毒消肿。用于小便淋涩，白浊，带下，疮痈肿毒。

| 用法用量 | 内服煎汤，15 ~ 30 g。

| 附　　注 | 本种的拉丁学名在 FOC 中被修订为 *Smilax japonica* (Kunth) P. Li et C. X. Fu。

百合科 Liliaceae 玉簪属 *Hosta*

紫萼 *Hosta ventricosa* (Salisb.) Stearn

药材名

紫玉簪根（药用部位：根茎）、紫玉簪叶（药用部位：叶）、紫玉簪（药用部位：花）。

形态特征

多年生草本，高达 60 ～ 70 cm。根茎粗壮。单叶基生；叶片卵形，长达 16 cm，先端急尖，全缘或稍呈波状，基部楔形，两侧下延几达叶柄基部，上面深绿色，有光泽，下面绿色，叶脉约 7 对，弧形，凸出而明显；叶柄长约 25 cm。花葶由叶丛中抽出，长约 60 cm，花葶中部具叶状膜质苞片；总状花序长 1 cm，具短梗，花梗基部具 1 斜卵形苞片，绿色；花被片 6，呈钟形，淡紫色，长约 1.7 cm，先端 6 裂，裂片呈三角形；雄蕊 6，花丝较花被稍长，花药红紫色；子房 3 室，呈长圆筒形，无柄，花柱较花丝长，柱头头状。蒴果筒形，两端尖，长约 3 cm；种子黑色，有光泽。花期 6 月，果熟期 8 ～ 9 月。

生境分布

生于山坡林下的阴湿处。湖南各地均有分布。

资源情况

野生资源丰富。栽培资源较少。药材来源于

野生和栽培。

|采收加工| **紫玉簪根：**全年均可采挖。

紫玉簪叶：采收后洗净，干燥或鲜用。

紫玉簪：夏、秋季间采收，晾干。

|药材性状| **紫玉簪叶：**本品卵形，先端急尖，全缘或稍呈波状，基部楔形，叶脉约7对，弧形。

紫玉簪：本品为总状花序，具短梗，花丝较花被稍长，子房呈长圆筒形，无柄。

|功能主治| **紫玉簪根：**苦、辛，凉。用于咽喉肿痛，牙痛，胃痛，血崩，带下，痈疽，瘰疬。

紫玉簪叶：甘，平。凉血止血，解毒。用于崩漏，湿热带下，疮肿。

紫玉簪：甘、苦，平。凉血止血，解毒。用于崩漏，湿热带下，咽喉肿痛。

|用法用量| **紫玉簪根：**内服煎汤，9 ~ 15 g，鲜品加倍。外用适量，捣敷。

紫玉簪叶：内服煎汤，9 ~ 15 g，鲜品加倍。外用适量，捣敷；或用沸水泡软敷。

紫玉簪：内服煎汤，9 ~ 15 g。

百合科 Liliaceae 百合属 *Lilium*

野百合 *Lilium brownii* F. E. Brown ex Miellez

| 药 材 名 | 百合（药用部位：鳞茎）。

| 形态特征 | 多年生草本。鳞茎球形，直径 2 ~ 4.5 cm；鳞片披针形，长 1.8 ~ 4 cm，宽 0.8 ~ 1.4 cm，白色，无节。茎高 0.7 ~ 2 m，有的具紫色条纹，有的下部具小乳头状突起。叶散生，通常自下向上渐小，呈披针形、窄披针形至条形，长 7 ~ 15 cm，宽（0.6 ~ ）1 ~ 2 cm，先端渐尖，基部渐狭，具 5 ~ 7 脉，全缘，两面无毛。花单生或几朵花排成近伞形；花梗长 3 ~ 10 cm，稍弯；苞片披针形，长 3 ~ 9 cm，宽 0.6 ~ 1.8 cm；花喇叭形，向外张开或先端外弯而不卷，长 13 ~ 18 cm，乳白色，外面稍带紫色，无斑点，有香气；外轮花被片宽 2 ~ 4.3 cm，先端尖，内轮花被片宽 3.4 ~ 5 cm，蜜腺两边具

小乳头状突起；雄蕊向上弯，花丝长 10 ~ 13 cm，中部以下密被柔毛，稀疏毛或无毛，花药长椭圆形，长 1.1 ~ 1.6 cm；子房圆柱形，长 3.2 ~ 3.6 cm，宽 4 mm，花柱长 8.5 ~ 11 cm，柱头 3 裂。蒴果矩圆形，长 4.5 ~ 6 cm，宽约 3.5 cm，具棱，具多数种子。花期 5 ~ 6 月，果期 9 ~ 10 月。

| 生境分布 | 生于山坡、灌木林下、路边、溪旁或石缝中。湖南各地均有分布。

| 资源情况 | 野生资源一般。药材来源于野生。

| 采收加工 | 采收后洗净，晒干。

| 药材性状 | 本品呈球形，鳞片披针形，无节。

| 功能主治 | 苦，平。养阴润肺，清心安神。用于阴虚久咳，痰中带血，虚烦惊悸，失眠多梦。

| 用法用量 | 内服煎汤。

百合科 Liliaceae 百合属 *Lilium*

百合 *Lilium brownii* F. E. Brown ex Miellez var. *viridulum* Baker

| 药 材 名 | 百合（药用部位：鳞叶）、百合花（药用部位：花）、百合子（药用部位：种子）。

| 形态特征 | 多年生草本，高 60 ~ 100 cm。鳞茎球状，白色，肉质，先端常开放如荷花状，长 3.5 ~ 5 cm，直径 3 ~ 4 cm，下面着生多数须根。茎直立，圆柱形，常具褐紫色斑点。叶 4 ~ 5 列，互生，无柄，叶片呈线状披针形至长椭圆状披针形，长 4.5 ~ 10 cm，宽 8 ~ 20 mm，先端渐尖，基部渐狭，全缘或微波状，叶脉 5，平行。花大，单生于茎顶，少有 1 花以上者；花梗长达 3 ~ 10 cm；花被片 6，呈倒卵形，乳白色或带淡棕色；雄蕊 6，花药呈线形，“丁”字形着生；雌蕊 1，子房呈圆柱形，3 室，每室具多数胚珠，柱头盾状膨大。蒴

果呈长卵圆形，室间开裂，绿色；种子多数。花期 6 ~ 8 月，果期 9 月。

| 生境分布 | 生于土壤深厚肥沃的林边或草丛中。湖南各地均有分布。

| 资源情况 | 野生资源丰富。栽培资源丰富。药材来源于野生和栽培。

| 采收加工 | **百合：** 秋季采挖鳞茎，洗净，剥取鳞叶，置沸水中略烫，干燥。

百合花： 6 ~ 7 月采摘，阴干或晒干。

百合子： 夏、秋季采收，晒干。

| 药材性状 | **百合：**本品呈长椭圆形、披针形或长三角形，长 2 ~ 4 cm，宽 0.5 ~ 1.5 cm，肉质，肥厚，中心较厚，边缘薄而呈波状或向内卷曲。表面乳白色或淡黄棕色，光滑细腻，略有光泽，瓣内具数条平行纵走的白色维管束。质坚硬而稍脆，折断面较平整，呈黄白色，似蜡样。气微，味微苦。以瓣匀肉厚、色黄白、质坚、筋少者为佳。

百合花：本品较大，单生于茎顶。花被呈倒卵形。

| 功能主治 | **百合：**甘，寒。养阴润肺，清心安神。用于阴虚久咳，痰中带血，虚烦惊悸，失眠多梦，精神恍惚。

百合花：润肺，清火，安神。用于咳嗽，眩晕，夜寐不安，天疱疮。

百合子：甘、苦，凉。清热凉血。用于肠风下血。

| 用法用量 | **百合：**内服煎汤，6 ~ 12 g；或入丸、散剂；或蒸食、煮粥。外用适量，捣敷。

百合花：内服煎汤，6 ~ 12 g。外用适量，研末调敷。

百合子：内服煎汤，3 ~ 9 g；或研末。

百合科 Liliaceae 百合属 *Lilium*

条叶百合 *Lilium callosum* Sieb. et Zucc.

| 药 材 名 |

条叶百合（药用部位：鳞茎）。

| 形态特征 |

多年生草本。鳞茎小，扁球形，高 2 cm，直径 1.5 ~ 2.5 cm；鳞片卵形或卵状披针形，白色，长 1.5 ~ 2 cm，宽 6 ~ 12 mm。茎高 50 ~ 90 cm，无毛。叶散生，条形，长 6 ~ 10 cm，宽 3 ~ 5 mm，具 3 脉，无毛，边缘具小乳头状突起。花单生，少有数朵花排成总状花序；苞片 1 ~ 2，长 1 ~ 1.2 cm，先端加厚；花梗长 2 ~ 5 cm，弯曲；花下垂；花被片倒披针状匙形，长 3 ~ 4 cm，宽 4 ~ 6 mm，中部以上反卷，红色或淡红色，几无斑点，蜜腺两边具稀疏的小乳头状突起；花丝长 2 ~ 2.5 cm，无毛，花药长 7 mm；子房圆柱形，长 1 ~ 2 cm，宽 1 ~ 2 mm，花柱较子房短，柱头膨大，3 裂。蒴果狭矩圆形，长约 2.5 cm，宽 6 ~ 7 mm。花期 7 ~ 8 月，果期 8 ~ 9 月。

| 生境分布 |

生于海拔 180 ~ 640 m 的山坡或草丛中。分布于湖南邵阳（邵东）、郴州（安仁）等。

| 资源情况 | 野生资源稀少。药材来源于野生。

| 采收加工 | 采收后洗净，干燥。

| 药材性状 | 本品较小，呈扁球形，鳞片呈卵形或卵状宽披针形。

| 功能主治 | 用于阴虚久咳，痰中带血，虚烦惊悸，失眠多梦，精神恍惚。

| 用法用量 | 内服煎汤。

百合科 Liliaceae 百合属 *Lilium*

渥丹 *Lilium concolor* Salisb.

| 药 材 名 | 渥丹（药用部位：鳞叶）。

| 形态特征 | 多年生草本。鳞茎卵球形；鳞片卵形或卵状披针形，长 2 ~ 3.5 cm，白色。鳞茎上方茎上有根；茎高 30 ~ 50 cm，少数近基部带紫色，有小乳头状突起。叶条形，长 3.5 ~ 7 cm，宽 3 ~ 6 mm，具 3 ~ 7 脉，边缘有小乳头状突起，两面无毛。花 1 ~ 5 排成近伞形或总状花序；花梗长 1.2 ~ 4.5 cm；花直立，深红色，无斑点，有光泽；花被片矩圆状披针形，长 2.2 ~ 4 cm，宽 4 ~ 7 mm，蜜腺两边具乳头状突起；雄蕊向中心靠拢；花丝长 1.8 ~ 2 cm，无毛，花药长矩圆形，长约 7 mm；子房圆柱形，长 1 ~ 1.2 cm，宽 2.5 ~ 3 mm，花柱稍短于子房，柱头稍膨大。蒴果矩圆形，长 3 ~ 3.5 cm。花期 6 ~ 7

月，果期 8 ~ 9 月。

| 生境分布 | 生于山坡草丛、路旁、灌丛下及石缝中。分布于湖南株洲（炎陵）、衡阳（衡山）、邵阳（新邵、武冈）、张家界（桑植）、郴州（宜章）、怀化（沅陵、会同）、湘西州（永顺）等。

| 资源情况 | 野生资源较少。药材来源于野生。

| 采收加工 | 秋季采挖，洗净，剥取鳞叶，置沸水中略烫后干燥。

| 功能主治 | 苦，凉。归心、肺经。除烦热，润肺，止咳，安神。用于虚劳咳嗽，吐血，心悸，失眠，浮肿。

| 用法用量 | 内服煎汤，6 ~ 12 g。

Liliaceae *Lilium*

湖北百合 *Lilium henryi* Baker

| 药 材 名 | 湖北百合（药用部位：全草）。

| 形态特征 | 多年生草本。鳞茎近球形，高 5 cm，直径 2 cm；鳞片矩圆形，白色，先端尖，长 3.5 ~ 4.5 cm，宽 1.4 ~ 1.6 cm。茎高 100 ~ 200 cm，具紫色条纹，无毛。叶二型，中、下部的叶呈矩圆状披针形，长 7.5 ~ 15 cm，宽 2 ~ 2.7 cm，先端渐尖，基部近圆形，具 3 ~ 5 脉，两面无毛，全缘，叶柄长约 5 mm；上部的叶呈卵圆形，长 2 ~ 4 cm，宽 1.5 ~ 2.5 cm，先端急尖，基部近圆形，无柄。总状花序具 2 ~ 12 花；苞片卵圆形，叶状，长 2.5 ~ 3.5 cm，先端急尖；花梗长 5 ~ 9 cm，水平开展，每花梗常具 2 花；花被片披针形，反卷，橙色，具稀疏的黑色斑点，长 5 ~ 7 cm，宽达 2 cm，全缘，蜜腺两边具多

数流苏状突起；雄蕊四面张开，花丝呈钻状，长 4 ~ 4.5 cm，无毛，花药深橘红色；子房近圆柱形，长 1.5 cm，花柱长 5 cm，柱头稍膨大，略 3 裂。蒴果矩圆形，褐色，长 4 ~ 4.5 cm，宽约 3.5 cm。

| 生境分布 | 生于海拔 700 ~ 1 000 m 的山坡上。分布于湖南湘西州（凤凰、永顺）、张家界（慈利）、怀化（麻阳）等。

| 资源情况 | 野生资源较少。药材来源于野生。

| 采收加工 | 采收后洗净，干燥。

| 药材性状 | 本品鳞茎呈近球形，鳞片矩圆形，先端尖。茎具紫色条纹。叶两面无毛，上部叶呈卵圆形，中、下部叶呈矩圆状披针形。总状花序具 2 ~ 12 花。蒴果呈矩圆形。

| 功能主治 | 甘、微苦，微寒。润肺止咳，清心安神。用于阴虚久咳，热盛伤津，口渴，失眠多梦。

| 用法用量 | 内服煎汤。

百合科 Liliaceae 百合属 *Lilium*

卷丹 *Lilium lancifolium* Thunb.

|药材名| 百合（药用部位：肉质鳞叶。别名：卷丹百合）。

|形态特征| 鳞茎近宽球形，高约3.5 cm，直径4 ~ 8 cm；鳞片宽卵形，长2 ~ 5 cm，宽1.4 ~ 2.5 cm，白色。茎高0.8 ~ 1.5 m，带紫色条纹，具白色绵毛。叶散生，矩圆状披针形或披针形，长6.5 ~ 9 cm，宽1 ~ 1.8 cm，两面近无毛，先端有白毛，边缘有乳头状突起，有5 ~ 7脉，上部叶腋有珠芽。花3 ~ 6或更多；苞片叶状，卵状披针形，长1.5 ~ 2 cm，宽2 ~ 5 mm，先端钝，有白色绵毛；花梗长6.5 ~ 9 cm，紫色，有白色绵毛；花下垂，花被片披针形，反卷，橙红色，有紫黑色斑点，外轮花被片长6 ~ 10 cm，宽1 ~ 2 cm，内轮花被片稍宽，蜜腺两边有乳头状突起，尚有流苏状突起；雄蕊四面张开，花丝长5 ~ 7 cm，

淡红色，无毛，花药矩圆形，长约 2 cm；子房圆柱形，长 1.5 ~ 2 cm，宽 2 ~ 3 mm，花柱长 4.5 ~ 6.5 cm，柱头稍膨大，3 裂。蒴果狭长卵形，长 3 ~ 4 cm。花期 7 ~ 8 月，果期 9 ~ 10 月。

| 生境分布 | 生于林缘路旁及山坡草地。分布于湘西南、湘中、湘东等。

| 资源情况 | 野生资源稀少。栽培资源丰富。药材来源于栽培。

| 采收加工 | 秋季采挖，洗净，剥取鳞叶，置沸水中略烫，干燥。

| 药材性状 | 本品长椭圆形，宽 1 ~ 2 cm，中部厚 4 mm。表面类白色、淡棕黄色或微带紫色，具数条纵直平行的白色维管束，先端稍尖，基部较宽，边缘薄，呈微波状，略向内弯曲。质硬而脆，断面较平坦，角质样。无臭，味微苦。

| 功能主治 | 甘，寒。归心、肺经。养阴润肺，清心安神。用于阴虚燥咳，劳嗽咯血，虚烦惊悸，失眠多梦，精神恍惚。

| 用法用量 | 内服煎汤，6 ~ 12 g；或蒸食；或煮粥食。外用适量，捣敷。

Liliaceae *Lilium*

麝香百合 *Lilium longiflorum* Thunb.

| 药材名 | 麝香百合（药用部位：鳞茎）、麝香百合花（药用部位：花）。

| 形态特征 | 多年生草本。鳞茎球形或近球形，高 2.5 ~ 5 cm；鳞片白色。茎高 45 ~ 90 cm，绿色，基部为淡红色。叶散生，披针形或矩圆状披针形，长 8 ~ 15 cm，宽 1 ~ 1.8 cm，先端渐尖，全缘，两面无毛。花单生或 2 ~ 3，花梗长 3 cm；苞片披针形至卵状披针形，长约 8 cm，宽 1 ~ 1.4 cm；花喇叭形，白色，筒外略带绿色，长达 19 cm；外轮花被片上端宽 2.5 ~ 4 cm，内轮花被片较外轮花被片稍宽，蜜腺两边无乳头状突起；花丝长 15 cm，无毛；子房圆柱形，长 4 cm，柱头 3 裂。蒴果矩圆形，长 5 ~ 7 cm。花期 6 ~ 7 月，果期 8 ~ 9 月。

生境分布 栽培于庭园、花圃。分布于湖南长沙（开福）、岳阳（临湘）、永州（冷水滩）等。

资源情况 栽培资源稀少。药材来源于栽培。

采收加工 **麝香百合：**采收后洗净，干燥。

麝香百合花：采收后干燥。

功能主治 **麝香百合：**清热解毒，润肺止咳。用于咳嗽，尿血，胞衣不下，无名肿毒。

麝香百合花：清火润肺，安神。用于咳嗽，眩晕，夜寐不安等。

用法用量 **麝香百合：**内服适量，蒸食或煮粥食。

麝香百合花：内服煎汤。

百合科 Liliaceae 百合属 *Lilium*

南川百合 *Lilium rosthornii* Diels

| 药 材 名 | 南川百合（药用部位：鳞茎）。

| 形态特征 | 多年生草本。茎高 40 ~ 100 cm，无毛。叶散生，中、下部的叶呈条状披针形，长 8 ~ 15 cm，宽 8 ~ 10 mm，先端渐尖，基部渐狭成短柄，两面无毛，全缘，上部的叶呈卵形，长 3 ~ 4.5 cm，宽 10 ~ 12 mm，先端急尖，基部渐狭，中脉明显，两面无毛，全缘。总状花序多达 9 花，稀单生；苞片宽卵形，长 3 ~ 3.5 cm，宽 1.5 ~ 2 cm，先端急尖，基部渐狭；花梗长（3 ~ ）7 ~ 8 cm；花被片反卷，黄色或黄红色，具紫红色斑点，长 6 ~ 6.5 cm，宽 9 ~ 11 mm，全缘，蜜腺两边具多数流苏状突起；雄蕊四面张开，花丝长 6 ~ 6.5 cm，无毛，花药长 1.2 ~ 1.4 cm；子房圆柱形，长

1.5 ～ 2 cm，宽约 2 mm，花柱长 4 ～ 4.5 cm，柱头稍膨大。蒴果长矩圆形，长 5.5 ～ 6.5 cm，宽 1.4 ～ 1.8 cm，棕绿色。

| 生境分布 | 生于海拔 350 ～ 900 m 的山沟、溪边或林下。分布于湘西北、湘西南、湘北等。

| 资源情况 | 野生资源一般。药材来源于野生。

| 采收加工 | 采收后洗净，干燥。

| 功能主治 | 用于阴虚久咳，痰中带血，虚烦惊悸，失眠多梦，精神恍惚。

| 用法用量 | 内服适量，蒸食或煮粥食。

百合科 Liliaceae 百合属 *Lilium*

药百合 *Lilium speciosum* Thunb. var. *gloriosoides* Baker

| 药 材 名 | 药百合（药用部位：鳞茎）。

| 形态特征 | 多年生草本。鳞片宽披针形，长 2 cm，宽 1.2 cm，白色。茎高 60 ~ 120 cm，无毛。叶散生，宽披针形、矩圆状披针形或卵状披针形，长 2.5 ~ 10 cm，宽 2.5 ~ 4 cm，先端渐尖，基部渐狭或近圆形，具 3 ~ 5 脉，两面无毛，边缘具小乳头状突起，具短柄；叶柄长约 5 mm。花 1 ~ 5，排列成总状花序或近伞形花序；苞片叶状，卵形，长 3.5 ~ 4 cm，宽 2 ~ 2.5 cm；花梗长达 11 cm；花下垂，花被片长 6 ~ 7.5 cm，反卷，边缘波状，白色，下部 1/3 ~ 1/2 具紫红色斑块和斑点，蜜腺两边具红色的流苏状突起和乳头状突起；雄蕊四面张开，花丝长 5.5 ~ 6 cm，绿色，无毛，花药长 1.5 ~ 1.8 cm，

绛红色；子房圆柱形，长约 1.5 cm；花柱长为子房的 2 倍，柱头膨大，稍 3 裂。蒴果近球形，宽 3 cm，淡褐色，果实成熟时果柄膨大。花期 7 ~ 8 月，果期 10 月。

| 生境分布 | 生于林下阴湿地、山坡路旁草丛中。分布于湖南益阳（安化）、郴州（临武）、衡阳（衡阳）等。

| 资源情况 | 野生资源稀少。药材来源于野生。

| 采收加工 | 采收后洗净，干燥。

| 功能主治 | 润肺止咳，清心安神。

| 用法用量 | 内服煎汤。

百合科 Liliaceae 百合属 *Lilium*

大理百合 *Lilium taliense* Franch.

| 药材名 | 大理百合（药用部位：鳞茎）。

| 形态特征 | 鳞茎卵形，高约 3 cm，直径 2.5 cm；鳞片披针形，长 2 ~ 2.5 cm，宽 5 ~ 8 mm，白色。茎高 70 ~ 150 cm，有的有紫色斑点，具小乳头状突起。叶散生，条形或条状披针形，长 8 ~ 10 cm，宽 6 ~ 8 mm，中脉明显，两面无毛，边缘具小乳头状突起。总状花序具花 2 ~ 5，少有达 13；苞片叶状，长 3 ~ 5 cm，宽 4 ~ 8 mm，边缘有小乳头状突起；花下垂；花被片反卷，矩圆形或矩圆状披针形，长 4.5 ~ 5 cm，宽约 1 cm；内轮花被片较外轮稍宽，白色，有紫色斑点，蜜腺两边无流苏状突起；花丝钻状，长约 3 cm，无毛；子房圆柱形，长 1.4 ~ 1.6 cm，宽 3 ~ 4 mm，花柱与子房等长或稍长，柱头头状，

3 裂。蒴果矩圆形，长 3.5 cm，宽 2 cm，褐色。花期 7 ~ 8 月，果期 9 月。

| 生境分布 | 生于海拔 1 500 ~ 1 800 m 的山坡草地或林中。分布于湖南张家界（桑植）、湘西州（龙山）等。

| 资源情况 | 野生资源稀少。药材来源于野生。

| 功能主治 | 甘，寒。润肺止咳，宁心安神。用于咳嗽，久咳不止，痰中带血，支气管扩张，咯血，食欲减退，耳鸣等。

百合科 Liliaceae 山麦冬属 *Liriope*

禾叶山麦冬 *Liriope graminifolia* (L.) Baker

| 药材名 |

土麦冬（药用部位：块根。别名：禾叶山麦冬、大麦冬、禾叶土麦冬）。

| 形态特征 |

多年生草本。根细或稍粗，分枝多，有时具纺锤形小块根；根茎短或稍长，具地下走茎。叶长 20 ~ 50（~ 60）cm，宽 2 ~ 3（~ 4）mm，先端钝或渐尖，具 5 脉，近全缘，先端边缘具细齿，基部常具残存的枯叶，有时撕裂成纤维状。花葶通常较叶稍短，长 20 ~ 48 cm；总状花序长 6 ~ 15 cm，具花多数；花通常 3 ~ 5 簇生于苞片腋内；苞片卵形，先端具长尖，最下面的苞片长 5 ~ 6 mm，干膜质；花梗长约 4 mm，关节位于近先端；花被片狭矩圆形或矩圆形，先端钝圆，长 3.5 ~ 4 mm，白色或淡紫色；花丝长 1 ~ 1.5 mm，扁而稍宽，花药近矩圆形，长约 1 mm；子房近球形，花柱长约 2 mm，稍粗，柱头与花柱等宽。种子卵圆形或近球形，直径 4 ~ 5 mm，初期呈绿色，成熟时呈蓝黑色。花期 6 ~ 8 月，果期 9 ~ 11 月。

生境分布 生于山坡、山谷林下、灌丛或山沟阴处、石缝间及草丛中。湖南各地均有分布。

资源情况 野生资源丰富。栽培资源一般。药材来源于野生和栽培。

采收加工 清明前后或立夏采挖，洗净，晒干。

药材性状 本品呈纺锤形，两端狭尖，中部稍粗。

功能主治 甘、微苦，寒。养阴润肺，清心除烦，益胃生津。用于肺燥干咳，吐血，咯血，肺痿，肺痈，虚劳烦热，消渴，热炽津伤，口燥咽干，便秘。

用法用量 内服煎汤，10 ~ 15 g。

百合科 Liliaceae 山麦冬属 *Liriope*

阔叶山麦冬 *Liriope platyphylla* Wang et Tang

| 药 材 名 | 大麦冬（药用部位：块根。别名：土麦冬、大叶麦冬、阔叶土麦冬）。

| 形态特征 | 多年生草本。根细长，分枝多，有时局部膨大成纺锤形的小块根；小块根长达 3.5 cm，宽 7 ~ 8 mm，肉质；根茎短，木质。叶密集成丛，革质，长 25 ~ 65 cm，宽 1 ~ 3.5 cm，先端急尖或钝，基部渐狭，具 9 ~ 11 脉，具明显的横脉，边缘几不粗糙。花葶通常较叶长，长 45 ~ 100 cm；总状花序长（12 ~ ）25 ~ 40 cm，具花多数；花（3 ~ ）4 ~ 8 簇生于苞片腋内；苞片小，近刚毛状，长 3 ~ 4 mm，有时不明显；小苞片卵形，干膜质；花梗长 4 ~ 5 mm，关节位于中部或中部偏上；花被片矩圆状披针形或近矩圆形，长约 3.5 mm，先端钝，紫色或红紫色；花丝长约 1.5 mm，花药近矩圆状披针形，

长 1.5 ~ 2 mm；子房近球形，花柱长约 2 mm，柱头 3 齿裂。种子球形，直径 6 ~ 7 mm，初期呈绿色，成熟时呈黑紫色。花期 7 ~ 8 月，果期 9 ~ 11 月。

| 生境分布 | 生于海拔 100 ~ 1 400 m 的山地、山谷林下或潮湿处。湖南各地均有分布。

| 资源情况 | 野生资源丰富。栽培资源一般。药材来源于野生和栽培。

| 采收加工 | 清明前后或立夏采挖，洗净，晒干。

| 药材性状 | 本品呈圆柱形，略弯曲，两端略钝圆，常有中柱露出，直径 0.5 ~ 1.5 cm。表面土黄色至暗黄色，具不规则皱纹及槽纹。未干透时质柔韧，干后质坚硬，易折断，断面淡黄色至黄白色，角质样，中柱细小。气微，味甜，嚼之发黏。

| 功能主治 | 甘、微苦，微寒。养阴生津。用于阴虚肺燥，咳嗽痰黏，胃阴不足，口燥咽干，肠燥便秘。

| 用法用量 | 内服煎汤，10 ~ 15 g。

| 附　　注 | 目前阔叶山麦冬 *Liriope platyphylla* Wang et Tang 与短葶山麦冬 *Liriope muscari* (Decne.) Baily 合并为短莛山麦冬 *Liriope muscari* (Decaisne) L. H. Bailey。

百合科 Liliaceae 山麦冬属 *Liriope*

山麦冬 *Liriope spicata* (Thunb.) Lour.

| 药 材 名 | 土麦冬（药用部位：块根。别名：麦冬、山麦冬、门冬）。

| 形态特征 | 多年生草本，有时丛生。根稍粗，直径 1 ~ 2 mm，有时分枝多，近末端常膨大成矩圆形、椭圆形或纺锤形的肉质小块根；根茎短，木质，具地下走茎。叶长 25 ~ 60 cm，宽 4 ~ 6（~ 8）mm，先端急尖或钝，基部常包褐色的叶鞘，叶的上面呈深绿色，背面呈粉绿色，具 5 脉，中脉较明显，边缘具细锯齿。花葶通常长于或等长于叶，少数稍短于叶，长 25 ~ 65 cm；总状花序长 6 ~ 15（~ 20）cm，具花多数；花通常（2 ~）3 ~ 5 簇生于苞片腋内；苞片小，呈披针形，最下面的苞片长 4 ~ 5 mm，干膜质；花梗长约 4 mm，关节位于中部以上或近先端；花被片矩圆形或矩圆状披针形，长 4 ~ 5 mm，

先端钝圆，淡紫色或淡蓝色；花丝长约 2 mm，花药狭矩圆形，长约 2 mm；子房近球形，花柱长约 2 mm，稍弯，柱头不明显。种子近球形，直径约 5 mm。花期 5 ~ 7 月，果期 8 ~ 10 月。

生境分布 生于海拔 50 ~ 1 400 m 的山坡、山谷林下、路旁、湿地。湖南各地均有分布。

资源情况 野生资源丰富。栽培资源一般。药材来源于野生和栽培。

采收加工 清明前后或立夏采挖，洗净，晒干。

药材性状 本品呈纺锤形，略弯曲，两端狭尖，中部略粗，长 1.5 ~ 3.5 cm，直径 3 ~ 5 mm。表面淡黄色，有的黄棕色，不饱满，具粗糙的纵皱纹。纤维性强，断面黄白色，蜡质样。味较淡。

功能主治 甘、微苦，微寒。养阴生津，润肺清心。用于阴虚肺燥，咳嗽痰黏，胃阴不足，口燥咽干，肠燥便秘。

用法用量 内服煎汤，10 ~ 15 g。

百合科 Liliaceae 沿阶草属 *Ophiopogon*

连药沿阶草 *Ophiopogon bockianus* Diels

| 药 材 名 | 连药沿阶草（药用部位：块根。别名：南川沿阶草）。

| 形态特征 | 根稍粗，直径 1 ~ 3 mm，密被白色根毛，末端有时膨大成纺锤形小块根。茎较短，直径约 1 cm 或更粗，每年延长后老茎上的叶枯萎，残留膜质叶鞘和部分撕裂的纤维，并生新根，形如根茎。叶丛生，多少呈剑形，长 20 ~ 30（ ~ 80） cm，宽（7 ~ ）14 ~ 22 mm，先端急尖，基部具膜质的鞘，上面深绿色，下面粉绿色，具多数脉，边缘具细齿，基部逐渐收狭成不明显的柄。花葶长 18 ~ 28 cm，总状花序长 5 ~ 14 cm，具 10 余至多数花；花每 2 着生于苞片腋内；苞片披针形，最下面的长 12 ~ 15 mm；花梗长 6 ~ 9 mm，关节位于中部以下；花被片卵形，长 6 ~ 7 mm，先端常向外卷，淡紫色；

花丝很短，几不明显；花药卵形，长 2.5 ~ 3 mm，联合成短圆锥形；花柱细，长约 5 mm。种子椭圆形或近球形，长约 1 cm，宽约 8 mm。花期 6 ~ 7 月，果期 8 月。

| 生境分布 | 生于海拔 900 ~ 1 300 m 的山坡林下或山谷溪边岩缝中。分布于湖南邵阳（武冈）等。

| 资源情况 | 野生资源稀少。药材来源于野生。

| 功能主治 | 辛，寒。祛风解毒。用于外感风热，温病，疮痈疖肿。

百合科 Liliaceae 沿阶草属 *Ophiopogon*

短药沿阶草 *Ophiopogon bockianus* Diels var. *angustifoliatus* Wang et Tang

| 药 材 名 | 短药沿街草（药用部位：全草或块根）。

| 形态特征 | 根稍粗，被白色根毛，末端具纺锤形小块根；地下有走茎。茎较短，直径约 1 cm，形似根茎。叶丛生，略剑形，长 20 ~ 40 cm，宽 3 ~ 7 mm。总状花序长 5 ~ 15 cm，具数花至 10 余花，花常单生于苞片腋内；苞片披针形，最下面的长 1 ~ 1.4 cm；花梗长 6 ~ 8 mm，关节生于中部以下；花被片卵形，长 5 ~ 6 mm，淡紫色；花丝不明显，花药卵圆形，长 2.5 ~ 3 mm，连成短圆锥形；花柱细长，伸出花被。种子椭圆形或近球形，长约 1 cm，直径 7 ~ 8 mm。花期 7 ~ 8 月，果期 9 ~ 10 月。

| 生境分布 | 生于海拔 800 ~ 2 000 m 的山坡密林中、山谷的潮湿处、溪边或路旁。

分布于湖南湘西州（永顺）、邵阳（新宁）等。

| 资源情况 | 野生资源稀少。药材来源于野生。

| 采收加工 | 夏季采收全草，剪下块根，洗净泥土，晒 3 ~ 4 日，堆通风处，使其反潮，蒸发水汽，约 3 日，摊开再晒，如此反复 2 ~ 3 次。晒干后，除净须根、杂质即可。

| 功能主治 | 甘、微苦，微寒。用于肺燥干咳，肺痈，阴虚劳嗽，津伤口渴，消渴，心烦失眠，咽喉疼痛，肠燥便秘，血热吐衄等。

| 用法用量 | 内服煎汤，9 ~ 15 g。

| 附　　注 | 本种在 FOC 中被修订为天门冬科 Aaparagaceae 沿阶草属 *Ophiopogon* 短药沿阶草 *Ophiopogon angustifoliatus* (F. T. Wang et Tang) S. C. Chen。

百合科 Liliaceae 沿阶草属 *Ophiopogon*

沿阶草 *Ophiopogon bodinieri* Lévl.

| 药材名 | 沿阶草（药用部位：块根。别名：麦冬、寸冬、寸麦冬）。

| 形态特征 | 多年生草本。根纤细，近末端有时具膨大成纺锤形的小块根；地下走茎长，直径 1 ~ 2 mm，节上具膜质鞘。茎很短。叶基生成丛，禾叶状，长 20 ~ 40 cm，宽 2 ~ 4 mm，先端渐尖，具 3 ~ 5 脉，边缘具细锯齿。花葶较叶稍短或与叶近等长；总状花序长 1 ~ 7 cm，具几朵至十几朵花；花常单生或 2 花簇生于苞片腋内；苞片条形或披针形，少数呈针形，稍带黄色，半透明，最下面的苞片长约 7 mm，少数更长；花梗长 5 ~ 8 mm，关节位于中部；花被片卵状披针形、披针形或近矩圆形，长 4 ~ 6 mm，内轮 3 花被片宽于外轮 3 花被片，白色或稍带紫色；花丝很短，长不及 1 mm，花药狭披针

形，长约 2.5 mm，常呈绿黄色；花柱细，长 4 ~ 5 mm。种子近球形或椭圆形，直径 5 ~ 6 mm。花期 6 ~ 8 月，果期 8 ~ 10 月。

生境分布 生于海拔 600 ~ 2 000 m 的山坡、山谷潮湿处、沟边、灌丛下或林下。湖南各地均有分布。

资源情况 野生资源丰富。栽培资源丰富。药材来源于野生和栽培。

采收加工 晴天采挖，抖去泥土，切下块根和须根，洗净泥土，鲜用；或晒干后揉搓，反复晒干、揉搓 4 ~ 5 次，至完全除去须根，干燥。

药材性状 本品呈纺锤形，长 0.8 ~ 2 cm，中部直径 2 ~ 4 mm。表面具细纵纹。断面黄白色，中柱细小。味淡。以肥大、淡黄白色、半透明、质柔、嚼之有黏性者为佳。

功能主治 甘、微苦，微寒。归肺、胃、心经。滋阴润肺，益胃生津，清心除烦。用于肺燥干咳，肺痈，阴虚劳嗽，津伤口渴，消渴，心烦失眠，咽喉疼痛，肠燥便秘，血热吐衄。

用法用量 内服煎汤，6 ~ 15 g；或入丸、散、膏剂。外用适量，研末调敷；或煎汤涂；或鲜品捣汁搽。虚寒泄泻、湿浊中阻、风寒或寒痰咳喘者禁服。

百合科 Liliaceae 沿阶草属 *Ophiopogon*

长茎沿阶草 *Ophiopogon chingii* Wang et Tang

| 药 材 名 | 长茎沿阶草（药用部位：全草或块根。别名：剪刀蕉）。

| 形态特征 | 根一般较粗，常多少木质化而稍坚硬。茎长，上端或多或少向上斜升，直径 2 ~ 5 mm，每年延长后，老茎上的叶枯萎而残留叶鞘，常平卧地面并生根，有时具分枝。叶散生于长茎上，剑形，稍呈镰状，长 7 ~ 20 cm，宽 2.5 ~ 8 mm，先端急尖或钝，基部具白色膜质的鞘，鞘上常具横皱纹，上面深绿色，背面粉绿色，具 5 ~ 9 明显的脉，基部收狭成柄，叶柄稍明显。总状花序生于叶腋或茎先端的叶束中，长 8 ~ 15 cm，下部常为叶鞘所包裹，具 5 ~ 10 花；花常单生或 2 ~ 4 花簇生于苞片腋内；苞片卵形或披针形，除中脉外，薄膜质，白色，透明，先端长渐尖，最下面的长约 6 mm，向上渐短；花梗长 6 ~

9 mm，关节位于中部以下；花被片矩圆形或卵状矩圆形，长约 5 mm，白色或淡紫色；花丝长约 1 mm，花药卵形，长约 2 mm；花柱细，长约 4 mm。花期 5 ~ 6 月。

| 生境分布 | 生于海拔 1 000 ~ 2 000 m 的山坡灌丛下、林下或岩石缝中。分布于湖南湘西州（古丈）等。

| 资源情况 | 野生资源稀少。药材来源于野生。

| 采收加工 | 夏季采收，除去杂质，洗净，晒干。

| 功能主治 | 辛，寒。滋阴润肺，益胃生津，清心除烦。用于肺燥干咳，肺痈，阴虚劳嗽，消渴，心烦失眠，肠燥便秘，血热吐衄等。

| 用法用量 | 内服煎汤，10 ~ 20 g。

百合科 Liliaceae 沿阶草属 *Ophiopogon*

棒叶沿阶草 *Ophiopogon clavatus* C. H. Wright ex Oliv.

| 药 材 名 | 竹叶莲（药用部位：块根）。

| 形态特征 | 多年生草本，由地下细长的走茎相连接。茎短。叶基生成丛，狭矩圆状倒披针形，长 5 ~ 12 cm，宽 5 ~ 13 mm，先端钝或钝圆，基部渐狭成叶柄，上面绿色，下面粉绿色，具 5 ~ 7 明显的脉；叶柄长 2.5 ~ 10 cm。花葶长 7 ~ 11 cm；总状花序具 1 ~ 3（~ 4）花；苞片卵形，边缘膜质，长约 7 mm；花梗长 5 ~ 8 mm，关节位于近先端；花被片矩圆形，内轮 3 花被片稍宽，长约 12 mm，白色稍带淡紫色，开花时花被片不向外张开；花丝明显，长约 2 mm，花药狭披针形，长约 7 mm；花柱细长，长约 1 cm。种子椭圆形，长约 8 mm，绿色，成熟时呈深蓝色。花期 5 ~ 6 月。

生境分布 生于海拔 1 400 ~ 1 600 m 的山坡、山谷疏林下或水边。分布于湖南郴州（宜章）、湘西州（花垣、永顺、龙山）、张家界（永定、桑植）等。

资源情况 野生资源稀少。药材来源于野生。

采收加工 采挖后洗净，干燥。

功能主治 清肺热，生津止咳。

用法用量 内服煎汤。

百合科 Liliaceae 沿阶草属 *Ophiopogon*

间型沿阶草 *Ophiopogon intermedius* D. Don

| 药材名 | 间型沿阶草（药用部位：块根。别名：野麦冬、蜈蚣七、间型麦冬）。

| 形态特征 | 多年生草本，常丛生。根茎粗短，呈块状，不具地下走茎；根细长，分枝多，常在近末端处膨大成椭圆形或纺锤形小块根。茎很短。叶基生成丛，禾叶状，长 15 ~ 55（~ 70）cm，宽 2 ~ 8 mm，具 5 ~ 9 脉，背面中脉明显隆起，边缘具细齿，基部常包以褐色膜质的鞘及鞘枯萎后撕裂成的纤维。花葶长 20 ~ 50 cm，通常短于叶，有时与叶等长；总状花序长 2.5 ~ 7 cm，具 15 ~ 20 或更多花；花常单生或 2 ~ 3 花簇生于苞片腋内；苞片钻形或披针形，最下面的苞片长可达 2 cm，有的较短；花梗长 4 ~ 6 mm，关节位于中部；花被片矩圆形，先端钝圆，长 4 ~ 7 mm，白色或淡紫色；花丝极短，花药

条状狭卵形，长 3 ~ 4 mm；花柱细，长约 3.5 mm。种子椭圆形。花期 5 ~ 8 月，果期 8 ~ 10 月。

| 生境分布 | 生于海拔 1 000 ~ 2 000 m 的山谷、林下阴湿处或水沟边。分布于湘西北、湘西南等。

| 资源情况 | 野生资源一般。药材来源于野生。

| 采收加工 | 夏季采挖，抖去泥土，切下块根和须根，洗净泥土，晒干水汽后揉搓，反复晒干、揉搓 4 ~ 5 次，至完全除去须根，干燥。

| 功能主治 | 清热润肺，养阴生津。用于肺燥干咳，吐血，咯血，口燥咽干。

| 用法用量 | 内服煎汤。

百合科 Liliaceae 沿阶草属 *Ophiopogon*

麦冬 *Ophiopogon japonicus* (L. f.) Ker-Gawl.

| 药 材 名 | 麦冬（药用部位：块根。别名：寸冬、小叶麦冬、地麦冬）。

| 形态特征 | 多年生草本。根较粗，中间或近末端常膨大成椭圆形或纺锤形小块根；小块根长 1 ~ 1.5 cm 或更长，宽 5 ~ 10 mm，淡褐黄色；地下走茎细长，直径 1 ~ 2 mm，节上具膜质鞘。茎很短。叶基生成丛，禾叶状，长 10 ~ 50 cm，少数更长，宽 1.5 ~ 3.5 mm，具 3 ~ 7 脉，边缘具细锯齿。花葶长 6 ~ 15（~ 27）cm，通常较叶短；总状花序长 2 ~ 5 cm，有时更长，具几朵至十几朵花；花单生或成对着生于苞片腋内；苞片披针形，先端渐尖，最下面的苞片长可达 7 ~ 8 mm；花梗长 3 ~ 4 mm，关节位于中部以上或近中部；花被片常稍下垂，不展开，披针形，长约 5 mm，白色或淡紫色；花药

呈三角状披针形，长 2.5 ~ 3 mm；花柱较粗，长约 4 mm，宽约 1 mm，基部宽阔，向上渐狭。种子球形，直径 7 ~ 8 mm。花期 5 ~ 8 月，果期 8 ~ 9 月。

生境分布 生于海拔 2 000 m 以下的山坡阴湿处、林下或溪旁。湖南各地均有分布。

资源情况 野生资源丰富。栽培资源一般。药材来源于野生和栽培。

采收加工 夏季采挖，洗净，反复暴晒、堆置，至七八成干，除去须根，干燥。

药材性状 本品呈纺锤形，两端略尖，长 1.5 ~ 3 cm，直径 0.3 ~ 0.6 cm。表面淡黄色或灰黄色，具细纵纹。质柔韧，断面黄白色，半透明，中柱细小。气微香，味甘、微苦。

功能主治 甘、微苦，微寒。归心、肺、胃经。养阴生津，润肺清心。用于肺燥干咳，阴虚劳嗽，喉痹咽痛，津伤口渴，内热消渴，心烦失眠，肠燥便秘。

用法用量 内服煎汤，6 ~ 12 g。

百合科 Liliaceae 沿阶草属 *Ophiopogon*

西南沿阶草 *Ophiopogon mairei* Lévl.

|药材名| 西南沿阶草（药用部位：块根。别名：野麦冬、接骨连、咯朝汝）。

|形态特征| 多年生草本。根稍粗，柔软，多而长，近末端常膨大成纺锤形小块根。茎较短或中等长，每年稍延长，老茎上有叶枯萎后残留叶鞘撕裂成的纤维，并生根，形如根茎。叶丛生，近禾叶状或稍带剑形，长 20 ~ 40 cm，宽 7 ~ 14 mm，先端急尖或钝，基部具膜质鞘，鞘常具横皱纹，上面绿色，下面粉绿色，通常具 9 脉，边缘具细齿，基部逐渐收狭成不明显的柄。花葶较叶短，长 10 ~ 15 cm，下部常为嫩叶包裹；总状花序长 5 ~ 7 cm，密花；花 1 ~ 2 着生于苞片腋内；苞片钻形，最下面的苞片长 5 ~ 7 mm；花梗长 4 ~ 5 mm 或更短，关节位于中部或中部偏上；花被片卵形，长 4 ~ 5 mm，白色或

蓝色；花丝明显，花药卵形，长约 2 mm；花柱稍粗短，长约 2.5 mm。种子椭圆形或卵圆形，长约 8 mm，呈蓝灰色。花期 5 月中旬至 7 月上旬。

| 生境分布 | 生于海拔 800 ~ 1 800 m 的林下阴湿处。分布于湖南株洲（茶陵）、邵阳（隆回）、湘西州（古丈、吉首）等。

| 资源情况 | 野生资源较少。药材来源于野生。

| 采收加工 | 清明后采挖，洗净泥土，暴晒 3 ~ 4 日，堆置于通风处使其返潮，蒸发水汽，约 3 日，摊开再晒，反复 2 ~ 3 次，晒干后除净须根、杂质。

| 功能主治 | 苦、辛，凉。归肝、胃经。续筋接骨。用于跌打损伤，骨折。

| 用法用量 | 内服煎汤。外用适量。

百合科 Liliaceae 沿阶草属 *Ophiopogon*

林生沿阶草 *Ophiopogon sylvicola* Wang et Tang

| 药 材 名 | 林生沿阶草（药用部位：块根）。

| 形态特征 | 多年生草本。茎细长，匍匐，直径 3 ~ 4 mm，每隔一定距离具叶簇。根常聚生于茎下部的叶簇周围。叶狭倒披针形或条状倒披针形，长 5 ~ 20（~ 30）cm，宽 4 ~ 8 mm，先端急尖、钝或渐尖，基部渐狭成柄，上面绿色，具 5 明显的脉，下面粉绿色，具 5 ~ 7 脉；叶柄长 1.5 ~ 5（~ 10）cm。总状花序生于茎上端的叶束中，具 4 ~ 10 花；花单生于苞片腋内；苞片披针形，最下面的苞片长 6 ~ 8 mm，向上渐短；花梗长 4 ~ 6 mm，关节位于中部以下；花被片卵形，长约 5 mm，蓝色；花丝稍明显，花药三角状卵形，长约 2 mm；花柱细长，基部稍宽，与花被片近等长。花期 6 ~ 7 月，果期 8 ~ 9 月。

| 生境分布 | 生于海拔 1 250 ~ 1 800 m 的阔叶林下或阴湿处。分布于湖南湘西州（花垣、古丈、永顺、凤凰）等。

| 资源情况 | 野生资源较少。药材来源于野生。

| 采收加工 | 采挖后洗净，干燥。

| 功能主治 | 清热润肺，养阴生津，清心除烦。

| 用法用量 | 内服煎汤。

百合科 Liliaceae 重楼属 *Paris*

凌云重楼 *Paris cronquistii* (Takhtajan) H. Li

| 药材名 | 凌云重楼（药用部位：根茎）。

| 形态特征 | 多年生草本。根茎粗壮。叶 5 ~ 7，上面绿色，背面常具紫色斑块。萼片 4 ~ 6，披针形；花瓣丝状，黄色，短于或近等于萼片；雄蕊多为 3 轮，药隔凸出部分锐尖；子房绿色，具 5 ~ 6 棱，柱头外卷。

| 生境分布 | 生于海拔 800 ~ 1 400 m 的沟谷、溪边、灌丛中。分布于湖南张家界（慈利、桑植）等。

| 资源情况 | 野生资源稀少。药材来源于野生。

| 采收加工 | 采挖后洗净。

| 功能主治 | 清热解毒，消肿止痛。用于咽喉肿痛，疮痈肿毒，毒蛇咬伤，跌打损伤，惊风抽搐。

| 用法用量 | 内服煎汤。外用适量。

百合科 Liliaceae 重楼属 *Paris*

金线重楼 *Paris delavayi* Franchet

| 药 材 名 | 重楼（药用部位：根茎）。

| 形态特征 | 植株高 0.5 ~ 1.5 m。根茎直径达 1.5 ~ 5 cm，茎高 30 ~ 70 cm，叶 6 ~ 8，叶柄长 0.8 ~ 1.5 cm；叶片披针形或长圆形，长 6 ~ 15 cm，宽 2 ~ 3 cm。花序梗长 16 ~ 75 cm，外部花被片 3 ~（4 ~ 5），内部通常为深紫色，丝状线形，短于外部；雄蕊通常 8 或 10，花丝长 2 ~ 4 mm，花药长 0.6 ~ 1.8 cm，药隔离凸出部分紫色，长 1.5 ~ 4 mm，先端锐尖；子房绿色或上部紫色，卵圆锥形，花柱长 3 ~ 5 mm，柱头裂片（3 ~）4 ~ 6。蒴果成熟时绿色，卵圆锥形；种子红色，假种皮肉质。花期 4 ~ 5 月，果期 9 ~ 10 月。

| 生境分布 | 生于海拔 1 300 ~ 2 000 m 的森林、竹林、灌丛。分布于湖南湘西州

（龙山）等。

资源情况 野生资源稀少。药材主要来源于野生。

功能主治 清热解毒，消肿止痛。用于咽喉肿痛，痈疮肿毒，毒蛇咬伤，跌打损伤，惊风抽搐。

百合科 Liliaceae 重楼属 *Paris*

球药隔重楼 *Paris fargesii* Franch.

药材名

球药隔重楼（药用部位：根茎。别名：重楼、七叶一枝花、蚤休）。

形态特征

多年生草本，高 50 ~ 100 cm。根茎直径达 1 ~ 2 cm。叶（3 ~ ）4 ~ 6，宽卵圆形，长 9 ~ 20 cm，宽 4.5 ~ 14 cm，先端短尖，基部略呈心形；叶柄长 2 ~ 4 cm。花梗长 20 ~ 40 cm；外轮花被片通常 5，极少（3 ~ ）4，呈卵状披针形，先端具长尾尖，基部变狭成短柄，内轮花被片通常长 1 ~ 1.5 cm，少有长 3 ~ 4.5 cm；雄蕊 8 枚，花丝长 1 ~ 2 mm，花药短条形，稍长于花丝，药隔突出部分圆头状，肉质，长约 1 mm，呈紫褐色。花期 5 月。

生境分布

生于海拔 550 ~ 1 800 m 的林下或阴湿处。分布于湘西北、湘西南等。

资源情况

野生资源一般。栽培资源一般。药材来源于野生和栽培。

| 采收加工 | 9 ~ 10 月倒苗时采挖，鲜用或晒干、烘干后撞去粗皮、须根。

| 药材性状 | 本品呈不规则圆柱形，平直或末端弯曲，直径 1.1 ~ 2 cm，长 3.5 ~ 14 cm。表面灰褐色或深黄棕色，常皱缩，密生多数环节，微凸起，节间长 0.5 ~ 4 mm；茎痕椭圆形或扁圆形，直径 0.6 ~ 1.9 cm。质坚硬，断面黄白色或黄棕色，角质或粉质。气微，味苦。

| 功能主治 | 苦，微寒；有小毒。归肝经。清热解毒，消肿止痛，凉肝定惊。用于疮痈肿毒，喉痹咽肿，乳痈，蛇虫咬伤，跌打损伤，高热抽搐，肝风内动，角弓反张。

| 用法用量 | 内服煎汤，3 ~ 10 g；或研末，1 ~ 3 g。外用适量，磨汁涂布；或研末调敷；或鲜品捣敷。虚寒证、外疡阴证及孕妇禁服。

百合科 Liliaceae 重楼属 *Paris*

具柄重楼 *Paris fargesii* Franch. var. *petiolata* (Baker ex C. H. Wright) Wang et Tang

| 药 材 名 | 具柄重楼（药用部位：根茎）。

| 形态特征 | 多年生草本。叶宽卵形，基部近圆形，极少心形。内轮花被片长 4.5 ~ 5.5 cm；雄蕊 12，长 1.2 cm，药隔突出部分为小尖头状，长 1 ~ 2 mm。花期 6 月。

| 生境分布 | 生于中山及低山附近。分布于湖南湘西州（龙山）、怀化（新晃）、郴州（汝城）、永州（东安）等。

| 资源情况 | 野生资源较少。药材来源于野生。

| 采收加工 | 采挖后洗净，晒干。

| 功能主治 | 清热解毒，消肿止痛，凉肝定惊。用于蛇虫咬伤，外伤出血，疮痈肿毒，跌打损伤，风湿性关节炎，扁桃体炎，流行性腮腺炎，大头瘟。

| 用法用量 | 内服煎汤。外用适量。

百合科 Liliaceae 重楼属 *Paris*

短梗重楼 *Paris polyphylla* Sm. var. *appendiculata* Hara

| 药 材 名 | 重楼（药用部位：短梗重楼）。

| 形态特征 | 叶 6 ~ 9（~ 10）轮生，矩圆形或矩圆状披针形，长 6 ~ 12 cm，宽 1.5 ~ 3 cm，先端短尖或渐尖，基部楔形或近圆形；叶柄长 1 ~ 2 cm，很少较短，带紫色。花梗通常短于叶，极少稍长于叶；内轮花被片狭线形，长 1 ~ 1.5 cm，长为外轮的 1/2，暗紫色或黄绿色；雄蕊 6 ~ 10，长 1 ~ 1.5 cm，花丝扁平，长为花药的 1/5，药隔凸出部分长 1 ~ 3（~ 5）mm。花期 5 ~ 6 月。

| 生境分布 | 生于海拔 1 300 ~ 2 000 m 的竹林或灌丛下。分布于湖南邵阳（武冈）等。

资源情况 野生资源稀少。药材主要来源于野生。

功能主治 清热解毒，消肿止痛。用于咽喉肿痛，痈疮肿毒，毒蛇咬伤，跌打损伤，惊风抽搐。

附　　注 本种的拉丁学名在 FOC 中被修订为黑籽重楼 *Paris thibetica* Franch.。

百合科 Liliaceae 重楼属 *Paris*

华重楼 *Paris polyphylla* Sm. var. *chinensis* (Franch.) Hara

| 药 材 名 | 重楼（用药部位：根茎。别名：七叶一枝花）。

| 形态特征 | 多年生草本。叶 5 ~ 8 轮生，通常 7，呈倒卵状披针形、矩圆状披针形或倒披针形，基部通常楔形。内轮花被片狭条形，通常中部以上变宽，宽 1 ~ 1.5 mm，长 1.5 ~ 3.5 cm，长为外轮花被片的 1/3 至近等长或稍长于外轮花被片；雄蕊 8 ~ 10，花药长 1.2 ~ 1.5（~ 2）cm，为花丝长的 3 ~ 4 倍，药隔突出部分长 1 ~ 1.5（~ 2）mm。花期 5 ~ 7 月。果期 8 ~ 10 月。

| 生境分布 | 生于海拔 600 ~ 1 350（~ 2 000）m 的林下阴处或沟谷边的草丛中。湖南各地均有分布。

| 资源情况 | 野生资源丰富。栽培资源一般。药材来源于野生和栽培。

| 采收加工 | 9 ~ 10 月倒苗时采挖，晒干或炕干后撞去粗皮、须根。

| 药材性状 | 本品呈类圆锥形，常弯曲，直径 1.3 ~ 3 cm，长 3.7 ~ 10 cm，先端及中部较膨大，末端渐细。表面淡黄棕色或黄棕色，具斜向环节，节间长 1.5 ~ 5 mm；上侧有半圆形或椭圆形凹陷的茎痕，直径 0.5 ~ 1.1 cm，略交错排列，下侧有稀疏的须根及少数残留的须根；膨大先端具凹陷的茎残基，有的环节可见鳞叶。质坚实，易折断，断面平坦，粉质，少数部分角质，粉质者呈粉白色，角质者呈淡黄棕色，可见草酸钙针晶束亮点。气微，味苦。

| 功能主治 | 苦，微寒；有小毒。清热解毒，消肿止痛，凉肝定惊。用于疮痈肿毒，咽喉肿痛，惊风，蛇虫咬伤。

| 用法用量 | 内服煎汤，3 ~ 9 g。外用适量，研末调敷。虚寒证、外疡阴证及孕妇禁服。

百合科 Liliaceae 重楼属 *Paris*

狭叶重楼 *Paris polyphylla* Sm. var. *stenophylla* Franch.

| 药 材 名 | 狭叶重楼（药用部位：根茎）。

| 形态特征 | 多年生草本。叶 8 ~ 13（~ 22）轮生，披针形、倒披针形或条状披针形，有时略微弯曲成镰状，长 5.5 ~ 19 cm，宽通常 1.5 ~ 2.5 cm，稀 3 ~ 8 mm，先端渐尖，基部楔形；叶柄短。外轮花被片 5 ~ 7，叶状，狭披针形或卵状披针形，长 3 ~ 8 cm，宽（0.5 ~ ）1 ~ 1.5 cm，先端具渐尖头，基部渐狭成短柄，内轮花被片狭条形，远长于外轮花被片；雄蕊 7 ~ 14，花药长 5 ~ 8 mm，与花丝近等长，药隔突出部分极短，长 0.5 ~ 1 mm；子房近球形，暗紫色，花柱明显，长 3 ~ 5 mm，先端具 4 ~ 5 分枝。花期 6 ~ 8 月，果期 9 ~ 10 月。

生境分布 生于海拔 1 000 ～ 2 000 m 的林下或草丛阴湿处。分布于湖南湘西州（龙山）等。

资源情况 野生资源稀少。药材来源于野生。

采收加工 9 ～ 10 月倒苗时采挖，晒干或烘干后撞去粗皮、须根。

功能主治 苦，微寒；有小毒。归肝、心、肺经。清热解毒，消肿止痛，凉肝定惊。用于疮痈肿毒，喉痹咽肿，乳痈，蛇虫咬伤，跌打损伤，肝热搐搦。

用法用量 内服煎汤。外用适量。

百合科 Liliaceae 重楼属 *Paris*

云南重楼 *Paris polyphylla* Sm. var. *yunnanensis* (Franch.) Hand.-Mzt.

| 药 材 名 | 重楼（药用部位：根茎）。

| 形态特征 | 多年生草本，有时丛生。根稍粗，近末端处常膨大成矩圆形、纺锤形的小块根。根茎短，具地下走茎。叶基生，禾叶状，长 20 ~ 45 cm，宽 4 ~ 6 mm，先端急尖或钝，具 5 脉，边缘具细锯齿。花葶通常长于或近等长于叶，长 20 ~ 50 cm；总状花序长 6 ~ 10 cm，具花多数，花 2 ~ 5 簇生于苞片腋内，总状花序在花后苞片腋内长出叶簇或小苗；苞片小，披针形；花梗长约 4 mm；花被片矩圆状披针形，紫色；花丝长约 2 mm，花药长约 2 mm；子房近球形，花柱长约 2 mm，柱头不明显。种子近球形。花期 5 ~ 7 月，果期 8 ~ 10 月。

生境分布 生于丘陵岗地附近。分布于湖南湘西州（凤凰）等。

资源情况 野生资源稀少。药材来源于野生。

采收加工 全年均可采挖，但以秋季采挖为好，晒干或切片晒干。

药材性状 本品呈纺锤形，长 1.2 ~ 4 cm，直径 4 ~ 7 mm。表面黄白色，半透明，具细纵纹。质硬脆，易吸湿变软，断面黄色，角质样，中柱细，不明显。气微，味甜，有黏性。

功能主治 清热解毒，活血散瘀，消肿止痛，止咳平喘，息风定惊。用于咽喉肿痛，惊风，抽搐，毒蛇咬伤，疔疮肿毒，痈疖，痄腮。

用法用量 外用适量。

百合科 Liliaceae 重楼属 *Paris*

毛重楼 *Paris pubescens* (Hand.-Mzt.) Wang et Tang

药材名 毛重楼（药用部位：根茎）。

形态特征 植株高可达 1 m，全株被有短柔毛。根茎直径达 1 ~ 2 cm。叶 5 ~ 10，披针形、倒披针形或椭圆形，长 5 ~ 14 cm，宽 1 ~ 2.5 cm，先端渐尖，基部宽楔形或近圆形，叶背面有短柔毛，具短柄。内轮花被片长条形，与外轮的等长或比外轮的长，有时宽达 2 mm；雄蕊长 1 ~ 1.5 cm，通常花丝稍短于花药，药隔凸出部分长 1 ~ 1.5 mm；子房通常为紫红色。花期 5 ~ 7 月，果期 8 ~ 9 月。

生境分布 生于海拔 2 000 m 的高山草丛或林下。分布于湖南常德（石门）、邵阳（新宁）、怀化（洪江）等。

| 资源情况 | 野生资源少见。药材主要来源于野生。

| 功能主治 | 消炎止痛，消肿。用于无名肿毒，疮癣。

| 附　　注 | 本种在 FOC 中被修订为藜芦科 Melanthiaceae 重楼属 *Paris* 毛重楼 *Paris mairei* H. Lév.。

百合科 Liliaceae 重楼属 *Paris*

啟良重楼 *Paris qiliangiana* H. Li、J. Yang et Y. H. Wang

| 药 材 名 | 重楼（药用部位：根茎）。

| 形态特征 | 叶片卵形。花瓣较长，黄绿色，直立、长于萼片而不为暗紫色，也不反折；药隔凸出部分较短，绿色或褐色，长 0.1 ~ 0.2 cm；雄蕊 2 轮，侧膜胎座；花柱基通常白色或淡紫色。果实开裂；外种皮红色多汁，但萼片斜升而不反折。花期 3 ~ 5 月，果期 9 ~ 10 月。

| 生境分布 | 生于林下。栽培于苗圃中。分布于湖南湘西州（龙山）、张家界（桑植）等。

| 资源情况 | 野生资源稀少。栽培资源稀少。药材主要来源于栽培。

| 功能主治 | 清热解毒，消肿止痛。用于咽喉肿痛，痈疮肿毒，毒蛇咬伤，跌打损伤，惊风抽搐。

百合科 Liliaceae 球子草属 *Peliosanthes*

大盖球子草 *Peliosanthes macrostegia* Hance

| 药 材 名 |

蜘蛛草根（药用部位：根及根茎。别名：蒌叶伸筋）、蜘蛛草（药用部位：全草。别名：大叶球子草）。

| 形态特征 |

多年生草本。茎短，长约 1 cm。叶 2 ~ 5，呈披针状狭椭圆形，长 15 ~ 25 cm，宽 5 ~ 6 cm；主脉 5 ~ 9；叶柄长 20 ~ 30 cm。花葶长 15 ~ 35 cm；总状花序长 9 ~ 25 cm，每苞片内着生 1 花；苞片膜质，披针形或卵状披针形，长 0.6 ~ 1.5 cm；小苞片 1，长 3 ~ 5 mm；花紫色，直径 5.5 ~ 12 mm；花被筒短，长 2 mm，部分与子房合生，裂片呈三角状卵形，为花被全长的 2/3；花梗长 5 ~ 6 mm；花药长 0.5 ~ 1 mm，花丝合生的肉质环先端波状；子房每室具 3 ~ 4 胚珠，花柱粗短，柱头 3 裂。种子近圆形，长约 1 cm，种皮肉质，呈蓝绿色。花期 4 ~ 6 月，果期 7 ~ 9 月。

| 生境分布 |

生于海拔 350 ~ 1 500 m 的灌丛中和竹林下。分布于湖南邵阳（绥宁）、怀化（麻阳、通道）、湘西州（古丈）等。

资源情况

野生资源较少。药材来源于野生。

采收加工

蜘蛛草根：采挖后洗净。

蜘蛛草：采收后洗净。

功能主治

蜘蛛草根：甘、淡，微温。祛痰止咳，疏肝止痛。用于咳嗽痰稠，胸痛，胁痛，跌打损伤，疳积。

蜘蛛草：止血开胃，健脾补气。

用法用量

蜘蛛草根：内服煎汤。

蜘蛛草：内服煎汤。

百合科 Liliaceae 黄精属 *Polygonatum*

卷叶黄精 *Polygonatum cirrhifolium* (Wall.) Royle

药材名

老虎姜（药用部位：根茎）。

形态特征

根茎肥厚，圆柱形，直径 1 ~ 1.5 cm，或为连珠状，节径 1 ~ 2 cm；茎高 30 ~ 90 cm。叶常 3 ~ 6 轮生，稀于下部散生，细线形或线状披针形，稀长圆状披针形，长 4 ~ 9（~ 12）cm，宽 2 ~ 8（~ 15）mm，先端拳卷或呈钩状，叶缘常外卷。花序轮生，常具 2 花；花序梗长 0.3 ~ 1 cm；花梗长 3 ~ 8 mm，俯垂；苞片透明膜质，无脉，长 1 ~ 2 mm，生于花梗上部或基部，或无苞片；花被淡紫色，长 0.8 ~ 1.1 cm，花被筒中部稍缢狭，裂片长约 2 mm；花丝长约 0.8 mm，花药长 2 ~ 2.5 mm；子房长约 2.5 mm，花柱长约 2 mm。浆果成熟时红色或紫红色，直径 8 ~ 9 mm，具 4 ~ 9 种子。花期 5 ~ 7 月，果期 9 ~ 10 月。

生境分布

生于海拔 1 800 m 的林下、山坡或草地。分布于湖南怀化（洪江）等。

| 资源情况 | 野生资源稀少。药材来源于野生。

| 功能主治 | 润肺养阴，健脾益气，祛痰止血，消肿解毒。

百合科 Liliaceae 黄精属 *Polygonatum*

多花黄精 *Polygonatum cyrtonema* Hua

| 药 材 名 | 黄精（药用部位：根茎。别名：姜形黄精）。

| 形态特征 | 根茎圆柱状，由于结节膨大，因此节间一头粗、一头细，粗的一头有短分枝（《中药志》称这种根茎类型所制成的药材为鸡头黄精），直径1～2 cm。茎高50～90 cm或超过1 m，有时呈攀缘状。叶轮生，每轮4～6，条状披针形，长8～15 cm，宽（4～）6～16 mm，先端拳卷或弯曲成钩。花序通常具2～4花，似成伞形，总花梗长1～2 cm，花梗长（2.5～）4～10 mm，俯垂；苞片位于花梗基部，膜质，钻形或条状披针形，长3～5 mm，具1脉；花被乳白色至淡黄色，全长9～12 mm，花被筒中部稍缢缩，裂片长约4 mm；花丝长0.5～1 mm，花药长2～3 mm；子房长约3 mm，花柱长

5 ~ 7 mm。浆果直径 7 ~ 10 mm，黑色，具 4 ~ 7 种子。花期 5 ~ 6 月，果期 8 ~ 9 月。

| 生境分布 | 生于海拔 300 ~ 1 000 m 的林下、灌丛或山坡阴处。湖南各地均有分布。

| 资源情况 | 野生资源丰富。栽培资源丰富。药材来源于野生和栽培。

| 采收加工 | 栽后 3 年收获。9 ~ 10 月采挖，去掉茎秆，洗净泥沙，除去须根和烂疤，蒸至透心，晒干、烘干或鲜用。

| 药材性状 | 本品呈不规则的圆锥状，形似鸡头，或呈结节块状，形似姜，分枝少而短粗。表面黄白色至黄棕色，半透明，全体有细皱纹及稍隆起呈波状的环节，地上茎痕呈圆盘状，中心常凹陷，根痕多呈点状凸起。干燥者质硬，易折断，未完全干燥者质柔韧。断面淡棕色，呈半透明角质样或蜡质状，并有多数黄白色小点。气微，味微甜而有黏性。

| 功能主治 | 甘，平。养阴润肺，补脾益气，滋肾填精。用于阴虚劳嗽，肺燥咳嗽，脾虚乏力，食少口干，消渴，肾亏腰膝酸软，阳痿遗精，耳鸣目暗，须发早白，体虚羸瘦，风癞癣疾。

| 用法用量 | 内服煎汤，10 ~ 15 g，鲜品 30 ~ 60 g；或入丸、散剂；或熬膏。外用适量，煎汤洗；或熬膏涂；或浸酒擦。

百合科 Liliaceae 黄精属 *Polygonatum*

长梗黄精 *Polygonatum filipes* Merr.

| 药材名 | 长梗黄精（药用部位：根茎）。

| 形态特征 | 多年生草本。根茎连珠状，有时节间稍长，直径 1 ~ 1.5 cm。茎高 30 ~ 70 cm。叶互生，矩圆状披针形至椭圆形，先端尖至渐尖，长 6 ~ 12 cm，下面脉上具短毛。花序具 2 ~ 7 花；总花梗细丝状，长 3 ~ 8 cm，花梗长 0.5 ~ 1.5 cm；花被淡黄绿色，全长 15 ~ 20 mm，裂片长约 4 mm，筒内花丝贴生部分稍具短绵毛；花丝长约 4 mm，具短绵毛，花药长 2.5 ~ 3 mm；子房长约 4 mm，花柱长 10 ~ 14 mm。浆果直径约 8 mm；种子 2 ~ 5。

| 生境分布 | 生于海拔 200 ~ 600 m 的林下、灌丛或草坡。湖南有广泛分布。

资源情况 野生资源一般。药材来源于野生。

采收加工 采挖后洗净，干燥。

药材性状 本品呈连珠状，直径约 1 cm，长可超过 30 cm。

功能主治 甘，平。补气养阴，健脾，润肺，益肾。用于脾虚胃弱，体倦乏力，口干食少，肺虚燥咳，精血不足，内热消渴。

用法用量 内服煎汤。外用适量。

百合科 Liliaceae 黄精属 *Polygonatum*

滇黄精 *Polygonatum kingianum* Coll. et Hemsl.

| 药 材 名 | 黄精（药用部位：根茎。别名：德保黄精、节节高、仙人饭）。

| 形态特征 | 多年生草本。根茎近圆柱形或近连珠状，结节有时呈不规则菱状，肥厚，直径 1 ~ 3 cm。茎高 1 ~ 3 m，先端呈攀缘状。叶轮生，每轮 3 ~ 10，呈条形、条状披针形或披针形，长 6 ~ 20（~ 25）cm，宽 3 ~ 30 mm，先端拳卷。花序具（1 ~）2 ~ 4（~ 6）花；总花梗下垂，长 1 ~ 2 cm，花梗长 0.5 ~ 1.5 cm；苞片膜质，微小，通常位于花梗下部；花被粉红色，长 18 ~ 25 mm，裂片长 3 ~ 5 mm；花丝长 3 ~ 5 mm，丝状或两侧扁，花药长 4 ~ 6 mm；子房长 4 ~ 6 mm，花柱长（8 ~）10 ~ 14 mm。浆果红色，直径 1 ~ 1.5 cm；种子 7 ~ 12。花期 3 ~ 5 月，果期 9 ~ 10 月。

| 生境分布 | 栽培于林下、山坡。分布于湖南邵阳（武冈）、张家界（慈利）、郴州（桂阳、苏仙）等。

| 资源情况 | 栽培资源较少。药材来源于栽培。

| 采收加工 | 9 ~ 10 月采挖，除去茎秆，洗净泥沙，除去须根和烂疤，蒸至透心后，晒干、烘干或鲜用。

| 药材性状 | 本品肥厚，姜块状或连珠状，直径 1 ~ 3 cm，每一结节具明显的圆盘状茎痕，稍凹陷，直径 5 ~ 8 mm；须根痕多，常凸出，直径约 2 mm。表面黄白色至黄棕色，具明显环节及不规则纵皱纹。质坚实，较柔韧，不易折断，断面黄白色，平坦，呈颗粒状，具众多深色维管束小点。气微，味甜，有黏性。

| 功能主治 | 甘，平。归脾、肺、肾经。养阴润肺，补脾益气，滋肾填精。用于阴虚劳嗽，肺燥咳嗽，脾虚乏力，食少口干，消渴，肾亏腰膝酸软，阳痿遗精，耳鸣目暗，须发早白，体虚羸瘦，风癞癣疾。

| 用法用量 | 内服煎汤，10 ~ 15 g，鲜品 30 ~ 60 g；或入丸、散剂；或熬膏。外用适量，煎汤洗；或熬膏涂；或浸酒擦。

百合科 Liliaceae 黄精属 *Polygonatum*

玉竹 *Polygonatum odoratum* (Mill.) Druce

药 材 名 玉竹（药用部位：根茎。别名：尾参）。

形态特征 多年生草本。根茎圆柱形，直径 3 ~ 16 mm。茎高 20 ~ 50 cm，具 7 ~ 12 叶。叶互生，椭圆形至卵状矩圆形，长 5 ~ 12 cm，宽 3 ~ 16 cm，先端尖，下面带灰白色，下面脉上平滑至呈乳头状粗糙。花序具 1 ~ 4 花（栽培者可多至 8 花），总花梗（单花时为花梗）长 1 ~ 1.5 cm，无苞片或有条状披针形苞片；花被黄绿色至白色，全长 13 ~ 20 mm，花被筒较直，裂片长 3 ~ 4 mm；花丝丝状，近平滑至具乳头状突起，花药长约 4 mm；子房长 3 ~ 4 mm，花柱长 10 ~ 14 mm。浆果蓝黑色，直径 7 ~ 10 cm，具 7 ~ 9 种子。花期 5 ~ 6 月，果期 7 ~ 9 月。

| 生境分布 | 生于海拔 100 ~ 800 m 的林下或山野阴坡。湖南各地均有分布。

| 资源情况 | 野生资源丰富。栽培资源丰富。药材来源于野生和栽培。

| 采收加工 | 秋季采挖，除去须根，洗净，鲜用；或晒至柔软后，反复揉搓、晾晒至无硬心，晒干；或蒸至透心后，揉至半透明，晒干。

| 药材性状 | 本品呈圆柱形，略扁，稀具分枝，长 4 ~ 18 cm。表面黄白色或淡黄棕色，半透明，具纵皱纹和微隆起的环节，具白色圆点状须根痕和圆盘状茎痕。质硬而脆或稍软，易折断，断面角质样或显颗粒性。气微，味甘，嚼之发黏。

| 功能主治 | 甘，微寒。归肺、胃经。养阴润燥，生津止渴。用于肺胃阴伤，燥热咳嗽，咽干口渴，内热消渴。

| 用法用量 | 内服煎汤，6 ~ 12 g。外用适量，捣敷。

百合科 Liliaceae 黄精属 *Polygonatum*

轮叶黄精 *Polygonatum verticillatum* (L.) All.

| 药 材 名 | 羊角参（药用部位：根茎。别名：臭儿参、地吊、玉竹参）。

| 形态特征 | 多年生草本。根茎稀呈连珠状，直径 7 ~ 15 mm，节间长 2 ~ 3 cm，一端粗，一端较细，粗端具短分枝。茎高（20 ~ ）40 ~ 80 cm。叶通常 3 轮生，稀对生或互生，少有全株对生，呈矩圆状披针形（长 6 ~ 10 cm，宽 2 ~ 3 cm）至条状披针形或条形（长达 10 cm，宽仅 5 mm），先端尖至渐尖。花单生或 2 ~（3 ~ 4）花组成花序；总花梗长 1 ~ 2 cm，花梗长 3 ~ 10 mm，俯垂；苞片无或微小而生于花梗上；花被淡黄色或淡紫色，长 8 ~ 12 mm，裂片长 2 ~ 3 mm；花丝长 0.5 ~ 1（ ~ 2） mm，花药长约 2.5 mm；子房长约 3 mm，花柱与子房近等长或稍短。浆果红色，直径 6 ~ 9 mm；种子 6 ~ 12。花期 5 ~ 6 月，果期 8 ~ 10 月。

生境分布 生于海拔约 2 000 m 的林下或山坡草地。分布于湖南常德（石门）、怀化（洪江）等。

资源情况 野生资源较少。药材来源于野生。

采收加工 夏、秋季采挖，除去茎叶及须根，洗净，蒸后晒干。

药材性状 本品呈圆柱形，长 5 ~ 15 cm，直径 3 ~ 7 mm，粗细较均匀。表面深棕色，具圆形茎痕，茎痕间距 4 ~ 6 cm；节明显，呈波状环，节间较长，具少数点状须根痕。质韧，断面角质样，散在类白色维管束小点。气微。

功能主治 甘、微苦，凉。补脾润肺，养肝，解毒消痈。用于脾胃虚弱，阴虚肺燥，咳嗽咽干，肝阳上亢，头晕目眩，疮痈肿痛。

用法用量 内服煎汤，6 ~ 9 g；或研末；或浸酒。外用适量，捣敷。

Liliaceae *Polygonatum*

湖北黄精 *Polygonatum zanlanscianense* Pamp.

| 药 材 名 |

海玉竹（药用部位：根茎）。

| 形态特征 |

多年生草本。根茎呈连珠状或姜块状，肥厚，直径 1 ~ 2.5 cm。茎直立或上部稍攀缘，高可超过 1 m。叶轮生，每轮 3 ~ 6，叶形变异较大，椭圆形、矩圆状披针形、披针形至条形，长（5 ~ ）8 ~ 15 cm，宽（4 ~ ）13 ~ 28（ ~ 35）mm，先端拳卷至稍弯曲。花序具 2 ~ 6（ ~ 11）花，近伞形；总花梗长 5 ~ 20（ ~ 40）mm，花梗长（2 ~ ）4 ~ 7（ ~ 10）mm；苞片位于花梗基部，膜质或中间略带草质，具 1 脉，长（1 ~ ）2 ~ 6 mm；花被白色、淡黄绿色或淡紫色，全长 6 ~ 9 mm，花被筒近喉部稍缢缩，裂片长约 1.5 mm；花丝长 0.7 ~ 1 mm，花药长 2 ~ 2.5 mm；子房长约 2.5 mm，花柱长 1.5 ~ 2 mm。浆果紫红色或黑色，直径 6 ~ 7 mm；种子 2 ~ 4。花期 6 ~ 7 月，果期 8 ~ 10 月。

| 生境分布 |

生于海拔 800 ~ 2 000 m 的林下或山坡阴湿地。湖南有广泛分布。

资源情况 野生资源较丰富。栽培资源一般。药材来源于野生和栽培。

采收加工 采挖后洗净，干燥。

药材性状 本品质地肥厚，呈连珠状或姜块状。

功能主治 补脾润肺，杀虫。

用法用量 内服煎汤。外用适量。

百合科 Liliaceae 吉祥草属 *Reineckea*

吉祥草 *Reineckea carnea* (Andr.) Kunth

| 药 材 名 | 吉祥草（药用部位：全草。别名：洋吉祥草、解晕草、广东万年青）。

| 形态特征 | 多年生草本。茎匍匐于地面，似根茎，绿色，多节，节上生须根。叶簇生于茎顶或茎节，每簇 3 ~ 8 叶；叶片条形至披针形，长 10 ~ 38 cm，宽 0.5 ~ 3.5 cm，先端渐尖，向下渐狭成柄。花葶长 5 ~ 15 cm；穗状花序长 2 ~ 6.5 cm，上部的花有时仅具雄蕊；苞片呈卵状三角形，膜质，淡褐色或带紫色；花被片合生成短管状，上部 6 裂，裂片长圆形，长 5 ~ 7 mm，稍肉质，开花时反卷，呈粉红色，花芳香；雄蕊 6，较花柱短，花丝丝状，花药近长圆形，两端微凹；子房 3 室，呈瓶状，花柱丝状，柱头头状，3 裂。浆果球形，直径 6 ~ 10 mm，成熟时鲜红色。花果期 7 ~ 11 月。

| 生境分布 | 生于阴湿山坡、山谷或密林下。栽培于花坛。湖南各地均有分布。

| 资源情况 | 野生资源一般。栽培资源丰富。药材来源于野生和栽培。

| 采收加工 | 全年均可采收，洗净，鲜用或切段晒干。

| 药材性状 | 本品呈黄褐色。根茎细长，节明显，节上具残留的膜质鳞叶，并具少数弯曲卷缩的须根。叶皱缩。

| 功能主治 | 甘，凉。清肺止咳，凉血止血，解毒利咽。用于肺热咳嗽，咯血，吐血，衄血，便血，咽喉肿痛，目赤翳障，痈肿疮疖。

| 用法用量 | 内服煎汤，6 ~ 12 g，鲜品 30 ~ 60 g。外用适量，捣敷。

百合科 Liliaceae 万年青属 *Rohdea*

万年青 *Rohdea japonica* (Thunb.) Roth

| 药 材 名 | 万年青根（药用部位：根及根茎）、万年青叶（药用部位：叶）、万年青花（药用部位：花）。

| 形态特征 | 多年生常绿草本。根茎直径 1.5 ~ 2.5 cm。叶 3 ~ 6，厚纸质，呈矩圆形、披针形或倒披针形，绿色，长 15 ~ 50 cm，宽 2.5 ~ 7 cm，先端急尖，基部稍狭，纵脉明显浮凸；鞘叶披针形，长 5 ~ 12 cm。花葶较叶短，长 2.5 ~ 4 cm；穗状花序长 3 ~ 4 cm，宽 1.2 ~ 1.7 cm，具几十朵密集的花；苞片呈卵形，膜质，较花短，长 2.5 ~ 6 mm，宽 2 ~ 4 mm；花被长 4 ~ 5 mm，宽 6 mm，淡黄色，裂片厚；花药卵形，长 1.4 ~ 1.5 mm。浆果直径约 8 mm，成熟时红色。花期 5 ~ 6 月，果期 9 ~ 11 月。

| 生境分布 | 生于海拔 750 ~ 1 700 m 的林下潮湿处或草地上。分布于湖南长沙（浏阳）等。湖南各地均有分布。

| 资源情况 | 野生资源丰富。栽培资源一般。药材来源于野生和栽培。

| 采收加工 | **万年青根：**全年均可采收，洗净，除去须根，鲜用或切片晒干。

万年青叶：全年均可采收，鲜用或晒干。

万年青花：5 ~ 6 月采收，阴干或烘干。

| 药材性状 | **万年青根：**本品呈圆柱形，长 5 ~ 18 cm，直径 1.5 ~ 2.5 cm。表面灰黄色，皱缩，具密集的波状环节，并散有圆点状根痕，有时具长短不等的须根，先端有时具地上茎痕和叶痕。质韧，折断面不平坦，晒干品呈黄白色，烘干品呈浅棕色至棕红色，略带海绵性，具黄色维管束小点。

万年青叶：本品厚纸质，呈矩圆形、披针形或倒披针形。

万年青花：本品穗状花序长 3 ~ 4 cm，宽 1.2 ~ 1.7 cm；苞片卵形，膜质；花药卵形。

| 功能主治 | **万年青根：**苦、微甘，寒；有小毒。归肺、心经。清热解毒，强心利尿，凉血止血。用于咽喉肿痛，白喉，疮疡肿毒，蛇虫咬伤，心力衰竭，水肿臌胀，咯血，吐血，崩漏。

万年青叶：苦、涩，微寒；有小毒。归肺经。清热解毒，强心利尿，凉血止血。用于咽喉肿痛，疮毒，蛇咬伤，心力衰竭，咯血，吐血。

万年青花：祛瘀止痛，补肾。用于跌打损伤，肾虚腰痛。

| 用法用量 | **万年青根：**内服煎汤，3 ~ 9 g，鲜品可用至 30 g；或浸酒；或捣汁。外用适量，鲜品捣敷；或捣汁涂；或塞鼻；或煎汤熏洗。孕妇禁服。

万年青叶：内服煎汤，3 ~ 9 g，鲜品 9 ~ 15 g。外用适量，煎汤熏洗；或捣汁涂。

万年青花：内服煎汤，3 ~ 9 g；或入丸剂。

百合科 Liliaceae 绵枣儿属 *Scilla*

绵枣儿 *Scilla scilloides* (Lindl.) Druce

药材名

绵枣儿（药用部位：全草或鳞茎。别名：石枣儿、天蒜、地兰）。

形态特征

多年生草本。鳞茎卵形或近球形，高 2 ~ 5 cm，宽 1 ~ 3 cm，皮呈黑褐色。基生叶通常 2 ~ 5，呈狭带状，长 15 ~ 40 cm，宽 2 ~ 9 mm，质柔软。花葶通常较叶长；总状花序长 2 ~ 20 cm，具花多数；花小，直径 4 ~ 5 mm，呈紫红色、粉红色至白色，于花梗先端脱落；花梗长 5 ~ 12 mm，基部具 1 ~ 2 较小的狭披针形苞片；花被片近椭圆形、倒卵形或狭椭圆形，长 2.5 ~ 4 mm，宽约 1.2 mm，基部稍合生成盘状，先端钝，增厚；雄蕊生于花被片基部，较花被片稍短，花丝近披针形，边缘和背面常具小乳突，基部稍合生，中部以上骤然变窄，变窄部分长约 1 mm；子房 3 室，每室具 1 胚珠，长 1.5 ~ 2 mm，基部具短柄，表面多少具小乳突，花柱长约为子房的 1/2 ~ 2/3。果实近倒卵形，长 3 ~ 6 mm，宽 2 ~ 4 mm；种子 1 ~ 3，矩圆状狭倒卵形，黑色，长 2.5 ~ 5 mm。花果期 7 ~ 11 月。

| 生境分布 | 生于山坡、草地、路旁或林缘。分布于湖南岳阳（平江、岳阳）、邵阳（武冈、新宁）、郴州（宜章）等。

| 资源情况 | 野生资源较少。药材来源于野生。

| 采收加工 | 6 ~ 7 月采收，洗净，鲜用或晒干。

| 药材性状 | 本品鳞茎呈长卵形，长 2 ~ 3 cm，直径 5 ~ 15 mm，先端渐尖，残留叶基，基部鳞茎盘明显，其上残留黄白色或棕色的须根或须根断痕，鳞茎外部为数层鲜黄色的膜质鳞叶，内部为白色叠生的肉质鳞片，富有黏性。气微，味微辣。以新鲜、饱满、不烂者为佳。

| 功能主治 | 苦、甘，寒；有小毒。活血止痛，解毒消肿，强心利尿。用于跌打损伤，筋骨疼痛，疮痈肿痛，乳痈，心源性水肿。

| 用法用量 | 内服煎汤，3 ~ 9 g。外用适量，捣敷。孕妇禁服。

| 附　　注 | 本种的拉丁学名在 FOC 中被修订为 *Barnardia japonica* (Thunberg) Schultes et J. H. Schultes。

百合科 Liliaceae 鹿药属 *Smilacina*

管花鹿药 *Smilacina henryi* (Baker) Wang et Tang

药材名

螃蟹七（药用部位：根及根茎。别名：鄂西鹿药）。

形态特征

植株高 50 ~ 80 cm；根茎直径 1 ~ 2 cm。茎中部以上有短硬毛或微硬毛，稀无毛。叶纸质，椭圆形、卵形或矩圆形，长 9 ~ 22 cm，宽 3.5 ~ 11 cm，先端渐尖或具短尖，两面有伏毛或近无毛，基部具短柄或几无柄。花淡黄色或带紫褐色，单生，通常排成总状花序，有时基部具 1 ~ 2 分枝或具多个分枝而成圆锥花序；花序长 3 ~ 7（~ 17）cm，有毛；花梗长 1.5 ~ 5 mm，有毛；花被高脚碟状，筒部长 6 ~ 10 mm，为花被全长的 2/3 ~ 3/4，裂片开展，长 2 ~ 3 mm；雄蕊生于花被筒喉部，花丝通常极短，极少长达 1.5 mm，花药长约 0.7 mm；花柱长 2 ~ 3 mm，稍长于子房，柱头 3 裂。浆果球形，直径 7 ~ 9 mm，未成熟时绿色而带紫色斑点，成熟时红色；具 2 ~ 4 种子。花期 5 ~ 6（~ 8）月，果期 8 ~ 10 月。

生境分布

生于海拔 1 300 ~ 2 000 m 的林下、灌丛下、

水旁湿地或林缘。分布于湖南邵阳（新宁）、常德（石门）等。

| 资源情况 | 野生资源稀少。药材来源于野生。

| 采收加工 | 春、夏季采挖，洗净，鲜用或晒干。

| 药材性状 | 本品干燥根茎略呈结节状，稍扁，长 6 ~ 15 cm，直径 1 ~ 2 cm。表面棕色至棕褐色，具皱纹，先端有一至数茎基或芽基，周围密生多数须根。质较硬，断面白色，粉性。气微，味甜、微辛。

| 功能主治 | 甘、苦，温。归肾、肝经。补肾壮阳，活血祛瘀，祛风止痛。用于肾虚阳痿，月经不调，偏、正头痛，风湿痹痛，痈肿疮毒，跌打损伤。

| 用法用量 | 内服煎汤，6 ~ 15 g；或浸酒。外用适量，捣敷；或加热熨。

| 附　　注 | 本种在 FOC 中被修订为天门冬科 Aaparagaceae 舞筋草属 *Maianthemum* 管花鹿药 *Maianthemum henryi* (Baker) LaFrankie。

百合科 Liliaceae 鹿药属 *Smilacina*

鹿药 *Smilacina japonica* A. Gray

| 药 材 名 | 鹿药（药用部位：根及根茎。别名：九层楼、盘龙七、偏头七）。

| 形态特征 | 植株高 30 ~ 60 cm。根茎横走，略呈圆柱状，直径 6 ~ 10 mm，有时具膨大结节。茎中部以上或仅上部被粗伏毛。叶 4 ~ 9，纸质，呈卵状椭圆形、椭圆形或矩圆形，长 6 ~ 13（~ 15）cm，宽 3 ~ 7 cm，先端近短渐尖，两面疏被粗毛或近无毛，具短柄。圆锥花序长 3 ~ 6 cm，被毛，具 10 ~ 20 或更多花；花单生，白色，花梗长 2 ~ 6 mm；花被片分离或仅基部稍合生，呈矩圆形或矩圆状倒卵形，长约 3 mm；雄蕊长 2 ~ 2.5 mm，基部贴生于花被片上，花药小；花柱长 0.5 ~ 1 mm，与子房近等长，柱头几不裂。浆果近球形，直径 5 ~ 6 mm，成熟时红色；种子 1 ~ 2。花期 5 ~ 6 月，果期 8 ~ 9 月。

| 生境分布 | 生于海拔 900 ~ 1 950 m 的林下阴湿处或岩缝中。分布于湖南湘西州（龙山）、张家界（永定）、长沙（浏阳）、邵阳（隆回）等。

| 资源情况 | 野生资源较少。药材来源于野生。

| 采收加工 | 春、秋季采挖，洗净，鲜用或晒干。

| 药材性状 | 本品干品略呈结节状，稍扁，长 6 ~ 15 cm，直径 0.5 ~ 1 cm。表面棕色至棕褐色，具皱纹，先端具 1 至数个茎基或芽基，周围密生多数须根。质较硬，断面白色，粉性。气微，味甜、微辛。

| 功能主治 | 甘、苦，温。归肾、肝经。补肾壮阳，活血祛瘀，祛风止痛。用于肾虚阳痿，月经不调，偏正头痛，风湿痹痛，痈肿疮毒，跌打损伤。

| 用法用量 | 内服煎汤，6 ~ 15 g；或浸酒。外用适量，捣敷；或加热熨。

| 附　　注 | 本种的拉丁学名在 FOC 中被修订为 *Maianthemum japonicum* (A. Gray) LaFrankie。

百合科 Liliaceae 鹿药属 *Smilacina*

窄瓣鹿药 *Smilacina paniculata* (Baker) Wang et Tang

药材名 窄瓣鹿药（药用部位：根及根茎。别名：兵盘七）。

形态特征 植株高 30 ~ 80 cm；根茎近块状或有结节状膨大，直径（2.5 ~ ）7 ~ 16 mm。茎无毛，具 6 ~ 8 叶。叶纸质，卵形、矩圆状披针形或近椭圆形，长 7 ~ 21 cm，宽 2 ~ 7.5 cm，先端渐尖，基部圆形，具短柄，无毛。通常为圆锥花序，稀为总状花序，无毛；花序长 2.5 ~ 11 cm，通常侧枝较长；花单生，淡绿色或稍带紫色；花梗长 2 ~ 12（ ~ 18）mm；花被片仅基部合生，窄披针形，长 2.5 ~ 5 mm；花丝扁平，离生部分稍长于花药或近等长；花柱极短，柱头 3 深裂，子房球形，稍长于花柱。浆果近球形，直径 6 ~ 7 mm，成熟时红色，具 1 ~ 5 种子。花期 5 ~ 6 月，果期 8 ~ 10 月。

生境分布 生于海拔 1 500 ~ 2 000 m 的林下、林缘或草坡。分布于湖南张家界（桑植）、邵阳（新宁）等。

资源情况 野生资源稀少。药材来源于野生。

采收加工 春、秋季采挖，洗净，鲜用或晒干。

功能主治 甘、微苦，温。用于风湿骨痛，神经性头痛，乳腺炎，月经不调，痈疖肿毒，跌打损伤等。

用法用量 内服煎汤，15 ~ 25 g；或浸酒。外用适量，捣敷；或烫热熨患部。

附　　注 本种在 FOC 中被修订为天门冬科 Aaparagaceae 舞筋草属 *Maianthemum* 窄瓣鹿药 *Maianthemum tatsienense* (Franch.) LaFrankie。

百合科 Liliaceae 菝葜属 *Smilax*

弯梗菝葜 *Smilax aberrans* Gagnep.

| 药 材 名 | 弯梗菝葜（药用部位：根茎。别名：金刚根）。

| 形态特征 | 攀缘灌木或半灌木。茎高 0.5 ~ 2 m，枝条稍具槽或钝棱，无刺。叶薄纸质，椭圆形或卵状椭圆形，长 7 ~ 12 cm，宽 2.5 ~ 6.5 cm，先端渐尖，基部近楔形或圆形，下面苍白色，具乳突状短柔毛，网脉上尤多，极少只呈粉尘状粗糙的；叶柄长 1 ~ 1.5 cm，上部常具乳突，基部较宽，具半圆形的膜质鞘，无卷须，脱落点位于上部。伞形花序常生于刚从叶腋抽出的幼枝上（生于其上幼嫩的叶腋或苞片腋部），具几至 20 余花；总花梗长 3 ~ 5 cm；花序托几不膨大；雄花绿黄色或淡紫色；内外花被片相似，长 2 ~ 2.5 mm，宽约 1 mm；雄蕊极短，聚集于花中央。浆果直径 8 ~ 11 mm，果柄下弯。

花期 3 ~ 4 月，果期 12 月。

| 生境分布 | 生于海拔 1 600 m 以下的林中、灌丛下或山谷、溪旁背阴处。分布于湖南郴州（宜章、汝城）、张家界（武陵源）等。

| 资源情况 | 野生资源稀少。药材来源于野生。

| 采收加工 | 秋季采挖，除去泥土，切片，干燥。

| 功能主治 | 甘、微苦，平。利湿去浊，祛风除痹，解毒散瘀。用于小便淋浊，带下量多，风湿痹痛，疔疮痈肿。

| 用法用量 | 内服煎汤，10 ~ 30 g；或浸酒；或入丸、散剂。

百合科 Liliaceae 菝葜属 *Smilax*

尖叶菝葜 *Smilax arisanensis* Hay

药材名 尖叶菝葜（药用部位：根茎。别名：千斤坠）。

形态特征 攀缘灌木。根茎粗短。茎长可达 10 m，无刺或具疏刺。叶纸质，矩圆形、矩圆状披针形或卵状披针形，长 7 ~ 12 cm，宽 1.5 ~ 3.5 cm，先端渐尖或长渐尖，基部圆形，干后常带古铜色；叶柄长 7 ~ 20 mm，常扭曲，约全长的 1/2 具狭鞘，一般具卷须，脱落点位于近先端。伞形花序生于叶腋或披针形苞片的腋部，前者总花梗基部常具 1 与叶柄相对的鳞片；总花梗纤细，较叶柄长 3 ~ 5 倍；花序托几不膨大；花绿白色；雄花内外花被片相似，长 2.5 ~ 3 mm，宽约 1 mm，雄蕊长约为花被片的 2/3；雌花较雄花小，花被片长约 1.5 mm，内花被片较狭，具退化雄蕊 3。浆果直径约 8 mm，成熟时紫黑色。

花期 4 ～ 5 月，果期 10 ～ 11 月。

| 生境分布 | 生于海拔 1 500 m 以下的林中、灌丛下或山谷溪边背阴处。分布于湖南邵阳（绥宁）、怀化（洪江）、株洲（渌口）等。

| 资源情况 | 野生资源稀少。药材来源于野生。

| 采收加工 | 采挖后洗净，切片，晒干。

| 功能主治 | 清热利湿，活血。用于小便淋涩。

| 用法用量 | 内服煎汤。

百合科 Liliaceae 菝葜属 *Smilax*

西南菝葜 *Smilax bockii* Warb.

药材名

西南金刚藤（药用部位：根茎。别名：金刚菜、菝葜）。

形态特征

攀缘灌木。根茎粗短。茎长 2 ～ 5 m，无刺。叶纸质或薄革质，矩圆状披针形、条状披针形至狭卵状披针形，长 7 ～ 15 cm，宽 1 ～ 5 cm，先端长渐尖，基部浅心形至宽楔形；中脉区在上面多少凹陷，主脉 5 ～ 7，最外侧的几与叶缘结合；叶柄长 5 ～ 20 mm，具鞘部分长不及全长的 1/3，具卷须，脱落点位于近先端。伞形花序生于叶腋或苞片腋部，具几花至 10 余花；总花梗纤细，长于叶柄多倍；花序托稍膨大；花紫红色或绿黄色；雄花内外花被片相似，长 2.5 ～ 3 mm，宽约 1 mm；雌花略小于雄花，具退化雄蕊 3。浆果直径 8 ～ 10 mm，成熟时蓝黑色。花期 5 ～ 7 月，果期 10 ～ 11 月。

生境分布

生于海拔 800 ～ 2 000 m 的林下或灌丛中。分布于湖南株洲（攸县）、邵阳（新宁）、张家界（武陵源）、永州（祁阳、双牌）等。

|资源情况| 野生资源较少。药材来源于野生。

|采收加工| 8 ~ 9 月采挖，洗净，切片，晒干。

|药材性状| 本品呈结节状，横走，具短茎基。表面灰黄色至灰褐色，凹凸不平，具不规则皱纹；栓皮脱落处呈深褐色，茎基的栓皮具横裂纹；质硬，断面深黄色。须根多已折断，着生处呈圆锥状隆起，基部直径 1 ~ 3 mm，表面深褐色；质硬，断面黄棕色。气微，味微涩。

|功能主治| 辛，温。祛风除湿，活血祛瘀，解毒散结。用于风湿痹痛，跌打肿痛，疔疮瘰疬。

|用法用量| 内服煎汤，3 ~ 9 g。

|附　　注| 本种的拉丁学名在 FOC 中被修订为 *Smilax biumbellata* T. Koyama。

百合科 Liliaceae 菝葜属 *Smilax*

圆锥菝葜 *Smilax bracteata* Presl

| 药 材 名 | 圆锥菝葜（药用部位：根茎。别名：铁棱角）。

| 形态特征 | 攀缘灌木。茎长可达 10 m，枝条疏生刺或无刺。叶纸质，椭圆形或卵形，长 5 ~ 17 cm，宽 3 ~ 11 cm，先端微凸，基部圆形至浅心形，上面无光泽，下面淡绿色；叶柄长 1 ~ 1.5 cm，约占全长的 2/5 ~ 1/2，具狭鞘，一般有卷须，脱落点位于上部。圆锥花序长 3 ~ 7 cm，着生点上方有一与叶柄相对的鳞片（先出叶），通常具 3 ~ 7 伞形花序；伞形花序具多数花，总花梗基部有 1 卵形小苞片；花序托稍膨大，近球形；花暗红色；雄花外花被片长约 5 mm，宽约 1.3 mm，内花被片宽约 0.5 mm；雌花比雄花小，具 3 短的退化雄蕊。浆果直径约 5 mm，球形。花期 11 月至翌年 2 月，果期 6 ~ 8 月。

生境分布 生于海拔 1 750 m 以下的林中、灌丛下或山坡背阴处。分布于湖南郴州（资兴）等。

资源情况 野生资源稀少。药材来源于野生。

采收加工 秋季采挖，除去泥土，切片，干燥。

功能主治 甘、微苦、涩，平。归肝、肾经。祛风利湿，解毒散瘀。用于关节疼痛，肌肉麻木，泄泻，痢疾，水肿，淋病，疔疮，肿毒，痔疮。

用法用量 内服煎汤，10 ~ 30 g；或浸酒；或入丸、散剂。

百合科 Liliaceae 菝葜属 *Smilax*

菝葜 *Smilax china* L.

药材名

菝葜（药用部位：根茎。别名：金刚藤、金刚刺、大菝葜）、菝葜叶（药用部位：叶）。

形态特征

攀缘灌木。根茎粗厚，坚硬，呈不规则块状，直径 2 ~ 3 cm。茎长 1 ~ 3 m，少数可达 5 m，疏生刺。叶薄革质或坚纸质，干后通常呈红褐色或近古铜色，圆形、卵形或其他形状，长 3 ~ 10 cm，宽 1.5 ~ 6 cm，下面通常淡绿色，较少苍白色；叶柄长 5 ~ 15 mm，全长 1/2 ~ 2/3 的部分具宽 0.5 ~ 1 mm（一侧）的鞘，几乎都有卷须，脱落点位于近卷须处。伞形花序生于叶尚幼嫩的小枝上，常呈球形，具十几朵或更多的花；总花梗长 1 ~ 2 cm；花序托稍膨大，近球形，较少稍延长，具小苞片；花绿黄色，外花被片长 3.5 ~ 4.5 mm，宽 1.5 ~ 2 mm，内花被片稍狭；花药较花丝稍宽，常弯曲；雌花与雄花近等大，具退化雄蕊 6。浆果直径 6 ~ 15 mm，成熟时红色，具粉霜。花期 2 ~ 5 月，果期 9 ~ 11 月。

生境分布

生于海拔 2 000 m 以下的林下、灌丛中、路

旁、河谷或山坡上。湖南各地均有分布。

资源情况 野生资源丰富。药材来源于野生。

采收加工 **菝葜**：秋末至翌年春季采挖，除去须根，洗净，晒干或趁鲜切片，干燥。

菝葜叶：夏、秋季采收，鲜用或晒干。

| 药材性状 |

菝葜：本品呈不规则块状或弯曲扁柱形，具结节状隆起，长 10 ~ 20 cm；表面黄棕色或紫棕色，具圆锥状凸起的茎基痕，并残留坚硬的刺状须根残基或细根；质坚硬，难折断，断面呈棕黄色或红棕色，纤维性，可见点状维管束和多数小亮点。切片不规则，厚 0.3 ~ 1 cm，边缘不整齐，切面粗纤维性；质硬，折断时有粉尘飞扬。气微，味微苦、涩。

菝葜叶：本品呈卵圆形或椭圆形，先端钝圆或略尖，基部浅心形或圆形，干燥后呈红褐色。

| 功能主治 |

菝葜：甘、微苦、涩，平。归肝、肾经。利湿祛浊，祛风除痹，解毒散瘀。用于淋浊带下，风湿痹痛，疔疮痈肿。

菝葜叶：甘，平。祛风，利湿，解毒。用于风肿，疮疖，肿毒，臁疮，烫火伤，蜈蚣咬伤。

| 用法用量 |

菝葜：内服煎汤，10 ~ 15 g。

菝葜叶：内服煎汤，15 ~ 30 g；或浸酒。外用适量，捣敷；或研末调敷；或煎汤洗。

百合科 Liliaceae 菝葜属 *Smilax*

柔毛菝葜 *Smilax chingii* Wang et Tang

| 药 材 名 | 柔毛菝葜（药用部位：根茎。别名：山梨儿）。

| 形态特征 | 攀缘灌木。茎长 1 ~ 7 m，枝条有不明显的纵棱，通常疏生刺。叶革质或厚纸质，卵状椭圆形至矩圆状披针形，长 5 ~ 18 cm，宽 1.5 ~ 7（~ 11）cm，先端渐尖，基部近圆形或钝，下面苍白色且多少具棕色或白色短柔毛；叶柄长 5 ~ 20 mm，约占全长的 1/2，具鞘，少数有卷须，脱落点位于近中部。伞形花序生于叶尚幼嫩的小枝上，具几朵花；总花梗长 5 ~ 30 mm，偶尔有关节；花序托常延长，而使花序多少呈总状，具宿存小苞片；雄花外花被片长约 8 mm，宽 3.5 ~ 4 mm，内花被片稍狭；雌花比雄花略小，具 6 退化雄蕊。浆果直径 10 ~ 14 mm，成熟时红色。花期 3 ~ 4 月，果期 11 ~ 12 月。

| **生境分布** | 生于海拔 700 ~ 1 600 m 的林下、灌丛中或山坡、河谷阴处。分布于湖南邵阳（新宁）等。

| **资源情况** | 野生资源稀少。药材来源于野生。

| **采收加工** | 秋季菝葜叶枯萎之后挖取地下茎，除杂，除去泥土、须根及地上茎叶等非药用部位，将菝葜根茎洗净，切片，干燥。

| **功能主治** | 甘、酸，平。归肝、肾经。祛风利湿，解毒消痈。用于风湿痹痛，淋浊，带下，泄泻，痢疾，痈肿疮毒，顽癣，烫火伤等。

| **用法用量** | 内服煎汤，10 ~ 30 g；或浸酒；或入丸、散剂。

Liliaceae *Smilax*

托柄菝葜 *Smilax discotis* Warb.

| 药 材 名 | 短柄菝葜（药用部位：根茎。别名：土茯苓、金刚豆藤、土萆薢）。

| 形态特征 | 灌木，多少攀缘。茎长 0.5 ~ 3 m，疏生刺或近无刺。叶纸质，通常近椭圆形，长 4 ~ 10 cm，宽 2 ~ 5 cm，基部心形，下面苍白色；叶柄长 3 ~ 5 mm，脱落点位于近先端，有时具卷须；叶鞘与叶柄等长或较叶柄稍长，宽 3 ~ 5 mm（一侧），近半圆形或卵形，多少呈贝壳状。伞形花序生于叶稍幼嫩的小枝上，通常具几朵花；总花梗长 1 ~ 4 cm；花序托稍膨大，有时延长，具小苞片；花绿黄色；雄花外花被片长约 4 mm，宽约 1.8 mm，内花被片宽约 1 mm；雌花较雄花略小，具退化雄蕊 3。浆果直径 6 ~ 8 mm，成熟时黑色，具粉霜。花期 4 ~ 5 月，果期 10 月。

| 生境分布 | 生于海拔 650 ~ 2 000 m 的林下、灌丛中或山坡阴处。分布于湘西北、湘西南、湘南等。

| 资源情况 | 野生资源一般。药材来源于野生。

| 采收加工 | 夏、秋季采挖，洗净，切片，晒干。

| 药材性状 | 本品呈不规则块状，长 5 ~ 15 cm，直径 3 ~ 8 cm。表面红褐色，凹凸不平，具坚硬的须根残基。质坚硬。

| 功能主治 | 辛、微苦，凉。祛风，清热，利湿，凉血止血。用于风湿热痹，足膝肿痛，血淋，崩漏。

| 用法用量 | 内服煎汤，15 ~ 30 g。

百合科 Liliaceae 菝葜属 Smilax

长托菝葜 *Smilax ferox* Wall. ex Kunth

| 药 材 名 | 刺革薢（药用部位：根茎。别名：红革薢、美人扇、龙须叶）。

| 形态特征 | 攀缘灌木。茎长可达 5 m，枝条多少具纵条纹，疏生刺。叶厚革质至坚纸质，椭圆形、卵状椭圆形至矩圆形，变化较大，长 3 ~ 16 cm，宽 1.5 ~ 9 cm，下面通常苍白色，极罕近绿色，干后呈灰绿黄色或暗灰色；主脉 3，稀 5；叶柄长 5 ~ 25 mm，全长 1/2 ~ 3/4 的部分具鞘，通常只有少数叶柄具卷须，脱落点位于鞘上方。伞形花序生于叶尚幼嫩的小枝上，具几花至 10 余花；总花梗长 1 ~ 2.5 cm，稀具关节；花序托常延长而使花序多少呈总状，具多数宿存小苞片；花黄绿色或白色；雄花外花被片长 4 ~ 8 mm，宽 2 ~ 3 mm，内花被片稍狭；雌花较雄花小，花被片长 3 ~ 6 mm，具退化雄蕊 6。浆

果直径 8 ~ 15 mm，成熟时红色。花期 3 ~ 4 月，果期 10 ~ 11 月。

| 生境分布 | 生于海拔 900 ~ 2 000 m 的林下、灌丛中或山坡背阴处。分布于湖南怀化（芷江）、益阳（安化）等。

| 资源情况 | 野生资源稀少。药材来源于野生。

| 采收加工 | 春、秋、冬季采挖，除去茎叶及须根，洗净，切片，晒干。

| 功能主治 | 辛、苦，平。祛风湿，利小便，解疮毒。用于风湿痹痛，淋浊，疮疹瘙痒，臁疮。

| 用法用量 | 内服煎汤，9 ~ 15 g。外用适量，煎汤洗。

百合科 Liliaceae 菝葜属 *Smilax*

土茯苓 *Smilax glabra* Roxb.

| 药材名 | 土茯苓（药用部位：根茎。别名：光叶菝葜）。

| 形态特征 | 攀缘灌木。根茎块状，常由匍匐茎相连，直径 2 ~ 5 cm。茎长达 4 m，无刺。叶薄革质，窄椭圆状披针形，长 6 ~ 15 cm，宽 1 ~ 7 cm，下面常绿色，有时带苍白色；叶柄长 0.5 ~ 1.5 cm，窄鞘长为叶柄的 1/4 ~ 3/5，有卷须，脱落点位于近先端。伞形花序常有 10 余花；花序梗长 1 ~ 5 mm，常短于叶柄；花序梗与叶柄之间有芽；花序托膨大，多少呈莲座状，宽 2 ~ 5 mm；花绿白色，六棱状球形，直径约 3 mm；雄花外花被片近扁圆形，宽约 2 mm，兜状，背面中央具槽，内花被片近圆形，宽约 1 mm，有不规则齿；雄蕊靠合，与内花被片近等长，花丝极短；雌花外形与雄花相似，内花被片全缘，具 3 退化雄蕊。浆果直径 0.7 ~ 1 cm，成熟时紫黑色，具粉霜。花期 7 ~ 11

月，果期 11 月至翌年 4 月。

生境分布 生于海拔 1 800 m 以下的林内、灌丛中、河岸、山谷及林缘。湖南各地均有分布。

资源情况 野生资源丰富。药材来源于野生。

采收加工 全年均可采挖，洗净，浸漂，切片，晒干；或放开水中煮数分钟后，切片，晒干。

药材性状 本品呈近圆柱形或不规则条块状，有结节状隆起，具短分枝；长 5 ~ 22 cm，直径 2 ~ 5 cm。表面黄棕色，凹凸不平，突起尖端有坚硬的须根残基，分枝先端有圆形芽痕，有时外表为不规则裂纹，并有残留鳞叶。质坚硬，难折断。切面类白色至淡红棕色，粉性，中间微见维管束点，并可见沙砾样小亮点。质略韧，折断时有粉尘散出，以水湿润有黏滑感。气微，味淡、涩。以断面淡棕色，粉性足者为佳。

功能主治 甘、淡，平。归肝、肾、脾、胃经。清热除湿，泄浊解毒，通利关节。用于梅毒，淋浊，泄泻，筋骨挛痛，脚气，痈肿，疮癣，瘰疬，瘿瘤，汞中毒。

用法用量 内服煎汤，10 ~ 60 g。外用适量，研末调敷。

百合科 Liliaceae 菝葜属 *Smilax*

黑果菝葜 *Smilax glaucochina* Warb.

| 药 材 名 |

金刚藤头（药用部位：根茎、嫩叶。别名：铁菱角、饭巴坨、冷饭巴）。

| 形态特征 |

攀缘灌木。根茎粗短。茎长 0.5 ～ 4 m，通常疏生刺。叶厚纸质，通常椭圆形，长 5 ～ 8 cm，宽 2.5 ～ 5 cm，先端微凸，基部圆形或宽楔形，下面苍白色，多少可以抹掉；叶柄长 7 ～ 15 mm，约全长一半的部分具鞘，具卷须，脱落点位于上部。伞形花序通常生于叶稍幼嫩的小枝上，具几花至 10 余花；总花梗长 1 ～ 3 cm；花序托稍膨大，具小苞片；花绿黄色；雄花外花被片长 5 ～ 6 mm，宽 2.5 ～ 3 mm，内花被片宽 1 ～ 1.5 mm；雌花与雄花近等大，具退化雄蕊 3。浆果直径 7 ～ 8 mm，成熟时黑色，具粉霜。花期 3 ～ 5 月，果期 10 ～ 11 月。

| 生境分布 |

生于海拔 1 600 m 以下的林下、灌丛中或山坡上。湖南有广泛分布。

| 资源情况 |

野生资源较丰富。药材来源于野生。

| 采收加工 | 根茎，全年均可采收，洗净，切片，晒干。嫩叶，春、夏季采收，鲜用。

| 药材性状 | 本品根茎呈结节状，横向延长，具分枝；表面凹凸不平，灰褐色至深褐色；质硬，断面红棕色，纤维性。根多折断，残基长 6 ~ 20 mm，直径 1 ~ 1.5 mm；表面深褐色，着生处微隆起；质硬，断面中央红棕色。气微，味淡。

| 功能主治 | 甘，平。祛风，清热，利湿，解毒。用于风湿痹痛，腰腿疼痛，跌打损伤，小便淋涩，瘰疬，疮痈肿毒，臁疮。

| 用法用量 | 内服煎汤，15 ~ 30 g；或浸酒。外用适量，捣敷。

百合科 Liliaceae 菝葜属 *Smilax*

粉背菝葜 *Smilax hypoglauca* Benth.

药材名

金刚藤头（药用部位：根茎、嫩叶。别名：铁菱角、饭巴坨、冷饭巴）。

形态特征

攀缘灌木。茎长 3 ~ 9 m，枝条有时稍带四棱形，无刺。叶革质，卵状矩圆形、卵形至狭椭圆形，长 5 ~ 14 cm，宽 2 ~ 4.5 cm，先端短渐尖，基部近圆形，边缘多少下弯，下面苍白色；主脉 5，网脉在上面明显；叶柄长 8 ~ 14 mm，脱落点位于近先端，枝条基部的叶柄一般具卷须，叶鞘占叶柄全长的一半，并向前（与叶柄近并行的方向）延伸成 1 对耳，耳披针形，长 2 ~ 4 mm。伞形花序腋生，具 10 ~ 20 花；总花梗很短，长 1 ~ 5 mm，通常不及叶柄长度的一半；花序托膨大，具多数宿存的小苞片；花绿黄色；花被片直立，不展开；雄花外花被片呈舟状，长 2.5 ~ 3 mm，宽约 2 mm，内花被片稍短，宽约 1 mm，肥厚，背面稍凹陷，花丝很短，靠合成柱；雌花与雄花近等大，内花被片较薄，具退化雄蕊 3。浆果直径 8 ~ 10 mm。花期 7 ~ 8 月，果期 12 月。

| 生境分布 | 生于海拔 1 300 m 以下的疏林中或灌丛边缘。分布于湖南衡阳（祁东）、邵阳（新宁、武冈）、永州（祁阳）、株洲（天元）等。

| 资源情况 | 野生资源较少。药材来源于野生。

| 采收加工 | 根茎，全年均可采收，洗净，切片，晒干。嫩叶，春、夏季采收，鲜用。

| 药材性状 | 本品根茎横向延长，呈结节状；表面灰棕色，具茎痕或直径 1 cm 的短茎基。质硬，断面黄棕色。气微，味淡。

| 功能主治 | 甘，平。祛风，清热，利湿，解毒。用于风湿痹痛，腰腿疼痛，跌打损伤，小便淋涩，瘰疬，疮痈肿毒，臁疮。

| 用法用量 | 内服煎汤，15 ~ 30 g；或浸酒。外用适量，捣敷。

百合科 Liliaceae 菝葜属 *Smilax*

暗色菝葜 *Smilax lanceifolia* Roxb. var. *opaca* A. DC.

| 药 材 名 | 土茯苓（药用部位：根茎。别名：白茯苓）。

| 形态特征 | 攀缘灌木。茎长 1 ~ 2 m，枝条具细条纹，无刺或稀具疏刺。叶通常革质，表面有光泽；叶柄长 1 ~ 2 cm，全长 1/5 ~ 1/4 的部分具狭鞘，一般具卷须，脱落点位于近中部。伞形花序通常单个生于叶腋，具几十花，极少 2 伞形花序生于一个共同的总花梗上；总花梗一般较叶柄长，稀较叶柄稍短；花序托稍膨大，果期近球形；花黄绿色；雄花外花被片长 4 ~ 5 mm，宽约 1 mm，内花被片稍狭，雄蕊与花被片近等长或较花被片稍长，花药近矩圆形；雌花较雄花小一半，具退化雄蕊 6。浆果成熟时黑色。花期 9 ~ 11 月，果期翌年 11 月。

| 生境分布 | 生于海拔 100 ~ 1 000 m 的林下、灌丛中或山坡阴处。分布于湘南、

湘中、湘东等。

资源情况 野生资源较少。药材来源于野生。

采收加工 夏、秋季采挖，除去须根，洗净，干燥；或趁鲜切薄片，干燥。

药材性状 本品略呈圆柱形，稍扁或呈不规则条块状，具结节状隆起，具短分枝，长 5 ~ 22 cm，直径 2 ~ 5 cm；表面黄棕色或灰褐色，凹凸不平，具坚硬的须根残基，分枝先端具圆形芽痕，有的外皮具不规则裂纹，并具残留的鳞叶；质坚硬。切片呈长圆形或不规则形状，厚 1 ~ 5 mm，边缘不整齐；切面类白色至淡红棕色，粉性，可见点状维管束及多数小亮点；质略韧，折断时有粉尘飞扬，以水湿润后有黏滑感。气微，味微甘、涩。

功能主治 甘、淡，平。归肝、胃经。解毒，除湿，通利关节。用于梅毒及汞中毒所致的肢体拘挛、筋骨疼痛，湿热淋浊，带下，痈肿，瘰疬，疥癣。

用法用量 内服煎汤，10 ~ 60 g。外用适量，研末调敷。

百合科 Liliaceae 菝葜属 *Smilax*

大果菝葜 *Smilax megacarpa* Bl.

| 药 材 名 | 大果菝葜（药用部位：根茎。别名：金刚藤）。

| 形态特征 | 攀缘灌木。茎长达 10 m，枝条常无刺。叶纸质，干后有时淡黑色，卵形或椭圆形，长 10 ～ 20 cm；叶柄长 1.5 ～ 5 cm，窄鞘长为叶柄的 1/3 ～ 1/2，常有卷须，脱落点位于上部。圆锥花序长 3 ～ 6（～ 10）cm，着生点上方有一与叶柄相对的鳞片（先出叶），常具 2 伞形花序，稀 3 或单；花序梗长 1.5 ～ 3.5 cm；花序托稍膨大；雄花绿黄色；外花被片长 6 ～ 7 mm，宽约 1.5 mm，内花被片宽约 0.6 mm。浆果直径 1.2 ～ 2 cm，成熟时深红色。花期 10 ～ 12 月，果期翌年 5 ～ 6 月。

| 生境分布 | 生于海拔 1 500 m 以下的林中、灌丛下或山坡背阴处。分布于湖南

衡阳（衡山、南岳）等。

|资源情况| 野生资源稀少。药材来源于野生。

|采收加工| 秋末至翌年春季采挖，除去须根及泥沙，洗净，切片或切块，晒干。

|功能主治| 甘、酸，平；归肝、肾经。祛风湿，利小便，消肿毒。

|用法用量| 内服煎汤，15 ~ 25 g，大剂量 50 ~ 150 g；或浸酒；或入丸、散剂。外用适量，煎汤熏洗。

|附　　注| 本种在 FOC 中被修订为菝葜科 Smilacaceae 菝葜属 *Smilax* 大果菝葜 *Smilax megacarpa* A. DC.。

百合科 Liliaceae 菝葜属 *Smilax*

小叶菝葜 *Smilax microphylla* C. H. Wright

| 药 材 名 | 刺瓜米草（药用部位：根。别名：刺梭罗、乌鱼刺）。

| 形态特征 | 攀缘灌木。茎长 1 ~ 5 m，枝条多少具刺。叶革质，披针形、卵状披针形或近条状披针形；叶柄长 0.5 ~ 1.5 cm，占全长 1/2 ~ 2/3 的部分具狭鞘，一般具卷须，脱落点位于近先端。伞形花序具几朵或更多的花；总花梗稍扁或近圆柱形，宽约 0.5 mm，常稍粗糙，明显短于叶柄；花序托膨大，连同多枚宿存的小苞片多少呈莲座状；花淡绿色；雄花外花被片长 2 ~ 2.5 mm，宽约 1 mm，内花被片稍狭而短；雌花较雄花稍小，具退化雄蕊 3。浆果直径 5 ~ 7 mm，成熟时蓝黑色。花期 6 ~ 8 月，果期 10 ~ 11 月。

生境分布 生于海拔 500 ~ 1 600 m 的林下、灌丛中或山坡阴处。分布于湘西北等。

资源情况 野生资源一般。药材来源于野生。

采收加工 全年均可采挖，洗净，切片，晒干。

功能主治 苦、辛，凉。祛风，清热，利湿。用于风湿热痹，小便赤涩，带下，疮疖。

用法用量 内服煎汤，6 ~ 15 g。

百合科 Liliaceae 菝葜属 *Smilax*

黑叶菝葜 *Smilax nigrescens* Wang et Tang ex P. Y. Li

| 药 材 名 | 铁丝灵仙（药用部位：根及根茎。别名：铁丝根、铁杆威灵仙、铁脚威灵仙）。

| 形态特征 | 攀缘灌木。茎长达 2 m，枝条多少具棱，疏生刺或近无刺。叶纸质，通常卵状披针形或卵形，下面通常苍白色，稀淡绿色，长 3.5 ~ 9.5 cm，宽 1.5 ~ 5 cm，先端渐尖，基部近圆形至浅心形，干后近黑色；叶柄长 6 ~ 12 mm，占全长 1/2 ~ 2/3 的部分具狭鞘，一般具卷须，脱落点位于近先端。伞形花序具几花至 10 余花；总花梗长 8 ~ 15 mm，较叶柄长；花序托稍膨大，具卵形宿存小苞片；花绿黄色，内、外轮花被片相似，长约 2.5 mm，宽约 1 mm；雌花与雄花近等大，具退化雄蕊 6。浆果直径 6 ~ 8 mm，成熟时蓝黑色。

花期 4 ~ 6 月，果期 9 ~ 10 月。

| 生境分布 | 生于海拔 900 ~ 2 000 m 的林下、灌丛中或山坡阴处。分布于湖南怀化（中方）等。

| 资源情况 | 野生资源稀少。药材来源于野生。

| 采收加工 | 夏、秋季采挖，除去茎叶，洗净，捆成小把，晒干或鲜用。

| 功能主治 | 辛、微苦，平。祛风除湿，活血通络，解毒散结。用于风湿痹痛，关节不利，疮疖，肿毒，瘰疬。

| 用法用量 | 内服煎汤，6 ~ 9 g，大剂量可用 15 ~ 30 g；或入丸、散剂；或浸酒。外用适量，捣敷；或研末调敷；或煎汤洗。

百合科 Liliaceae 菝葜属 *Smilax*

白背牛尾菜 *Smilax nipponica* Miq.

药材名

牛尾伸筋（药用部位：根及根茎。别名：大伸筋、百部伸筋、水摇竹）。

形态特征

一年生（北方）或多年生（南方）草本，直立或稍攀缘。具根茎。茎长 20 ~ 100 cm，中空，具少量髓，干后凹瘪而具槽，无刺。叶卵形至矩圆形，长 4 ~ 20 cm，宽 2 ~ 14 cm，先端渐尖，基部浅心形至近圆形，下面苍白色，通常具粉尘状微柔毛，稀无毛；叶柄长 1.5 ~ 4.5 cm，脱落点位于上部，如有卷须则位于基部至近中部。伞形花序通常具几十花；总花梗长 3 ~ 9 cm，稍扁，有时很粗壮；花序托膨大，小苞片极小，早落；花绿黄色或白色，盛开时花被片外折；花被片长约 4 mm，内、外轮花被片相似；花丝明显长于花药；雌花与雄花近等大，具退化雄蕊 6。浆果直径 6 ~ 7 mm，成熟时黑色，具白色粉霜。花期 4 ~ 5 月，果期 8 ~ 9 月。

生境分布

生于海拔 200 ~ 1 400 m 的林下、水旁或山坡草丛中。湖南各地均有分布。

| 资源情况 | 野生资源丰富。药材来源于野生。

| 采收加工 | 6 ~ 8 月采挖，洗净，晾干。

| 药材性状 | 本品根茎呈结节状，略弯曲，下侧着生多数细根。根长 12 ~ 32 cm，直径 1 ~ 3 mm；表面黄白色或黄棕色，具细皱纹。质韧，不易折断，断面白色，中央具黄色木心。气微，味微苦，有黏性。

| 功能主治 | 苦，平。壮筋骨，利关节，活血止痛。用于腰腿疼痛，屈伸不利，月经不调，跌打损伤。

| 用法用量 | 内服煎汤，6 ~ 12 g；或浸酒。

百合科 Liliaceae 菝葜属 *Smilax*

抱茎菝葜 *Smilax ocreata* A. DC.

| 药 材 名 | 抱茎菝葜（药用部位：根及根茎）。

| 形态特征 | 攀缘灌木。茎长达 7 m，常疏生刺。叶革质，卵形或椭圆形，长 9 ~ 20 cm；叶柄长 2 ~ 3.5 cm，基部两侧具耳状鞘，有卷须，脱落点位于近中部，鞘穿茎状抱茎或枝，鞘外折或近直立，长约为叶柄的 1/3 ~ 1/2，一侧宽 0.5 ~ 2 cm。圆锥花序长 4 ~ 10 cm，具 2 ~ 4（~ 7）伞形花序，基部着生点的上方有一与叶柄相对的鳞片（先出叶）；伞形花序单生，有 10 ~ 30 花；花序梗长 2 ~ 3 cm，基部有苞片；花序托近球形；花黄绿色，稍带淡红色：雄花外花被片线形，长 5 ~ 6 mm，宽约 1 mm，内花被片丝状，宽约 0.5 mm；雄蕊长 0.6 ~ 1 cm，花丝下部约 1/4 合成柱状，花药窄卵形，长 1 ~

1.5 mm；雌花与雄花近等大，外花被片比内花被片宽 3 ～ 4 倍，无退化雄蕊。浆果直径约 8 mm，成熟时暗红色，具粉霜。花期 3 ～ 6 月，果期 7 ～ 10 月。

| 生境分布 | 生于林中、灌丛下或阴湿的坡地、山谷中。分布于湖南郴州（桂东）、湘西州（龙山）等。

| 资源情况 | 野生资源稀少。药材来源于野生。

| 药材性状 | 本品根茎呈不规则圆柱形，略弯，表面黑褐色，下侧着生多数细根。根长 30 ～ 80 cm，直径 1 ～ 2 mm，弯曲，表面灰褐色或灰棕色，有少数须根及细刺，刺尖微曲，触之刺手。质坚韧，有弹性，不易折断。切面灰白色或黄白色，外侧有浅棕色环纹，内有 1 圈小孔（导管）。气无，味淡。

| 功能主治 | 辛、微苦，平。祛风除湿，活血通络，解毒散结。用于风湿痹痛，关节不利，疮疖，肿毒，瘰疬。

| 用法用量 | 内服煎汤，6 ～ 9 g，大剂量可用 15 ～ 30 g；或入丸、散剂；或浸酒。外用适量，捣敷，或研末调敷；或煎汤洗。

百合科 Liliaceae 菝葜属 *Smilax*

牛尾菜 *Smilax riparia* A. DC.

药材名

牛尾伸筋（药用部位：根及根茎。别名：大伸筋、大伸筋草、马尾伸筋）。

形态特征

多年生草质藤本。茎长 1 ~ 2 m，中空，具少量髓，干后凹瘪并具槽。叶形变化较大，长 7 ~ 15 cm，宽 2.5 ~ 11 cm，下面绿色，无毛；叶柄长 7 ~ 20 mm，通常中部以下具卷须。伞形花序；总花梗较纤细，长 3 ~ 5 cm；小苞片长 1 ~ 2 mm，花期一般不落；雌花较雄花略小，不具或具钻形退化雄蕊。浆果直径 7 ~ 9 mm。花期 6 ~ 7 月，果期 10 月。

生境分布

生于海拔 1 600 m 以下的林下、灌丛、山沟或山坡草丛中。湖南各地均有分布。

资源情况

野生资源丰富。药材来源于野生。

采收加工

夏、秋季采挖，洗净，晾干。

| 药材性状 | 本品根茎呈不规则结节状，横走，具分枝；表面黄棕色至棕褐色，每节具凹陷的茎痕或短而坚硬的残基。根着生于根茎一侧，圆柱形，细长而扭曲，长20 ~ 30 cm，直径约 2 mm，少数具细小支根；表面灰黄色至浅褐色，具细纵纹和横裂纹，皮部常横裂露出木部。质韧，断面中央具黄色木心。气微，味微苦、涩。以根多而长、质韧者为佳。

| 功能主治 | 甘、苦，平。祛风湿，通经络，祛痰止咳。用于风湿痹痛，劳伤腰痛，跌打损伤，咳嗽气喘。

| 用法用量 | 内服煎汤，9 ~ 15 g，大剂量可用 30 ~ 60 g；或浸酒；或炖肉。外用适量，捣敷。

百合科 Liliaceae 菝葜属 *Smilax*

尖叶牛尾菜 *Smilax riparia* A. DC. var. *acuminata* (C. H. Wright) F. T. Wang et T. Tang.

| 药 材 名 | 牛尾伸筋（药用部位：根及根茎）。

| 形态特征 | 本种与牛尾菜 *Smilax riparia* A. DC. 的主要区别在于本种叶下面的叶脉上具乳突状微柔毛，通常叶的先端长渐尖或近尾状；雌花具 6 钻形退化雄蕊。

| 生境分布 | 生于海拔 1 600 m 以下的林下、灌丛、山沟或山坡草丛中。湖南各地均有分布。

| 资源情况 | 野生资源一般。药材来源于野生。

| 采收加工 | 夏、秋季采挖，洗净，晾干。

功能主治 甘、微苦，平。归肝、肺经。祛风湿，通经络，祛痰止咳。用于风湿痹痛，劳伤腰痛，跌打损伤，咳嗽气喘。

用法用量 内服煎汤，9 ~ 15 g，大剂量可用 30 ~ 60 g；或浸酒；或炖肉。外用适量，捣敷。

百合科 Liliaceae 菝葜属 *Smilax*

短梗菝葜 *Smilax scobinicaulis* C. H. Wright.

药材名 金刚刺（药用部位：根茎）。

形态特征 多年生攀缘灌木。茎和枝条通常疏生刺或近无刺；刺针状，长 4 ~ 5 mm，稍黑色，茎上的刺有时较粗短。叶革质，卵形或椭圆状卵形，干后有时变为黑褐色，长 4 ~ 12.5 cm，宽 2.5 ~ 8 cm，基部钝或浅心形；叶柄长 5 ~ 15 mm。总花梗很短，一般长不到叶柄的一半；雌花具 3 退化雄蕊。浆果直径 6 ~ 9 mm。花期 5 月，果期 10 月。

生境分布 生于低山灌丛或山谷沟岸。分布于湖南衡阳（衡山）、邵阳（洞口、绥宁、武冈）、常德（石门）、张家界（慈利、桑植）、郴州、永州（宁远）、怀化（沅陵、芷江）、湘西州（吉首、凤凰、花垣、保靖、古丈、永顺、龙山）等。

资源情况 野生资源一般。药材来源于野生。

功能主治 苦、辛，平。祛风湿，活血，解毒，镇惊息风，抗肿瘤。用于风湿腰腿痛，小儿惊风，肠炎；外用于疮疖，瘰疬，恶性肿瘤。

百合科 Liliaceae 菝葜属 *Smilax*

华东菝葜 *Smilax sieboldii* Miq.

| 药 材 名 | 华东菝葜（药用部位：根及根茎。别名：钻鱼须）。

| 形态特征 | 攀缘灌木或半灌木，具粗短的根茎。茎长 1 ~ 2 m，小枝常带草质，干后稍凹瘪，一般有刺；刺多半细长，针状，稍黑色，较少例外。叶草质，卵形，长 3 ~ 9 cm，宽 2 ~ 5（~ 8）cm，先端长渐尖，基部常截形；叶柄长 1 ~ 2 cm，约一半具狭鞘，有卷须，脱落点位于上部。伞形花序具几花；总花梗纤细，长 1 ~ 2.5 cm，通常长于叶柄或近等长；花序托几不膨大；花绿黄色；雄花花被片长 4 ~ 5 mm，内 3 比外 3 稍狭；雄蕊稍短于花被片，花丝比花药长；雌花小于雄花，具 6 退化雄蕊。浆果直径 6 ~ 7 mm，成熟时蓝黑色。花期 5 ~ 6 月，果期 10 月。

| 生境分布 | 生于海拔 800 ~ 1 800 m 的林下、灌丛中或山坡草丛。分布于湖南邵阳（绥宁）、湘西州（古丈）等。

| 资源情况 | 野生资源较少。药材来源于野生。

| 采收加工 | 春、秋季采挖，除去茎叶，洗净，捆成小把，晒干或鲜用。

| 药材性状 | 本品根茎呈不规则圆柱形，略弯，表面黑褐色，下侧着生多数细根。根长 30 ~ 80 cm，直径 1 ~ 2 mm，弯曲，表面灰褐色或灰棕色，有少数须根及细刺，刺尖微曲，触之刺手。质坚韧，有弹性，不易折断。切面灰白色或黄白色，外侧有浅棕色环纹，内有 1 小孔（导管）。气无，味淡。

| 功能主治 | 辛、微苦，平。祛风除湿，活血通络，解毒散结。用于风湿痹痛，关节不利，疮疖，肿毒，瘰疬。

| 用法用量 | 内服煎汤，6 ~ 9 g，大剂量可用 15 ~ 30 g；或入丸、散剂；或浸酒。外用适量，捣敷；或研末调敷；或煎汤洗。

百合科 Liliaceae 菝葜属 *Smilax*

鞘柄菝葜 *Smilax stans* Maxim.

| 药 材 名 | 鞘菝葜（药用部位：根茎）。

| 形态特征 | 多年生落叶灌木或半灌木，直立或披散。茎和枝条稍具棱，无刺。叶纸质，卵形、卵状披针形或近圆形，长 1.5 ~ 4（~ 6）cm，宽 1.2 ~ 3.5（~ 5）cm，下面稍苍白色或有时有粉尘状物；叶柄长 5 ~ 12 mm，向基部渐宽成鞘状，背面有多条纵槽，无卷须，脱落点位于近先端。花序具 1 ~ 3 花或更多；总花梗纤细，比叶柄长 3 ~ 5 倍；花序托不膨大；花绿黄色，有时淡红色；雄花外花被片长 2.5 ~ 3 mm，宽 1 mm，内花被片稍狭；雌花比雄花略小，具 6 退化雄蕊，退化雄蕊有时具不育花药。浆果直径 6 ~ 10 mm，成熟时黑色，具粉霜。花期 5 ~ 6 月，果期 10 月。

生境分布 生于海拔 400 ~ 1 200 m 的林下、灌丛中或山坡阴处。分布于湖南邵阳（邵东、隆回）、张家界（桑植）、郴州（宜章）、怀化（靖州）、湘西州（永顺）等。

资源情况 野生资源一般。药材来源于野生。

功能主治 辛、咸，温。祛风除湿，活血顺气，止痛。用于风湿痹痛；外用于跌打损伤，外伤出血，鱼骨鲠喉。

用法用量 内服煎汤，6 ~ 9 g。外用适量，研末撒。

百合科 Liliaceae 岩菖蒲属 *Tofieldia*

岩菖蒲 *Tofieldia thibetica* Franch.

| 药 材 名 |

岩菖蒲（药用部位：根茎）。

| 形态特征 |

多年生草本，高 20 ~ 52 cm。根茎粗如手指，长 20 ~ 30 cm，紫红色，节间短，每节宿存扩大成鞘的叶柄基部残余物，干后呈黑褐色。叶基生，厚革质，倒卵形或长椭圆形，长 7 ~ 15 cm，宽 3.5 ~ 10 cm，先端钝圆，基部楔形，全缘或具小齿，上面红绿色，有光泽，下面淡赤红色，被褐色绵毛，两面均具小腺窝；叶柄长 2 ~ 8 cm，基部具托叶鞘。蝎尾状聚伞花序，分枝；花梗被长柄腺毛；花 6 ~ 7，常下垂；托杯外面被长柄腺毛；花萼呈宽钟形，中部以上 5 裂，裂片长椭圆形，先端钝，表面和边缘无毛，背面密被长柄腺毛；花瓣 5，紫红色或暗紫色，宽倒卵形，长 1.5 ~ 1.8 cm，先端钝或微凹，基部变狭成爪；雄蕊 10；雌蕊由 2 心皮组成，离生，花柱长，柱头头状，2 浅裂。蒴果直立；种子多数。花期 4 ~ 5 月，果期 5 ~ 6 月。

| 生境分布 |

生于杂木林内阴湿处、有岩石的草坡上或石缝中。分布于湖南湘西州（吉首）等。

资源情况 野生资源稀少。药材来源于野生。

采收加工 全年均可采挖，除去叶鞘及须根，晒干。

药材性状 本品呈圆柱形，有时可见分枝，长约 17 cm，直径 0.5 ~ 1.5 cm。表面黑褐色，具密集而隆起的环节，节间长 6 ~ 11 mm，节上残存褐色鳞片、皱缩条纹及凹点状或凸起的根痕，除去外皮后呈浅棕色至棕褐色。质坚而脆，易折断，断面灰白色，粉性，近边缘环列类白色点状维管束。气微，味苦、涩。以根茎粗壮者为佳。

功能主治 利尿，滋阴，补虚，解毒。用于水肿，头晕，耳鸣，月经不调，胃痛，小儿泄泻，营养不良，狂犬咬伤。

用法用量 内服煎汤，3 ~ 6 g。外用适量，研末撒或调敷。

百合科 Liliaceae 油点草属 *Tricyrtis*

油点草 *Tricyrtis macropoda* Miq.

| 药材名 | 红酸七（药用部位：全草或根。别名：白七、牛尾参、水扬罗）。

| 形态特征 | 多年生草本，高可达 1 m。茎上部具疏或密的短糙毛。叶卵状椭圆形、矩圆形至矩圆状披针形，长 8 ~ 16 cm，宽 6 ~ 9 cm，先端渐尖或急尖，两面疏被短糙伏毛，基部心形抱茎或圆形而近无柄，边缘被短糙毛。二歧聚伞花序顶生或生于上部叶腋，花序轴和花梗被淡褐色短糙毛，并间被细腺毛；花梗长 1.4 ~ 2.5 cm；苞片很小；花疏散；花被片绿白色或白色，内面具多数紫红色斑点，呈卵状椭圆形至披针形，长 1.5 ~ 2 cm，开放后自中下部向下反折，外轮花被片 3 较内轮花被片宽，在基部向下延伸成囊状；雄蕊近等长于花被片，花丝中上部向外弯垂，具紫色斑点；柱头 3 裂，稍高于雄蕊或与雄蕊

近等高，裂片长 1 ~ 1.5 cm，每裂片上端又 2 深裂，小裂片长约 5 mm，密被腺毛。蒴果直立，长 2 ~ 3 cm。花果期 6 ~ 10 月。

| 生境分布 | 生于海拔 800 ~ 2 000 m 的山地林下、草丛中或岩石缝隙中。湖南各地均有分布。

| 资源情况 | 野生资源丰富。药材来源于野生。

| 采收加工 | 夏、秋季采挖，洗净，晒干。

| 药材性状 | 本品根茎短小，呈圆形或椭圆形，着生须根，须根稍扭曲。表面呈淡黄色。质脆，易折断。

| 功能主治 | 甘，平。补肺止咳。用于肺虚咳嗽。

| 用法用量 | 内服煎汤，9 ~ 15 g。

百合科 Liliaceae 油点草属 *Tricyrtis*

黄花油点草 *Tricyrtis maculata* (D. Don) Machride

| 药 材 名 | 黄花油点草（药用部位：全草。别名：立竹根、山黄瓜、黄瓜菜）。

| 形态特征 | 多年生草本，高可达 1 m。茎上部具疏或密的短糙毛。叶卵状椭圆形、矩圆形至矩圆状披针形，长 8 ~ 16 cm，宽 6 ~ 9 cm，先端渐尖或急尖，两面疏被短糙伏毛，基部心形抱茎或呈圆形而近无柄，边缘被短糙毛。二歧聚伞花序顶生或生于上部叶腋，花序轴和花梗被淡褐色短糙毛，并间被细腺毛，梗长 1.4 ~ 2.5 cm；苞片很小；花疏散，通常黄绿色；花被片向上斜展或近水平伸展，不向下反折，外轮花被片 3，较内轮花被片宽，在基部向下延伸成囊状；雄蕊近等长于花被片，花丝中上部向外弯垂，具紫色斑点；柱头 3 裂，稍高于雄蕊或与雄蕊近等高，裂片长 1 ~ 1.5 cm，每裂片上端又 2 深裂，小裂片长约 5 mm，密被腺毛。蒴果直立，长 2 ~ 3 cm。花果期 7 ~ 9 月。

| 生境分布 | 生于海拔 280 ~ 2 000 m 的山坡林下或路旁。分布于湖南衡阳（南岳）、邵阳（城步）、常德（石门）、张家界（桑植）、怀化（新晃、芷江、洪江）、湘西州（保靖、永顺）等。

| 资源情况 | 野生资源丰富。药材来源于野生。

| 采收加工 | 夏、秋季采挖，洗净，晒干。

| 药材性状 | 本品长可达 1 m，茎上部具糙毛。叶卵状椭圆形，两面及边缘具短糙毛。二歧聚伞花序，花疏散。

| 功能主治 | 甘，微寒。清热除烦，活血消肿。用于胃热口渴，烦躁不安，劳伤，水肿。

| 用法用量 | 内服煎汤，9 ~ 15 g；或用酒磨汁。

| 附　　注 | 本种的拉丁学名在 FOC 中被修订为 *Tricyrtis pilosa* Wallich。

百合科 Liliaceae 郁金香属 *Tulipa*

郁金香 *Tulipa gesneriana* L.

| 药 材 名 | 郁金香（药用部位：花。别名：郁金）。

| 形态特征 | 鳞茎皮纸质，内面先端和基部有少数伏毛。叶 3 ~ 5，条状披针形至卵状披针形。花单顶生，大型而艳丽；花被片红色或杂有白色和黄色，长 5 ~ 7 cm，宽 2 ~ 4 cm。6 雄蕊等长，花丝无毛；无花柱，柱头增大成鸡冠状。花期 4 ~ 5 月。

| 生境分布 | 栽培于庭院、公园。湖南各地均有栽培。

| 资源情况 | 栽培资源较丰富。药材来源于栽培。

| 采收加工 | 春季开花期采摘，鲜用或晒干。

| 功能主治 | 苦、辛，平。化湿辟秽。用于脾胃湿浊，胸脘满闷，呕逆腹痛，口臭苔腻。

| 用法用量 | 内服煎汤，3 ~ 5 g。外用适量，泡水漱口。

百合科 Liliaceae 开口箭属 *Tupistra*

开口箭 *Tupistra chinensis* Baker

| 药 材 名 | 开口箭（药用部位：根茎。别名：牛尾七、岩七、竹根七）。

| 形态特征 | 多年生草本。根茎长圆柱形，直径 1 ~ 1.5 cm，多节，绿色至黄色。基生叶 4 ~ 8，近革质或纸质，呈倒披针形、条状披针形、条形或矩圆状披针形，长 15 ~ 65 cm，宽 1.5 ~ 9.5 cm，先端渐尖，基部渐狭；鞘叶 2，披针形或矩圆形，长 2.5 ~ 10 cm。穗状花序直立，稀弯曲，密花，长 2.5 ~ 9 cm；总花梗短，长 1 ~ 6 cm；苞片绿色，卵状披针形至披针形，每花具 1 苞片，另有少数无花的苞片在花序先端聚生成丛；花短钟状，长 5 ~ 7 mm；花被筒长 2 ~ 2.5 mm，裂片卵形，先端渐尖，长 3 ~ 5 mm，宽 2 ~ 4 mm，肉质，黄色或黄绿色；花丝长 1 ~ 2 mm，内弯，基部扩大，扩大部分有的贴生于

花被片上，有的加厚，肉质，边缘不贴生于花被片上，有的彼此连合，上部分离，花药卵形；子房近球形，直径 2.5 mm，花柱不明显，柱头呈钝三棱形，先端 3 裂。浆果球形，成熟时紫红色，直径 8 ～ 10 mm。花期 4 ～ 6 月，果期 9 ～ 11 月。

| 生境分布 | 生于海拔 1 000 ～ 2 000 m 的林下阴湿处、溪边或路旁。分布于湘西北、湘西南、湘南、湘中、湘东等。

| 资源情况 | 野生资源一般。药材来源于野生。

| 采收加工 | 全年均可采收，除去叶及须根，洗净，鲜用或切片晒干。

| 药材性状 | 本品呈扁圆柱形，略扭曲，长 10 ～ 15 cm，直径约 1 cm，节明显，略膨大，节处具芽及膜质鳞片状叶，节间短。表面黄棕色至黄绿色，具皱纹。断面淡黄白色，细颗粒状。气微，味苦、涩。

| 功能主治 | 苦、辛，寒；有毒。清热解毒，祛风除湿，散瘀止痛。用于白喉，咽喉肿痛，风湿痹痛，跌打损伤，胃痛，疮痈肿毒，毒蛇咬伤，狂犬咬伤。

| 用法用量 | 内服煎汤，1.5 ～ 3 g；或研末，0.6 ～ 0.9 g。外用适量，捣敷。孕妇禁服。

百合科 Liliaceae 藜芦属 *Veratrum*

毛叶藜芦 *Veratrum grandiflorum* (Maxim.) Loes. f.

| 药 材 名 |

毛叶藜芦（药用部位：根及根茎）。

| 形态特征 |

多年生草本。高达 1.5 m，基部具无网眼的纤维束。叶宽椭圆形或长圆状披针形，下面的叶较大，长可达 26 cm，先端钝圆或渐尖，无柄，基部抱茎，下面密被褐色或淡灰色短柔毛。圆锥花序塔状，侧生总状花序直立或斜升，顶生总状花序较侧生的长；花大，密集，绿白色；花被片宽长圆形或椭圆形，先端钝，基部稍具爪，边缘啮蚀状，外花被片背面尤其中下部密被短柔毛；花梗短于小苞片，密被短柔毛或几无毛；雄蕊长约为花被片的 3/5；子房密被短柔毛。蒴果直立。

| 生境分布 |

生于海拔 1 200 m 以上的山坡林下或湿生草丛中。分布于湖南长沙（浏阳）等。

| 资源情况 |

野生资源稀少。药材来源于野生。

功能主治 涌吐风痰，杀虫。用于中风痰壅，风痫癫疾，黄疸，久疟，泻痢，头痛，喉痹，鼻息疥癣，恶疮，毒蛇咬伤。

百合科 Liliaceae 藜芦属 *Veratrum*

牯岭藜芦 *Veratrum schindleri* Loes. f.

药材名

藜芦（药用部位：根及根茎。别名：黑紫藜芦、黑藜芦、山葱）。

形态特征

多年生草本，高约 1 m。茎基部具棕褐色带网眼的纤维网。叶在茎下部的呈宽椭圆形，有时呈狭矩圆形，长约 30 cm，宽 5 ~ 10 cm，两面无毛，先端渐尖，基部收狭为柄；叶柄通常长 5 ~ 10 cm。圆锥花序长而扩展，具多数近等长的侧生总状花序；总轴和枝轴被灰白色绵毛；花被片伸展或反折，淡黄绿色、绿白色或褐色，近椭圆形或倒卵状椭圆形，长 6 ~ 8 mm，宽 2 ~ 3 mm，先端钝，基部无柄，全缘，外花被片背面多少在基部被毛；小苞片较花梗短或与花梗近等长，背面被绵毛；生于侧生花序上的花梗长 6 ~ 8 mm；雄蕊长为花被片的 2/3；子房卵状矩圆形。蒴果直立，长 1.5 ~ 2 cm，宽约 1 cm。花果期 6 ~ 10 月。

生境分布

生于海拔 700 ~ 1 350 m 的山坡林下阴湿处。分布于湖南衡阳（南岳）、邵阳（绥宁、新宁）、岳阳（平江）、常德（石门）、张家界

（桑植、永定）、郴州（宜章、北湖、苏仙、桂阳、临武）、怀化（沅陵）等。

资源情况 野生资源一般。药材来源于野生。

采收加工 5 ~ 6 月未抽花茎前采挖，除去叶，晒干或烘干。

药材性状 本品根茎呈圆柱形，长 1 ~ 1.7 cm，表面棕黄色，先端残留叶柄残基及黑色纤维，下部着生 10 ~ 20 细根。根圆柱形，长短不等，直径约 0.2 cm，微弯曲，表面暗褐色，具皱缩条纹。质坚脆，断面黄白色。味苦、涩。

功能主治 苦、辛，寒；有毒。归肺、胃、肝经。涌吐风痰，杀虫。用于中风痰壅，癫痫，疟疾，疥癣，恶疮。

用法用量 内服入丸、散剂，0.3 ~ 0.6 g。外用适量，研末，油或水调涂。体虚气弱者及孕妇忌服。反细辛、芍药、人参、沙参、丹参、玄参、苦参。

百合科 Liliaceae 丫蕊花属 *Ypsilandra*

丫蕊花 *Ypsilandra thibetica* Franch

| 药 材 名 | 峨眉石凤丹（药用部位：全草。别名：一枝花、石凤丹、小瓢儿菜）。

| 形态特征 | 根茎直径约 1 cm，长 1 ~ 5 cm。叶宽 1.5 ~ 4.8 cm，连柄长 6 ~ 27 cm。花葶通常较叶长，稀较叶短，长 7 ~ 52 cm；总状花序具几朵至 20 余朵花；花梗较花被稍长；花被片白色、淡红色至紫色，近匙状倒披针形，长 6 ~ 10 mm，具 3 ~ 5 脉；雄蕊长 10 ~ 18 mm，至少有 1/3 伸出花被；子房上部 3 裂达 1/3 ~ 2/5 处，花柱长 16 ~ 20 mm，稍高于雄蕊，果期明显高出雄蕊，柱头小，头状，稍 3 裂。蒴果长约为宿存花被片的 1/2 ~ 2/3；种子细梭形，两端具长尾，连尾长 4 ~ 5 mm。花期 3 ~ 4 月，果期 5 ~ 6 月。

| 生境分布 | 生于海拔 1 300 ~ 2 000 m 的林下、路旁湿地或沟边。分布于湖南邵阳（新宁、绥宁）、岳阳（平江）、常德（石门）、张家界（桑植、永定）、郴州（宜章、北湖、汝城）、怀化（洪江、通道）等。

| 资源情况 | 野生资源较少。药材来源于野生。

| 采收加工 | 夏季采收，洗净，晒干或鲜用。

| 药材性状 | 本品根茎圆柱形，长 1 ~ 5 cm，直径约 1 cm。叶呈黄绿色，多卷缩。总状花序具数朵花，具数枚鞘状苞片。

| 功能主治 | 苦，微寒。清热，解毒，散结，利小便。用于瘰疬，小便不利，水肿。

| 用法用量 | 内服煎汤，6 ~ 9 g。外用适量，捣敷。

百合科 Liliaceae 丝兰属 *Yucca*

凤尾丝兰 *Yucca gloriosa* L.

| 药 材 名 | 凤尾兰（药用部位：花。别名：白棕、剑麻、菠萝花）。

| 形态特征 | 常绿木本。茎短或长达 5 m，常分枝。叶坚硬，挺直，条状披针形，长 40 ~ 80 cm 或更长，宽 4 ~ 6 cm，先端长渐尖，质坚硬，刺状，边缘幼时具少数疏离的齿，老时全缘，稀具分离的细纤维。圆锥花序长 1 ~ 1.5 m，通常无毛；花下垂，白色至淡黄白色，先端常带紫红色；花被片 6，卵状菱形，长 4 ~ 5.5 cm，宽 1.5 ~ 2 cm；柱头 3 裂。果实倒卵状长圆形。花期 10 ~ 11 月。

| 生境分布 | 栽培于花坛、公园、庭院。湖南有广泛分布。

| 资源情况 | 栽培资源一般。药材来源于栽培。

| 采收加工 | 花开时采摘，鲜用或晒干。

| 药材性状 | 本品花被片 6，卵状菱形，长 4 ~ 5.5 cm，宽 1.5 ~ 2 cm。

| 功能主治 | 辛、微苦，平。止咳平喘。用于支气管哮喘，咳嗽。

| 用法用量 | 内服煎汤，3 ~ 9 g。